O'R PENTRE GWYN
I
GWMDERI

Hywel Teifi Edwards

Argraffiad cyntaf – 2004

ISBN 1 84323 331 2

Dymuna'r cyhoeddwyr gydnabod cymorth
Adrannau Cyngor Llyfrau Cymru.

Argraffwyd gan
Wasg Gomer, Llandysul, Ceredigion

DIOLCHIADAU

Carwn ddiolch am bob cymorth a gefais wrth ysgrifennu'r gyfrol hon gan staff y Llyfrgell Genedlaethol, yn enwedig Mrs Beti Jones a'r Dr. Huw Walters; gan Mr Brynmor Jones yn Llyfrgell Ganolog Dinas Caerdydd, a gan staff Llyfrgell Prifysgol Cymru, Abertawe.

Fel arfer, rwy'n fawr fy nyled i Mrs Gaynor Miles, Ysgrifenyddes Adran y Gymraeg, Prifysgol Cymru, Abertawe am baratoi'r gwaith ar gyfer y wasg.

Ac unwaith eto y mae'n bleser ac yn fraint cael diolch i Wasg Gomer, ac i Bethan Mair yn arbennig, am dderbyn a chyhoeddi cyfrol arall o'm gwaith.

Y mae pennod newydd, lachar wedi'i hagor yn hanes clodwiw Gwasg Gomer, ac fel arwydd o'm hedmygedd ohoni a phrawf o'm dymuniadau da ar gyfer ei dyfodol, iddi hi y cyflwynaf *O'r Pentre Gwyn i Gwmderi*.

Llanddewi Aber-arth.

RHAGAIR

Dal i feddwl am wahanol gynhwysion 'Cymru lân, Cymru lonydd', y ddelwedd longyfarchol ohoni ei hun a greodd cenedl glwyfedig ôl-1847 i'w gwasanaethu yn y byd, a ddaeth â'r gyfrol hon eto i'r golau. Ac yn arbennig, meddwl am y math o bentrefi organig, syml – organig yn yr ystyr fod natur dyn a daear mor gytûn ynddynt – y rhoddwyd lle mor amlwg iddynt yn y gyfres hir o bortreadau, dan y pennawd 'Ardaloedd Cymru', a ymddangosodd yn *Cymru* O.M. Edwards trwy gydol yr amser y bu ef yn golygu'r cordial hwnnw o gylchgrawn rhwng 1891 a'i farw yn 1920. Yng ngeiriau Anthropos, cyfrannwr yr oedd O.M. Edwards megis brenin yn ei olwg, y rhain oedd y pentrefi gwyn a dystiai i deilyngdod y wlad a'i phobol mor loyw ag y gwnâi'r bythynnod gwyngalchog y canodd Ieuan Gwynedd iddynt pan arweiniai'r gwrthymosodiad yn erbyn Llyfrau Gleision 1847. Fe fu iddynt yn eu tymor swyddogaeth ideolegol sy'n haeddu sylw.

Roedd y pentrefi a bortreadwyd yn *Cymru* yn ffeithiau hanesyddol a daearyddol. Roeddent yn bod; roedd amryw ohonynt yn hen iawn. Fodd bynnag, nid am eu bod i'w gweld ar fap, nid am eu bod yn endidau cymdeithasegol solet yr oedd iddynt eu gwerth i bobol ansicr ohonynt eu hunain. Fel llefydd yn y meddwl yr oeddent yn cyfrif; fel mannau na allai'r byd mo'u rheibio. A chofio mai er mwyn 'codi'r hen wlad yn ei hôl' yr ymroes O.M. Edwards i wasanaethu ei genedl a'i fod wedi sylweddoli o'r cychwyn fod llwyddo'n dibynnu ar ennill brwydrau yn y meddwl Cymreig, nid yw'n syndod iddo wahodd portreadau o bentrefi i'w gylchgrawn a fyddai, fel ei bortreadau ef o gartrefi Cymru, yn ei gwneud hi'n haws i'w ddarllenwyr feddwl yn dda amdanynt eu hunain. Pentrefi'r dychymyg yw'r pentrefi gwyn a ddaeth, diolch yn bennaf iddo ef, yn boblogaidd yn llên y Gymraeg o'r 1880au ymlaen. Dyheu amdanynt a'u gwnâi'n llenyddol arwyddocaol. Llefydd i bererinion oeddynt – ac ydynt o hyd i'r sawl a'u cais.

Wedi cyfeirio at lenyddiaeth Gymraeg o'r 1880au ymlaen, gwell pwysleisio mai mewn cerddi, ysgrifau a gweithiau hunangofiannol y mae'r pentrefi gwyn wedi ymddangos fynychaf. Yr ysgrif, hoff ffurf lenyddol O.M. Edwards, piau pentrefi *Cymru* a darn o hunangofiant plentyndod yw'r gwaith a sicrhaodd boblogrwydd Anthropos, sef *Y Pentre Gwyn* (1909).

Ffurfiau personol iawn yw'r rhain, wrth gwrs, y gellir ynddynt a thrwyddynt fynegi'n rhwydd wahanol raddau o nostalgia a delfrydiaeth, a ffurfiau cydnaws ar gyfer consurio'r llonyddwch rhiniol, yr 'idyllic stasis' hwnnw, na flinid gynt ar ei glodfori fel yr hyfrytaf o nodweddion bywyd y pentrefi gwyn. Gellid dibynnu ar y delyneg, yr ysgrif a'r hunangofiant yn enw 'Cymru lân, Cymru lonydd' i greu a chynnal y naws priodol a fyddai'n debygol o ddenu'r darllenydd yn ôl i ailhawlio'r hyn ydoedd unwaith – neu hwyrach yr hyn y tybiai iddo fod unwaith.

Prin yr atebai pentrefi o'r fath bwrpas ffuglen, a hwyrach mai hir deyrnasiad y 'pentre gwyn' yn y Gymraeg sy'n cyfri'n bennaf am na chafwyd nofel i dyrchu i berfeddion ein bywyd pentrefol nes i Caradog Prichard gyhoeddi *Un Nos Ola Leuad* yn 1961. Gydag ymddangosiad y nofel honno peidiodd y pentref Cymraeg â bod yn wrthrych defosiwn, yn lle anghymhleth heb drwch o ystyron, ac aeth yn drigle tensiynau. Yn llenyddol, bu'n fawr ar ei ennill. Am ein bywyd pentrefol beunyddiol y dywedodd Anthony P. Cohen:

> Because people know a great deal about each other and because everything is salient as public knowledge, people have to behave in particular ways – to conceal certain things, to restrain others. They have to accord with the conventions of intimate society and, at the same time, they have to resist the tensions inherent in the too-close coexistence of small-scale society.[1]

Digon gwir. Ond y mae ffuglen sy'n cyfrif yn gofyn datgelu'r hyn a wyddom, rhoi'r ffrwyn ar war tensiynau, a gwneud hynny'n greadigol ddigyfaddawd am fod bywydau pobol yn cyfrif, am fod gwerth arnynt. Dyna a wnaeth Caradog Prichard ac ni fu'r pentref Cymraeg yr un.

Dyna, hefyd, a wnaeth Dylan Thomas yn *Under Milk Wood* (1953). Gweld y ddynoliaeth yn 'Llareggub' yn gawdel o amherffeithrwydd digrif a phoenus a chofleidio'r pentref glan môr am mai llecyn cariad ydoedd – 'a place of love' yn anad dim. A dyna na wnaeth Caradoc Evans yn storïau *My People* (1915), lle y cafodd gymaint o flas ar gasáu pobol 'Manteg' fel na ellir ei gymryd o ddifrif fel tafodog dros werth bywyd dynol. Ysgrifennai fel petai'n ddyngasäwr yn gyntaf ac yn awdur yn ail, a'r canlyniad fu i lawer iawn o Gymry ymwrthod ag ef ac ymwthio'n ddyfnach i gysur eu pentrefi gwyn.

Yn atgofion Dan Davies a fuasai'n deiliwr yn Rhydlewis (pentref magwraeth Caradoc) am y rhan orau o'i oes, yn gapelwr selog, yn eisteddfodwr ac yn actiwr brwdfrydig gyda'r cwmni drama lleol a gafodd Idwal Jones yn gefn iddo, nid oes yr un cyfeiriad at na Charadoc na *My People*. Dyna, mae'n debyg, fesur dirmyg Dan Davies, a'r diwylliant a ymgorfforai, tuag ato; dirmyg a danlinellodd trwy ddyfynnu rhai penillion o gerdd fuddugol Isfoel i bentref Rhydlewis, 'nôl yn Eisteddfod Twrgwyn yn 1906:

> Yng nghysgod ei fryniau fe fagwyd talentau
> Fel disglair gomedau symudol, –
> Meib celfydd a thrylen, meib dysg ymhob cangen,
> A meibion yr awen amrywiol.[2]

Os gwyddai Caradoc amdanynt, ni fynnai mo'u harddel rhag iddynt, mae'n rhaid, sarnu ei wirioneddau ef, a pho fwyaf y meddylir amdano, mwyaf yn y byd o achos sydd i alaru na chawsai gyfran o ras llenyddol y Caradog arall hwnnw, a'i dilynodd i Stryd y Fflyd yn Llundain, i droi dolur mawr blynyddoedd ei faboed ym Methesda yn ddatguddiad ac yn goncwest.

Os yw byw'n gymharol gytûn yn ein byd beunyddiol yn dibynnu ar ffugio na wyddom hanner yr hyn a wyddom am ein gilydd, y mae modd byw'n fwy gonest trwy lenyddiaeth yn rhinwedd ei datgeliadau. Y mae'n rhaid agor ein llygaid i'r cyfan y gallwn ei feddwl, ei ddychmygu a'i wneud. Diffyg creiddiol llenyddiaeth y 'pentre gwyn' oedd na fynnai i'w ddarllenwyr weld mwy nag oedd dda iddynt, ond cystal cyfaddef fod hwnnw'n ddiffyg y mae'n dda i greadur truan ei fod, ar ambell awr, pan yw bywyd yn ormes arno. Y mae gwylio dros ddeng mlynedd ar hugain o drybestod 'Cwmderi' siŵr o fod yn rhoi hawl i ddweud fod ar bawb angen 'pentre gwyn' i'w gadw'n gall!

Mi wn i gystal â neb mor ddwfn y gall fod gwreiddyn lle o'r fath ym mhridd ein hangen. Y mae'n agos i hanner canrif er pan fûm i'n trigo yn Llanddewi Aber-arth ond trwy'r blynyddoedd fe fu byw ynof i yn 'bentre gwyn' nas diwreiddir byth. Fel pob pentref fe fyddai twyll a malais a chynnen yn ei gorddi o bryd i'w gilydd, ac rwyf yn hen gyfarwydd ag astudiaeth gymdeithasegol yr Athro Jac L. Williams (un o blant Ysgol Aber-arth) na ragwelai ar ddechrau'r 1950au ond dirywiad anorfod i'r gymuned wledig yr oedd y pentref yn ganolbwynt iddi. Gwelai ef bryd hynny arwyddion chwalfa gymdeithasol a glastwreiddio diwylliannol ('cultural hybridism' oedd ei eiriau), ac fel crwner yn cloi adroddiad wedi trengholiad y gorffennodd ei astudiaeth: 'The village seemed to be in the process of becoming a dormitory village, with its cultural and social life contracting in a manner similar to that in which its economic life has declined'.[3] Y mae treigl hanner canrif wedi cadarnhau'r casgliadau a dynnodd ar ôl edrych â'i lygaid ymchwil ar y sefyllfa a oedd ohoni yn yr 1950au.

Ond nid dyna a welwn i bryd hynny, pan oedd fy mhentref wedi fy meddiannu'n llwyr, pob llathen ohono, a phan oeddwn i wrthi'n perchenogi ysblanderau traeth ac afon a chwm dros byth. Pan oeddwn, mewn gair, yn creu fy 'mhentre gwyn'. Yr oedd Aber-arth Jac L. Williams, mab ffarm Caebislan, yn ffaith anwadadwy wrth reswm, ac y mae'n bod felly o hyd. Ond nid llai o 'ffaith' i mi yw'r Aber-arth yn fy meddwl na fedd neb arall gymaint â throedfedd ohono, fy encilfa o hyd pan ddaw ambell heddiw i'm llethu. Rwy'n dwlu ar fy 'mhentre gwyn', ond nid wyf mor ddwl â chredu y dylai fod imi'n ddinas barhaus.

[1] Anthony P. Cohen, ed., *Belonging: Identity and Social Organization in British Rural Cultures* (Manchester University Press, 1982), 11.

[2] Dan Davies a William Thomas Hughes, *Atgofion Dau Grefftwr* (Aberystwyth, 1963), 20.

[3] Jac L. Williams, *Llan X: A rural community in Wales* (A Sociological Study, with special reference to Social Change and Acculturation). PhD thesis, University of London, 1958, gw. t.345.

Y WLAD A'I PHENTREFI

Pan oedd y byd wedi ymderfysgu mewn rhyfel yn erbyn Hitleriaeth y canodd J.M. Edwards ei folawd, 'Pentrefi Cymru'. Fe'u gwelai megis ceyrydd yn 'Aros yn eich symledd ar draethau'r môr anniddig', yn wynebu'r bwystfil o'r tu ôl i ragfuriau eu sicrwydd a'r cof amdanynt yn dod â 'Holl gerddi a lliwiau ieuenctid . . .' i'w plant crwydr yn y dinasoedd a'r trefi materol a di-ffin. Llefydd i eneidiau gael llonydd ynddynt oedd pentrefi Cymru:

> Daw arnom eich tangnefedd eilwaith megis salm,
> Megis cysgod palmwydden garedig ar gôl y crastir.
> Lle mae undod y ceinciau, yno y mae brig bro,
> Yno y cawn hefyd weddillion y bywyd
> A dyfodd erioed yn flaguryn parch, yn falchder
> Ein mamwlad ni.
>
> Rhyngom a'r hyrddwynt chwychwi yn unig a saif,
> Gobaith ein hiraeth ydych.
> Lle mae'r gwraidd yn grymuso'r grawn,
> Dyddgwaith yn blodeuo yn ddefod foddhaus,
> Oriau hwyrddydd yn aeddfedrwydd hamdden.
> A Sul yn gynhaeaf y saint.[1]

Ac yntau yn Y Barri yng ngolwg a chlyw rhyfela, am Lanrhystud ei faboed yr hiraethai J.M. Edwards gan mai yno, iddo ef, yr oedd y noddfa bentrefol yn y wlad y tapiwyd ei chysur ganddo droeon mewn cân ac ysgrif. Ac nid yw Llanrhystud J.M. Edwards ond un enghraifft o'r pentref eiconig a rithiwyd yn enw'r Gymru lonydd, lân a fu'n ddelwedd ganolog yn niwylliant amddiffynnol y Gymraeg am ganrif ar ôl 1850. At hynny, y mae Llanrhystud J.M. Edwards, fel pob llan wynfydedig yn y Gymru honno, yn ddrych-ddelwedd o Lanuwchllyn O.M. Edwards, y pentref a fu'n echel yrru ei ymgais oes ef mewn llyfr a chylchgrawn 'i godi'r hen wlad yn ei hôl'.

1

Y mae'n ffaith gyfarwydd, wrth gwrs, mai yn y Gymru wledig, Gymraeg y gwelai O.M. Edwards obaith iachawdwriaeth i'r genedl. Dywedodd hynny droeon, megis yn ei ysgrif ar 'Y Prif-ffyrdd a'r Caeau' lle barnai ei bod yn anodd i Gymro ymgartrefu mewn tref. Dyledwr ydoedd i'r wlad ymhob hanfod:

> I harddwch ei wlad mae y Cymro yn ddyledus am ei feddwl naturiol farddonol. I symlrwydd y wlad y mae yn ddyledus am yr ysbryd caredig, gwerinol, sydd ynddo ar ei orau. I gyfrinion ac arucheledd ei môr a'i mynydd mae yn ddyledus am grefyddolder ei ysbryd a'i gariad tuag at ryddid. Y mae ei wlad, fel ei iaith, yn anadl einioes i'r Cymro. Ofnaf mai dirywio wna mewn trefi os na bydd yn medru cadw y cysylltiad yn fyw rhyngddo ef a bywyd y wlad.[2]

I bob pwrpas ymwrthodai'r gweledydd a'r artist ynddo â'r Gymru dorfol, ddiwydiannol ac yn hynny o beth arddelai hir draddodiad Ewropeaidd o ddyrchafu daioni'r gwledig a'r gwladaidd ar draul y dinesig a'r trefol. Er pan welodd Fyrsil degwch Sisli yn rhagori fil o weithiau ar rwysg Rhufain – a chyn hynny y mae'n siŵr – fe fu artistiaid aml-gyfrwng yn dotio at y mannau mwyn yn y wlad a'u gwerinwyr honedig fodlon, ac yn ymateb y mudiad Rhamantaidd i holl egrwch y Chwyldro Diwydiannol fe gafodd yr hen ysfa honno wefriad o egni mawr a oedd i gyfareddu O.M. Edwards pan ddaliwyd ef gan swynion llên ramantaidd y Saeson.

Yn Rhydychen, yr oedd ei ganfyddiad o lendid y Gymru yr oedd i'w chonsurio'n gynhaliaeth i'w gydwladwyr i'w liwio gan ramantwyr mawr Lloegr, gan y Cyn-Raphaelyddion, gan William Morris a Ruskin, ac yr oedd i ymwybod yn ddwfn â hirhoedledd yr hiraeth yn llên y Sais am 'yr hen amser gwledig gynt'. Dyna'r hiraeth a ddirwynodd Raymond Williams yn ôl o hanner cyntaf yr ugeinfed ganrif trwy Thomas Hardy, George Eliot, William Cobbett, John Clare, George Crabbe ac Oliver Goldsmith – yn ôl trwy 'Piers Plowman' Langland yn y bedwaredd ganrif ar ddeg, trwy'r Pla Du a Magna Carta, yn ôl o hyd trwy'r naill 'Old England' ar ôl y llall nes cyrraedd, ond odid, fan cychwyn pob 'hen wlad' ddedwydd – Gardd Eden.[3] Fe gafodd O.M. Edwards yn ddiau ysbrydoliaeth i'w genhadaeth yn llenyddiaeth Lloegr, a thrwy eu hedmygedd mawr ohono ef, fe ddôi Cymry eraill, megis Anthropos, Eifion Wyn, Sarnicol, Llewelyn Williams a D.J. Williams i'w hudo ganddi ac i drysori'r gwirioneddau a draethai am nefoleiddiwch y wlad.

2

Y mae llewyrch y traethu hwnnw yn Lloegr ar bentrefi gwynion llên Cymru.

Artistiaid a dehonglwyr y Pictiwrésg yn niwedd y ddeunawfed ganrif a ddyrchafodd y pentref eidylig yn hoffter llên, llun a phensaernïaeth, a bu'r llef a gododd Rhamantiaeth yn erbyn hylltod y Chwyldro Diwydiannol yn foddion i drosglwyddo'r ddelwedd yn ei grym nostalgaidd i'r ugeinfed ganrif. Ym marn Gillian Darley[4] cryfhaodd y Pictiwrésg y nostalgia a oedd eisoes yn bod cyn i'r Chwyldro Diwydiannol ddod i greithio'r tiroedd, ac i waredwr â'i fryd ar ysbrydoli bywyd gwerinwyr trwy ddangos iddynt harddwch amlweddog y wlad y trigent ynddi, yr oedd i'r pentref pictiwrésg, fel i'r bwthyn gwyngalchog, apêl ddiwrthdro. Brwydr esthetig foesol fyddai'r frwydr i 'godi'r hen wlad yn ei hôl' a gorau po decaf fyddai'r arfau a ddefnyddid i'w hymladd.

Ymhell cyn diwedd y ddeunawfed ganrif roedd Goldsmith yn 'The Deserted Village' (1769) wedi gosod cywair y dyheu pruddglwyfus am ddedwyddwch y wlad a fyddai i'w glywed trwy gydol oes Victoria, tra oedd George Crabbe yn 'The Village' (1783) wedi codi'i lais yn erbyn y sentimentaleiddiwch a wadai'r gwir am drueni'r pentrefi gwledig:

> No longer truth, though shown in verse, disdain,
> But own the village life a life of pain.

Fe gâi Crabbe dyst nerthol o'i blaid pan gyhoeddwyd *Rural Rides* William Cobbett yn 1830 ond dwy flynedd yn ddiweddarach yr oedd ymddangosiad nofel Mary Russell Mitford, *Our Village*, i helpu sicrhau y byddai 'an impulse towards idyll', fel y'i disgrifiwyd gan P.D.Edwards, yn hollbresennol yng nghelfyddyd llên a llun oes Victoria ac y byddai awduron mor arwyddocaol â Tennyson, Catherine Gaskell, Arthur Clough, George Eliot ac Arnold Trollope yn dangos bod realaeth eidylig Mitford wedi gadael ei hôl arnynt. Ac wrth gwrs, yr oedd *Our Village* yn ymddangos bum mlynedd cyn marw Constable yn 1837 ac felly'n elwa ar athrylith yr arlunydd y dywedwyd fod ei baentiadau poblogaidd yn cynnwys 'all the icons of English villageness, indeed had a tradition of being accurate representations of it on its most exemplary form'.[5]

Yn ôl P.D. Edwards tystiai gwaith Mitford dros 'the supreme value of community, crediting it with the potential to reconcile all social, personal and sexual conflicts' ac yn rhiwedd hynny, o gofio'r pwys a

3

rôi'r Cymry wedi 'brad' Llyfrau Gleision 1847 ar wlad lân a llonydd, gellid disgwyl y cawsai Mitford groeso ganddynt.[6] Ni wn, fodd bynnag, am unrhyw ymdriniaeth Gymraeg ag *Our Village* na'r un gystadleuaeth eisteddfodol, chwaith, a gynigiodd wobr am gyfieithiad ohoni. Ond waeth beth am hynny nid oes gwadu nad yw *Our Village* yn gydnaws â'r math o ysgrifennu mwythus am fywyd y wlad y rhoes O.M. Edwards, yn fwy na neb, wir gychwyn iddo yng Nghymru.

Mewn erthygl ar 'The Discovery of Rural England' y mae Alun Howkins wedi dangos i gymaint graddau o'r 1880au hyd at yr Ail Ryfel Byd y syniwyd am 'the real England' yn nhermau'r gwledig ac yn arbennig felly yn nhermau de Lloegr, 'the "south country".'[7] Yno yr oedd y gymuned organig, naturiol iach a daionus i'w chael, y math o gymuned y sylweddolwyd ei gwerth fwyfwy yn y blynyddoedd cyn Rhyfel Mawr 1914–18 pan geisiai gwleidyddion ac economegwyr wrthweithio drygau canrif a mwy o ddiboblogi trwy ddyfeisio polisïau a gyhoeddai ddoethineb dychwelyd i'r wlad. I'r gwrthwyneb i'r trefi, a Llundain yn enwedig, roedd y wlad a'r gwladwr i'w hystyried yn hanfod Lloegr, 'uncontaminated by racial degeneration and the false values of cosmopolitan urban life'. Golygai hynny, yn ôl Howkins, fod yn rhaid ar ôl pwysleisio manteision y bywyd trefol gyhyd ailysgrifennu hanes diwylliannol Lloegr ac amlygu 'a new Englishness . . . which accorded with changed perceptions of society'.[8]

Aed ati i adfeddiannu gwerthoedd diwylliant diledryw y Lloegr Duduraidd, y gwerthoedd a ymwreiddiodd ynddi ym mlynyddoedd olaf teyrnasiad Elisabeth I, gan ymroi i boblogeiddio'i cherddoriaeth a'i dawnsio gwerin fel y dangosodd Georgina Boyes[9] yn gampus yn *The Imagined Village* (1993), a gosod stamp ei phensaernïaeth ar bentrefi'r 'south country'. Ond yn llyfrau awduron o anian J.R. Jefferies, W.H. Hudson, Edward Thomas (1878–1917), George Sturt (1863–1927) a rhai o'r beirdd Sioraidd megis Walter de la Mare, W.H. Davies a J.C. Squire yn bennaf, y crewyd y wlad hudol honno a'i phlannu'n anghenraid mewn ideoleg genedlaethol. Troesant yn ddelfryd ryw Loegr benodol wledig yr hanfyddai ynddi ymwybod â pharhad a chytgord, ac yn ôl Howkins i ddegau o filoedd o filwyr – y mwyafrif ohonynt o ddigon yn drigolion dinas a thref – y delfryd hwnnw oedd craidd y wlad yr aethant i ymladd drosti yn 1914.[10] A chryfhau gafael y delfryd ar ddychymyg a chalonnau'r bechgyn oedd pwrpas llawer o'r llên anogaethol a ddarparwyd ar eu cyfer, megis *The Old Country*, antholeg yr Y.M.C.A. a olygwyd gan Ernest Rhys ar ran Llyfrgell Pobun. Yng ngeiriau gafaelgar Howkins, 'In Flanders, in the very antithesis of England's South Country, the rural ideal was enshrined by mass slaughter'. A bu'r sioc, yn ôl Frank Trentman, yn foddion i gyflymu 'the spirit of pastoralism as a psychological sheet-anchor'.[11]

Wedi'r Rhyfel Mawr byddai heidio cynyddol i'r wlad i ddarganfod 'England as it "really was", unspoilt and natural.' Erbyn yr 1930au roedd rhyw gan mil yng ngafael 'hiking mania' yn Lloegr ac 'I'm happy when I'm hiking' yn atsain trwy'r bröydd flynyddoedd cyn i gôr plant Obernkirchen ddod i Langollen yn 1953 i ganu am 'The Happy Wanderer'. Yn 1924 lleisiodd y Prif Weinidog, Stanley Baldwin, farn ddigamsyniol gymeradwy pan ddywedodd yng nghinio blynyddol Cymdeithas Frenhinol Sain Siôr: 'To me, England is the country, and the country is England'. Dan ganu baled Ross Parker a Hughie Charles –

> There'll always be an England
> While there's a country lane,
> As long as there's a cottage small
> Beside a field of grain . . .

– y martsiodd meibion Lloegr (a diau nifer o feibion Cymru) i wynebu'r Natsïaid[12] ac y mae Malcolm Chase, Valentine Cunningham ac Alex Potts, hefyd, wedi dangos cymaint o lenyddiaeth y Saeson rhwng 1930 a diwedd yr Ail Ryfel Byd a fynnai fod ansoddau cynseiliol 'Englishness' i'w canfod yn y Lloegr wledig. Yr oedd yn syniad a goleddid gan nifer o gyfranwyr adain dde y *Criterion*, y cylchgrawn a sefydlwyd ac a olygwyd gan T.S. Eliot o 1922 tan 1939, ac yn eu tro bu'n dda gan D.H. Lawrence, C. Day Lewis, Stephen Spender, W.H. Auden, Christopher Isherwood, George Orwell a F.R. Leavis hwythau arddel 'a country vision'.[13]

Dechreuwyd gwynfydu mewn difrif am rin y wlad yn niwedd oes Victoria pan oedd dirwasgiad ym myd amaeth a gofid yn wyneb y trefoli dibaid yn cerdded tiroedd Lloegr. Â sêl sy'n peri meddwl am ddychweledigion rhyw ddiwygiad gwyrdd, bu tystio brwd dros fendithion 'y wlad sy well' rhwng y ddau Ryfel Byd. Cyhoeddwyd cyfrolau atyniadol H.V. Morton, *In Search of England* (1927), *In Search of Scotland* (1929) ac *In Search of Wales* (1932); gan A.G. Macdonell

5

cafwyd *England their England* (1933) a chyhoeddodd Batsford's *The Legacy of England* (1935). Yn 1932 cyhoeddwyd sgyrsiau radio S.P.B. Maïs, *This Unknown Island*, cafwyd *English Journey* J.B. Priestley yn 1934 ac yn ystod yr un degawd dechreuodd John Betjeman olygu'r 'Shell Guides' tra phoblogaidd. Ar droed, ac yn gynyddol mewn ceir, dylifodd torfeydd o'r trefi i adfeddiannu'r etifeddiaeth a wadwyd iddynt gan ormes 'Cynnydd', llawer ohonynt o'r farn nad oedd neb yn wir Sais ac wedi byw bywyd 'fully-balanced' onid oedd y wlad wedi chwarae rhyw ran ffurfiannol yn ei brifiant. Ac o weld a dotio at degwch pentrefi gwledig Lloegr pa raid oedd amau nad oedd bywydau eu trigolion yn 'fully-balanced'. Oni chawsent lyfrau i'w calonogi i gredu hynny?[14]

Gan Henry Williamson, y ffasgydd a edmygai Almaen Herr Hitler, cawsent *The Village Book* (1930) a *Goodbye West Country* (1937). Rhoes Edmund Blunden, a oedd i gefnogi Franco a chanmol 'freshness' yr Almaen mor ddiweddar â haf 1939, *English Villages* iddynt yn 1931 a *The Face of England* (1932). O ddwylo T.H. White a gredai y gallai'r wlad achub y Comiwnyddion trwy eu cysylltu â 'phobol go iawn' yn hytrach na'r proletariat, daeth *England Have my Bones* yn 1936. A phan dorrodd y rhyfel yn erbyn y Natsïaid fe gafwyd yn ddioed gan y cefngwladgarwr hwnnw o fri, C.H. Warren, destament i nerthu'r bobol, sef *England is a Village* (1940). Yn ei farn ef, 'The best of England is a village' ac fel petai i ategu'r farn honno cyhoeddodd Gwasg Prifysgol Rhydychen yn ystod y rhyfel drioleg enillgar iawn Flora Thompson, *Lark Rise to Candelford*. Fe fyddai Warren drachefn yn atgoffa'i gydwladwyr o'r grym i gynnal corff ac ysbryd a oedd iddynt yn y wlad yn *The Land is Yours* (1943) a byddai H.J. Massingham (1888–1952), a fu'n dafodog llawn mor ddiwyd argyhoeddedig â Warren dros y bywyd gwledig, ar derfyn y brwydro enbytaf yn hanes y ddynoliaeth yn pennu'r trigle mwyaf dedwydd i greadur o ddyn: 'In his own place . . . in touch with what is beyond land and time. The simple Christian story affirms this to be true. Its tale of the infinite lodged in a village is absolute truth in a nutshell'.[15]

Dywedwyd digon i ddangos trwch y dystiolaeth sydd o blaid y gred yng ngwarineb a thlysni cynhaliol y wlad yn llên a chelfyddyd Lloegr yn y cyfnod modern. Prin fod eisiau dweud fod ochr arall i'r geiniog. 'The best of England is a village' oedd haeriad Warren yn 1940, ond i Jack Hilton, plastrwr o Rochdale a gyhoeddodd yr un flwyddyn *English Ways. A Walk from the Pennines to the Epsom Downs in 1939*, nid oedd

6

swyn ym myth y pentref prydferth, diddan. I'r gwrthwyneb meddai ef, 'The Village is mildewy-insular'.[16] Gellid yn hawdd ddangos fod rhwng dyddiau George Crabbe a Jack Hilton ddigon o dystion i gulni, aflendid, afiechydon, tlodi ac anghyfiawnderau'r bywyd gwledig. Gellid yn hawdd ddyfynnu o adroddiadau swyddogol aml eu hystadegau na fyddai modd gwadu eu caswirioneddau am iselder statws a thrueni cyflwr y gwladwyr, ond er gwaethaf hynny ni ellid peidio â'r dyheu am yr hyfrydle yn y wlad a'r hiraethu dychmyglon am gael byw mewn cymuned bentrefol, organig a ffynnai mewn amgylchedd dynol greadigol – y math o gymuned a oedd mewn golwg gan F.R. Leavis a Denys Thompson wrth ysgrifennu *Culture and Environment* (1933) ac a oedd yn dal yn rhan o hiraeth yr athronydd Roger Scruton pan gyhoeddodd ei farwnad i'w Loegr ef mor ddiweddar â'r flwyddyn 2000. Mor hawdd ydyw i Gymro gymhwyso geiriau Scruton at lên y Gymraeg:

> From *The Country Diary of an Edwardian Lady* to *Cider with Rosie*, from the pastoral films of Ealing Studios to *The Archers*, the rural theme has occupied a seemingly immovable place in the national culture, feeding illusions, soothing troubled hearts, and – let it be said – often preventing people from perceiving that the England of their dreams was no longer a reality.[17]

Creadigaethau i ateb gofynion seicolegol ac emosiynol yw'r wlad a'r pentrefi yng ngweithiau'r awduron Saesneg y cyfeiriwyd atynt, a dyna ydynt yng ngweithiau'r Cymry Cymraeg sydd i gael sylw yn y gyfrol hon. Cynnyrch pwerus nostalgia ydynt gan mwyaf, ac felly'n ddihangol rhag dadrith realaeth gan gryfed yw'r ddelwedd feddyliol o ddedwyddwch a heddwch sy'n gyffredin i bob un ohonynt. Yn erbyn y ddelwedd honno roedd datgeliadau Comisiynau Brenhinol yn ddi-rym. Ystyrier cyffes H.V. Morton yn *In Search of England* am ei brofiad ym Mhalestina yn 1926 ac yntau ar y pryd yn glaf. Er na faged mohono ef yn bentrefwr, ymrithiodd yn ei feddwl ddelwedd o'r pentref Seisnig cynddelwig a barodd i don o hiraeth olchi drosto. Gwelodd 'the picture of a village street at dusk with a smell of wood smoke lying in the still air . . . This village that symbolizes England sleeps in the subconsciousness of many a townsman . . . The village and the English countryside are the germs of all we are and all we have become.' Yng ngafael y ddelwedd ildiodd Morton i bwl o hiraeth 'that almost shames

7

me now when I recollect it. I find it impossible in cold blood . . . to put into words the longing that shook me . . . I will never forget the pain in my heart'.[18]

Ac yntau'n Sais a gredai mai o'r pentrefi y tyfodd y Saeson i statws cenedl Ewropeaidd ysblennydd ac yna i fod y grym mwyaf yn y byd ers y Rhufeiniaid, nid yw'n syn fod y weledigaeth a ddaeth i Morton ym Mhalestina wedi cael y fath effaith arno. Yr oedd yn daer amdani, yn daer am y sicrwydd a oedd ynddi i glaf mewn tir estron. Yr oedd yn ymwybod â nodded o'i mewn na wnâi ddarfod ac yn synhwyro y byddai ar ysbryd dyn, a hwnnw'n Sais yn yr achos arbennig hwn, angen parhaus amdano. Dyma'i eiriau:

> That village, so often near a Roman road, is sometimes clearly a Saxon hamlet with its great house, its church, and its cottages. There is no question of its death: it is, in fact, a lesson in survival, and a streak of ancient wisdom warns us that it is our duty to keep an eye on the old thatch because we may have to go back there some day, if not for the sake of our bodies, perhaps for the sake of our souls.[19]

Na, nid i'r od a'r arallfydol, y 'moralizing simple-lifers', y perthynai canu clodydd pentrefolrwydd gwledig. Y mae llenyddiaethau Lloegr a Chymru fel ei gilydd adeg yr Ail Ryfel Byd yn caniatáu dweud gyda Malcolm Chase fod y pentref yn dal i fod 'both a totem of stability and a

J.M. Edwards (1903–78).

8

tabernacle of values'.[20] Dyna'n sicr ydoedd i J.M. Edwards pan ganodd ei gerdd i bentrefi Cymru y dyfynnwyd ohoni ar y dechrau, a dyna ydoedd, fel y ceir gweld, yn y ddwy bryddest a ganodd ar destun 'Y Pentref' yn 1937 ac 1951.

Yr oedd y gred, yn sicr yr awydd i gredu, yn rhagoriaeth y wlad fel amgylchfyd a chymdeithas i brofi ynddynt burach ffordd o fyw, i gael nawdd y Gymraeg am y rhan orau o'r ugeinfed ganrif. Fe'i cyhoeddwyd ag arddeliad mawr gan y Parchg. Rhys J. Huws – gweinidog Bethel, Llanddeiniolen y canodd W.J. Gruffydd ei glodydd yn *Hen Atgofion* – mewn ysgrif, 'Ym Mwthyn Cymru', a ymddangosodd, yn briodol ddigon, yn *Y Geninen* ar ddechrau Diwygiad 1904–05. Ni raid wrth fwy nag ychydig frawddegau i gyfleu llwyredd ei sicrwydd. Ystyrier:

> Y mae y bywyd gwledig yn rhydd oddiwrth ddau eithafnod y bywyd trefol – anobaith a difaterwch. . . Yn ddiau, gwell yw gwlad na thref i feithrin calon . . . Os am wybod maint gwirioneddol cysgodion bywyd, mesurer hwynt uwchben bwthyn yng nghesail un o fynyddoedd Cymru . . . Cyfaneddle cymrodyr cymdeithasol yw'r pentref gwledig: ac os pell yw ei fythynod oddiwrth eu gilydd, nid yw milldir cefn gwlad ond ber i gymydog caredig, parod i fod yn angel cymwynas i gyfoethog a thlawd . . . Gymaint o weddus weini y sydd yn y pentref![21]

Ac felly yn y blaen i ddatgan yn orfoleddus mai 'Y peth anhawddaf i'w fagu yn y byd yw deffroad mawr: ac o fywyd goludog gwerin gwlad y caiff ddigon o hyder ac ofn, o amynedd ac aberth, o ofal a thynerwch – i dyfu yn gysgod i'r ddaear'.

Goroesodd y gred hon y Rhyfel Mawr ac yn gyndyn yr ildiodd y Gymraeg ei theyrngarwch iddi ar ôl yr Ail Ryfel Byd fel y prawf, er enghraifft, gyhoeddiadau atgofus Cymdeithas Lyfrau Ceredigion rhwng 1958 ac 1971. Mor ddiweddar ag 1978 pan na chanwyd yr un awdl arobryn ar destun 'Y Ddinas' ar gyfer Eisteddfod Genedlaethol Caerdydd, roedd Alan Llwyd a Gwynn ap Gwilym yn barod i ddadlau mai merch llwybrau'r wlad oedd y gynghanedd, nid 'pishyn' y strydoedd. Wele atgyfodi rhagfarnau Eifion Wyn yn ei awdl anfuddugol i'r 'Bugail' yn 1900, ac yn ei feirniadaeth golledig ar bryddest T.H. Parry-Williams i'r 'Ddinas' yn 1915. Yn ddiau, nid R. Williams Parry yw'r unig 'Iberiad' yn rhengoedd beirdd yr ugeinfed ganrif i felys synio am brofi'r 'heddwch sydd o'r pridd' neu i alaru yn wyneb y ffawd 'Roes im ddilaswellt lawr y dref/Am uchel nef y wlad'. Ac er ein bod ar ddechrau'r unfed ganrif ar hugain yn byw yn feunyddiol yn sŵn ymofidio a phrotestio amaethwyr a phroffwydo tranc terfynol y bywyd gwledig, ni ddarfu eto am nac awen na chynulleidfa'r bardd gwlad.[22]

I Alun Llywelyn-Williams ac yntau'n blentyn dinas Caerdydd, roedd 'gwladeiddiwch' solet llên y Gymraeg yn fwrn a da y gwnaeth rybuddio dros y blynyddoedd fod cwys o'i goraredig yn rhwym o droi'n ffos i wreiddioldeb a gonestrwydd canfyddiad. Crynhodd yn ei bennod ar 'Hen Werin y Graith' yn *Y Nos, Y Niwl a'r Ynys* (1960) yr anniddigrwydd a fuasai'n ei flino gyhyd wrth ystyried fel yr oedd rhamantiaeth troad y ganrif wedi sicrhau apotheosis y gwerinwr a pharadwyso pob cwm yn 'Gwm Pennant'. Fe wyddai, fodd bynnag, ei fod wyneb yn wyneb â delfryd a oedd wedi dal dychymyg gwladgarol carfan helaeth o'r Cymry oherwydd, i raddau helaeth iawn, dewiniaeth O.M. Edwards. Am iddo gael achos i ryfeddu at rym y ddewiniaeth honno wrth resynu ei bod yn dal ei gafael mor hir, y mae Alun Llywelyn-Williams i'w gyfrif yn un o'r sylwebyddion gorau ar lafur 'O.M.'[23]

Ystyrier rhai enghreifftiau o'r gofal a'r gofid am ffyniant y wlad a leisiwyd yng Nghymru rhwng y ddau Ryfel Byd. Daeth David Lloyd George yn Brif Weinidog o Gymro buddugoliaethus i Eisteddfod Genedlaethol Castell-nedd yn 1918 i'w foli fel gwaredwr yr Ymerodraeth Brydeinig, a daeth O.M. Edwards yno i lywyddu ar ddiwrnod y plant a'i gyflwyno iddynt fel 'Gwaredwr y Gymraeg'. Addawai Lloyd George greu gwlad deilwng i arwyr fyw ynddi ac wrth annerch y Cymmrodorion ar 'Some Problems of Rural Reconstruction in Wales' fe'i gwnaed yn gwbl glir gan Robert Richards, BA, darllenydd yn Adran Economeg Coleg Prifysgol Bangor, lle byddai calon y wlad gynhaliol honno.

Er i Mr Thomas Evans, MB, DPH, swyddog iechyd bwrdeistref Abertawe, a Mrs Coombe Tennant ('Mam o Nedd'), Cadoxton Lodge, dynnu sylw at anghenion meddygol difrifol y cefn gwlad, byrdwn Richards oedd y dylai adfer hoen cymunedol y parthau gwledig fod yn flaenoriaeth wedi'r rhyfel am fod iechyd y bywyd cenedlaethol yn dibynnu ar wneud hynny: 'Our very existence as a nation seems to me to depend upon it. We cannot look to industrialism to cherish and foster our national ideals, because industrialism is devoid of every tinge of idealism of any description'. Y mae'n rhaid na chroesodd feddwl

Richards y gallai sylwadau o'r fath beri tramgwydd yng Nghastell-nedd lle'r oedd yr holl filoedd wedi tyrru o'r cymoedd glo i gynnal prifwyl ysbrydoledig – heb sôn am y tri chan mil o lowyr a aethai'n ddioed i ymladd â lluoedd y Kaiser. A rhaid ei fod ar dir diogel gan nad oes sôn i neb godi yn Neuadd Gwynn i wrthdystio.[24]

Y mae'n wir i Richards alw ar Brifysgol Cymru i ymroi i gyfoethogi diwylliant cyffredinol y gwladwr gan fod ei anghenion yn amlwg. Fe gredai, fodd bynnag, y gellid ar sail adfywiad gwareiddiad gwledig godi math o fywyd uwch na bywyd y dref 'in our country villages, and on our remote hill-sides'. Dyna'r unig sail dichonadwy i genedlaetholdeb Cymreig:

> Welsh life has always been racy of the soil. Your so called urban civilization is a mere excrescence, alien alike to the spirit and traditions of our race. The wealth of the Rhondda and the Rhymney is as nothing in its effects upon our national life compared with the influence exerted by a county town like Bala, or a village like Trefecca.[25]

Maentumiai Richards fod amaethyddiaeth wedi elwa ar Ryfel 1914–18 ond na wnaethai hynny ddim i swcro bywyd cymunedol yn y wlad. Yn wir, maentumiai fod y bywyd hwnnw wedi darfod yn y bröydd gwledig ers trigain neu bedwar ugain mlynedd a'u hymgais i'w ail-greu a gyfrifai am boblogrwydd llyfrau awduron o frid O.M. Edwards a W. Llewelyn Williams. Siawns nad oedd llygaid llaith yn Neuadd Gwynn wrth iddo gonsurio'r hyn a gollwyd mewn geiriau sy'n crisialu'r meddylfryd a'r hydeimledd wrth wraidd cymaint o'r llenydda nostalgaidd a gafwyd yn yr ugeinfed ganrif:

> As we of the younger generation strain our ears to catch the lingering echoes of those ancient days we cannot help realising how great is the distance which separates us from our grandfathers. The native art that cut the rude pattern on oak chest, and 'cwpwrdd tridarn' seems lost for ever. Forgotten are the generations that of winter evenings made their own household utensils by the ruddy light of the sullen peat fire, while others entertained the company with snatches of old songs or tales of the countryside. Gone even is the generation that read its theology out of the *Traethodydd* and its politics out of the *Baner*, that raised its own food, baked its own bread and oatcake, that wove its own cloth, and whose only relaxation was a tramp over the hills to Sassiwn and

11

Cymanfa. Its life ebbed out to the slow, mournful ticking of the old grand-father's clock, as it painfully let slip the moments that were to bear its disembodied spirits to the shores of eternity. It is true that they lived laborious days, and that life had few of those glittering prizes to offer them which seem so to dazzle our own generation. To restore them may be impossible, and we may have to remain content with recalling them to mind. But to me they stand for Wales, and to allow their quiet strength to depart altogether, is to make straight for national extinction.[26]

Fe fyddai'r brifwyl yn dal i roi sylw i anghenion y cefn gwlad yn yr 1920au. Yn 1923 daeth D. Lleufer Thomas ynghyd â'r Athro Patrick Abercrombie o Brifysgol Lerpwl i Eisteddfod Genedlaethol yr Wyddgrug i draethu gerbron y Cymmrodorion, Thomas i drafod 'The Welsh Countryside – Its Need of a Development Plan' ac Abercrombie i ymdrin â 'Wales Beautiful – and Ugly'. Daeth Abercrombie drachefn i Eisteddfod Genedlaethol Caergybi yn 1927 pan oedd 'The Preservation of Rural Wales' eto'n bwnc trafod i'r Cymmrodorion. Daeth y tro hwn i argymell ffurfio Cyngor Cymreig ar batrwm Cyngor Amddiffyn Lloegr Wledig (CPRE) a sefydlwyd yn 1923, a mynegodd ei ofid ym mrawddeg agoriadol y papur a ddarllenodd:

> It is no longer necessary to labour the need for preserving the beauties and seemliness of Wales. Everyone is agreed that while it is essential that nothing shall interfere with the legitimate development of the resources of Wales, the wanton destruction of beauty, which is invariably unnecessary, must be stopped.[27]

Roedd yn rhaid meddwl am ffordd ymarferol gall i weithredu.

Wrth gadeirio'r cyfarfod pwysleisiodd yr Anrhydeddus Mrs Laurence Broderick, Coed Coch, ysblander harddwch y Gymru wledig. 'It calls and holds,' meddai. Ei hofn mwyaf oedd fod gwerthfawrogwyr yr harddwch hwnnw wedi bod yn rhy araf i sylweddoli mor ddi-hid a dibris ohono oedd y gymdeithas fodern, 'and so allowed the wedge of innovation to cut so deeply into our midst that we cannot now avert its evil effects'.

Os nad oedd eisoes yn rhy hwyr i atal y drwg rhag lledu roedd gofyn gweithredu'n fuan, neu fe âi'r wlad dan draed y trueiniaid a welai harddwch mewn fwlgariaeth. Nid, cofier, fod y Cymry yn hynny o beth

12

yn fwy truenus na phobol eraill: 'On the contrary the Celtic spirit has a natural and instinctive craving for, and love of, beauty, especially that of Nature'. Gwaetha'r modd, mewn cyfnod o drawsnewid dan sbardun 'Addysg' fe aethai'r ysbryd hwnnw, yn anorfod, ar goll, ac felly dyletswydd y rhai a gawsai amgenach addysg – 'Addysg Etifeddol' – oedd tywys y lleill trwy'r trawsnewid gan bregethu a dysgu'n ddiflino am 'Sancteiddrwydd Prydferthwch'. Yr oedd yr union un pwyslais ar ddyrchafu chwaeth y cyhoedd trwy feithrin synnwyr harddwch yn ganolog i gyfraniadau'r gwŷr, a Clough Williams-Ellis yn amlwg yn eu plith, a fu'n trafod 'The Teaching of Art and Architecture in Wales' gerbron y Cymmrodorion yn Eisteddfod Genedlaethol Pont-y-pŵl yn 1924, a phe cawsai fyw y mae'n sicr y buasai O.M. Edwards yntau yn amlwg yn y cwmni. Beth ond utgorn dros HARDDWCH oedd *Cymru*.[28]

Cyhoeddwyd crynodeb o anerchiad yr Arglwydd Boston, un o Is-lywyddion y Cymmrodorion yn 1927. Barnai ef fod prydferthwch Cymru wedi'i ymddiried gan Ragluniaeth i'r genedl, 'which it behoves us to guard and secure, so far as lies in our power, with the most earnest care, determination and watchfulness'. Ffolineb fyddai gwadu hawl pobol y trefi i gyrchu'r wlad: 'What is needed is not opposition but judicious regulation'. Ac i'r perwyl hwnnw roedd y cyfarfod a gynhaliwyd yng Nghaergybi ar 3 Awst 1927 dan nawdd y Cymmrodorion i drafod sefydlu Cymdeithas Gymreig, a allai hwyrach ymgysylltu â'r CPRE, yn gam mawr i'r iawn gyfeiriad. Trwy gymdeithas o'r fath y gellid orau atal cynlluniau a fyddai'n drais ar yr amgylchfyd ac, yn bwysicach fyth, greu'r cyd-weld a'r cytgord rhwng gwahanol ddiddordebau a wnâi amddiffyn harddwch gwlad yn fater o falchder cenedlaethol. Apeliai'r Arglwydd Boston am gefnogaeth rhag i'r genhedlaeth a oedd ohoni gael ei chyhuddo yn y dyfodol o fethu, oherwydd diogi neu ddifaterwch, â thrysori 'those scenic, artistic and historical features of our country, which constitute not only a national asset, but a priceless heritage'.[29]

Ni fu'r trafod yng Nghaergybi yn ofer. Yn 1930, dan faner Cymdeithas Diogelu Harddwch Cymru, cyhoeddwyd tair sgwrs radio dan y teitl *'Land of My Fathers'. (And of my Children). Why only sing about it?* Un o'r cyfranwyr oedd y pensaer Clough Williams-Ellis a draethodd ar 'Wales and the Octopus'. Anelodd ei ddicter at y modd yr oedd Cymru yn cael ei hagru gan ddatblygiadau a oedd yn ddibris o bob ceinder – datblygiadau a wnâi iddo gywilyddio fel pensaer a Chymro: 'What right have we to sing "Land of My Fathers" so sanctimoniously, when we respect that land so little in what we do or suffer to be done?' Ac aeth rhagddo i ddatgan cred mor angerddol fel y gellid tybio iddo rag-weld dyfod oes y melinau gwynt a'u haddolwyr:

> And be sure of this – you can never have a real and honest patriotism unless you give the people a country to be proud of. I am, myself, very proud of my country, not merely because I am a Welshman, but because, having seen a good deal of the world, I still believe it to be one of the loveliest places God ever made. But I do not love it so blindly that I cannot see that we have been unworthy of our wonderful good fortune. Indeed, I am alarmed and astonished at the callous way in which this generation and the last have, it would almost seem, done their best to obliterate what is most beautiful and what is most characteristically Welsh.[30]

Ni fyddai'r melingarwyr, mae'n debyg, yn disgwyl dim gwell gan ffantasïwr Portmeirion.

Neges ddiamwys prifwyliau 1918, 1923 ac 1927 oedd fod gofal am degwch a ffyniant y wlad yn fater o bwys cenedlaethol ac y mae'n arwyddocaol i Blaid Cymru, a lansiwyd yn Eisteddfod Genedlaethol Pwllheli, 1925, ar unwaith osod gofynion y cefn gwlad yn uwch ar restr ei blaenoriaethau na gofynion y bröydd diwydiannol. Yr oedd awydd Saunders Lewis i ddad-ddiwydiannu'r de a gwneud Cymru o'r newydd yn wlad hanfodol amaethyddol er mwyn ei 'hiechyd moesol' ac 'er lles moesol a chorfforol ei phoblogaeth', yn brawf i'w wrthwynebwyr o'i amherthnasedd ond ni raid ond darllen gwaith Ambrose Bebb, D.J. Williams, Kate Roberts a Gwenallt i weld y byddai'r Gymru adferedig y dyheai'r pleidwyr cynnar amdani yn Gymru wledig. Bod yn gyson â'r gwleidydd ynddo a luniodd 'Deg Pwynt Polisi' Plaid Cymru yn 1933 yr oedd Saunders Lewis y dramodydd a welai ffermdy traddodiadol Gymreig yn theatr ddelfrydol i'r ddrama atgyfodedig a oedd i rymuso twf Cymru fodern.[31]

Mewn erthygl ar 'Tradition, Modernity and the Countryside: The Imaginary Geography of Rural Wales', rhoes Pyrs Gruffudd sylw i'r modd y datblygodd syniad moesol o'r cefn gwlad mewn cyd-destun Ewropeaidd rhwng y ddau Ryfel Byd a'r gwahanol gynlluniau ar gyfer adnewyddu'r parthau gwledig y buwyd yn eu hystyried.[32] Yng Nghymru chwaraewyd rhan ddylanwadaol iawn gan ddaearyddwyr dynol yng Ngholeg Prifysgol Aberystwyth dan arweiniad H.J. Fleure (1877–1969), a gan y gwyddonydd amaethyddol R. George Stapledon (1882–1960) – y ddau ohonynt yn argyhoeddedig o hollbwysigrwydd gwerin gwlad fel ceidwaid gwerthoedd cyffredinol arhosol, ac yn ddadleuwyr dros ailadeiladu cymdeithas Brydeinig ar sail cryfderau gwledig.

I'r ddau ohonynt ni allai dirywiad y wlad a'r werin ond arwain at chwalu gwareiddiad gan fateroliaeth remp, a gosodai Fleure gryn werth ar Gymru fel 'a fount whence may well up streams of inspiration refreshing to the jaded and overstrained business life of our perplexed modern England'. Y mae gennym anerchiadau eisteddfodol o oes Victoria i brofi fod y Cymry (Duw a faddeuo iddynt!) wedi hen ffoli ar y syniad o fod yn drigolion paradwys fechan a oedd wedi'i galw i ofalu am gyflwr ysbrydol Lloegr, a rhaid bod cael ysgolhaig o radd Fleure i'w 'ategu' yn dyblu gwerth ei gysur.[33]

Yn fab i saer yn Llanbryn-mair, yn un o fyfyrwyr cyntaf Fleure ac yn un o aelodau cynnar Plaid Cymru, fe fyddai Iorwerth Cyfeiliog Peate (1901–82) am weddill ei oes yn enau i'r gymdeithas wledig ac yn arbennig yn llefarydd dros ddiwylliant a nodweddid gan fedrau amrywiaeth o grefftwyr. Iddo ef, hanfod hanes Cymru oedd hanes y rhyngweithio rhwng cymdeithas a'i hamgylchedd ac roedd yntau, dan ddylanwad Fleure, i weld Cymru fel 'noddfa eithaf y gwareiddiadau drylliedig a wthid o dro i dro o flaen ton pob gwareiddiad newydd'. Dysgodd y Cymry garu ac ymddiried yn eu mynyddoedd:

> Yn y wlad hon a wylia fachlud haul yn y fro dirion dros y don lle nid ery cŵyn yn ei thir, y mae atgof, megis atgof hwnt i gof, am hen bethau, hen ddulliau a hen weledigaethau a gollwyd yn y byd mawr oddi allan – ceinciau gwerin, 'ofergoelion', dulliau crefft, boneddigeiddrwydd osgo pobl 'dlodion', ac ugeiniau o bethau eraill sydd megis darnau o hen freuddwydion a gollwyd yn nhrwst y 'juggernaut' a elwir Diwydiant.[34]

Yn 1948 sylweddolodd Peate uchelgais fawr ei fywyd pan agorwyd Amgueddfa Werin Cymru yn Sain Ffagan. Rhy hawdd, wedyn, i'r rhai a gâi ei ymosodiadau ar 'Yr Oes Faw', ei geidwadaeth lenyddol a'i grefu am Gymru uniaith Gymraeg yn obsciwrantaidd, fyddai ei labelu yn

Y machlud dros Fae Ceredigion.   (Ron Davies)

sainffaganeiddiwr anaele bob tro yr âi dan eu crwyn, gan anghofio fod
Sain Ffagan o'r cychwyn yn llawer mwy o bwerdy syniadol nag ydoedd
o feddrod. Fe brawf ei erthygl ar 'Yr Ardaloedd Gwledig a'u Dyfodol'
yn 1943 nad o bridd nostalgia y tyfodd gweledigaeth Iorwerth Peate.
Iddo ef nid oedd dyfodol i'r cefn gwlad heb briodas rhwng
amaethyddiaeth a diwydiannau cydnaws; 'amaethyddiaeth a diwydiant
ynghyd' oedd yr ateb: 'Ac wedi'r cwbl, nid oes dim chwyldroadol yn
hyn. Yng nghyfnod mwyaf llewyrchus y gymdeithas wledig, yr oedd
ganddi'r sylfaen ddyblyg hon – chwarel a thyddyn, codi glo a ffermio,
ffatri wlân a fferm, dyna'r rheol gynt'.[35]

Ystyriai Peate agwedd 'y Sais sentimental' a fynnai gadw'r wlad 'yn
ei phrydferthwch traddodiadol' er mwyn 'y trefwr blinedig ar derfyn
dydd a therfyn wythnos' yn agwedd 'hollol anfoesol'. Credai fod modd
dwyn diwydiant i'r wlad a'i phrydferthu'r un pryd a phwysleisiodd mai
trwy lafur dynion yr oedd prydferthu gwlad. Yn wir, pwy ar ôl darllen y
geiriau sy'n dilyn na chredai mai chwa o blaid achos melinwyr gwynt y
dwthwn hwn fyddai Iorwerth Peate petai'n byw heddiw:

Ofnaf fod llawer ohonom yn euog o'r gam-gred y cyfeiriwyd ati mewn
tystiolaeth gerbron Pwyllgor Scott: 'What is destroyed by physical

16

change is often not physical beauty but mental associations'. Diau pe sonnid heddiw am foddi Cwm Elan byddai gwrthwynebiad Cymreig cryf ond yr wyf yn sicr fod Cwm Elan fel y mae heddiw yn brydferthach nag yr oedd cyn ei foddi. Rhaid wynebu'r ffeithiau hyn yn hytrach na byw yn niwloedd sentiment a bodloni ar nychdod parhaus y wlad. Mae sylfaeni dynamig i wir brydferthwch.[36]

Cam ag arwyddocâd ei gyfraniad fyddai anwybyddu'r gwirionedd hwn am ei ddaliadau, sef ei fod yn gweld modd priodi'r hen a'r newydd er lles y cefn gwlad, ond nid yw ei gydnabod yn gwanhau'r ffaith fod ei gysyniad ef o ddiwylliant gwerin yn wlad-ganolog. Nid oedd yn cwmpasu'r cymunedau trefol a diwydiannol yn y de. Yn ei gyfrolau fforiol, *Cymru a'i Phobl* (1931), *Y Crefftwyr yng Nghymru* (1933) a *Diwylliant Gwerin Cymru* (1942), y mae'r wlad a'i chrefftwyr yn pelydru gwarineb a chregarwch, ac yn ei gerddi i Fro Ddyfi y mae ei hiraeth – emosiwn y carai'r ysgolhaig ynddo ei ystyried namyn rhwystr i weld yn glir – yn cael hawl i'w feddiannu a'i drwyddedu i fyw 'nôl. Yn sicr, trwy gydol ei oes fe fu Llanbryn-mair a 'thraddodiad Llanbryn-mair' yn gynhysgaeth ysbrydol iddo ac yn gymaint cefn iddo ef ymhob annibyniaeth barn ag y bu'r Preselau i Waldo Williams. Ni allai, tra byddai, siarad am Lanbryn-mair ond yn iaith gwerthfawrogwr a dyledwr.

Waun-lwyd, Mynydd Epynt.

17

Os na ddychwelodd yno wedi iddo ymddeol ac os nad yno y claddwyd ef wedi'r cwbwl, yn ddyn gwlad o Lanbryn-mair y bu byw ei fywyd ar ei hyd, a thystio dros gyfoeth anhepgor y gymdeithas wledig a'i moldiodd a fu hoff genhadaeth y bywyd hwnnw. Nid yw'n syn mai'r profiad a esgorodd ar un o'r darnau gorau, os nad y gorau, a ysgrifennodd erioed oedd mynd i Fynydd Epynt yn 1940 i gofnodi cymaint ag y gallai o'r bywyd Cymraeg a oedd wedi cnydio yno dros y cenedlaethau cyn i'r Weinyddiaeth Ryfel benderfynu ei fomio o fod. Fel delwedd arhosol o ddiwedd byd gwerin ar drugaredd difeindrwydd amser a distryw dyn, y mae disgrifiad Peate o'r hen wraig 82 oed a welodd ddiwrnod y chwalfa yn eistedd yn ei hing ar gadair ar fuarth Waun-lwyd, i'w osod ochor yn ochor â ffotograff Geoff Evans Y Cymro o Carneddog a'i briod, Catrin, ar fin ymadael â'u fferm ger Beddgelert yn 1945:

> Nis anghofiaf byth: tynasai hen gadair i gwrr eithaf y buarth, ac eistedd yno fel delw gan syllu i'r mynydd-dir a'r dagrau'n llifo i lawr ei gruddiau. Fe'i ganesid yno, a'i thad a'i thaid o'i blaen. Mae'n mynd

Carneddog a'i briod yn ffarwelio.   (Casgliad Geoff Charles/Llyfrgell Genedlaethol Cymru)

18

heddiw a dyma hi'n cronni i'w munudau olaf un olwg gyfoethog ar yr hen fynydd neu'n ail-gofio dyddiau ei heinioes yn yr hen ddyddyn. 'Dwn i ddim: ond dyna lle yr oedd ac ni welwn i ond dagrau ei hing. Teimlwn fy mod wedi torri ar sacrament a cheisiais ddianc yn dawel oddi yno. Ond fe'm gwelsai. Heb symud na llaw na phen na llygad, gwaeddodd arnaf: 'O ble'r ych chi'n dod?' 'O Gaerdydd' meddwn innau. Wrth weld mai Cymro oeddwn – o leiaf dyna a gredwn – ciliodd y sarugrwydd, ac amlhaodd y dagrau. 'Fy machgen bach i', ebr hi, 'ewch yn ôl yno gynted ag y medrwch, mae'n ddiwedd byd yma'. Ac er fy mod yn gwybod bod bomiau'r Ellmyn yn disgyn ar Forgannwg y dyddiau hynny, gwyddwn mai hi oedd yn iawn. Yr oedd yn ddiwedd ar ei byd hi.[37]

Yn 1931, fel y nodwyd, y cyhoeddodd Peate *Cymru a'i Phobl* a'r un flwyddyn ymddangosodd *Cwm Eithin* Hugh Evans, sef detholiad o'r 'Straeon Atgof' a gyfrannodd i'r *Beirniad* rhwng 1923–6. Ar unwaith cydnabu W.J. Gruffydd y gyfrol yn glasur – yr oedd yntau'n fuan i daenu ei 'Hen Atgofion' yn *Y Llenor* – ac y mae'n amlwg fod y ddau awdur ar yr un donfedd. A'r dirwasgiad yn y tir yr oedd Hugh Evans, wrth atgofioni am galedi bywyd gwledig Cymru yn hanner cyntaf y bedwaredd ganrif ar bymtheg, yn bwriadu 'yn gyntaf magu gewynnau yn y to sydd yn codi, ac yn ail, gwneud cyfiawnder â'r tadau' – dau fwriad wrth fodd calon Gruffydd, a D.J. Williams yn ei dro.[38] Cyhoeddodd ef *Hen Wynebau* yn 1934 ac am y rhan orau o ddeugain mlynedd wedyn byddai rhith 'Y Filltir Sgwâr', y filltir sgwâr, wâr, wledig y rhoesai O.M. Edwards arni ei fendith hael, yn un o 'ffeithiau' diffiniol y Gymru yr oedd yn rhaid ei diogelu.

Dwy flynedd ar ôl cyhoeddi *Cwm Eithin* fe gafwyd gan Peate *Y Crefftwr yng Nghymru*, a gan yr Athro David Evans *Y Wlad: Ei Bywyd, Ei Haddysg A'i Chrefydd*.[39] Y mae stamp gofidiau'r dirwasgiad yn amlwg ar y ddwy gyfrol hyn eto ac fel Robert Richards yn 1918 a thrafodwyr Caergybi yn 1927, yr oedd Evans yr un mor bendant â Fleure, Stapledon, Peate a'u cymheiriaid yn Lloegr y byddai'n ddrwg ar wareiddiad oni ffynnai'r gymdeithas wledig. Yr oedd o'r pwys mwyaf fod y Cymry yn sylweddoli o ble y dôi eu cymorth:

I ni fel Cymry, y mae prif werthoedd ein cenedl yn y wlad; i ni yn fwy felly na holl wledydd y Cyfandir. Y mae'r hyn sydd o'n trefydd yn Gymraeg wedi dyfod yn uniongyrchol o'r wlad: ni enir bywyd Cymraeg newydd yn y dref.[40]

Yn y bennod ar 'Bywyd y Pentref' a oedd eisoes wedi ymddangos yn *Yr Efrydydd*, 1929–31, fe roes Evans, i bob pwrpas, sêl ei fendith ar 'bentre gwyn' Anthropos. Fel delfrydwr yr ysgrifennodd wrth ddal mai'r pentref, yn nesaf at y teulu, oedd canolbwynt bywyd y wlad a'i ddyrchafu'n fagwrfa dysg a diwylliant ac yn feithrinfa democratiaeth: 'Ni pharatoir neb yn y wlad i lywyddu nac i lywodraethu ar eraill, fel y gwneir yn y dref . . . Yn y pentref y mae'r plant yn gymdeithas ddemocrataidd'. Ac nid economeg yn gymaint â thraddodiad moes a chrefydd oedd sylfaen bywyd y wlad: 'Bod yn gymydog i bawb, heb elyniaeth, heb gyfeillgarwch, mewn cydymdeimlad bydol llawn ac mewn teyrngarwch tawel – dyna hanfod bywyd cymdeithasol y wlad'. Y mae'n anodd credu na wyddai David Evans yn 1931 fod 'Cardi' o'r enw Caradoc Evans yn gweld pethau'n bur wahanol![41]

Fodd bynnag, yng ngafael ei ddelfrydiaeth ofnai fod 'llawer o ddylanwadau newydd, ysywaeth, yn sarnu ac yn dinistrio pentrefi gwledig Cymru. Ffurfiau cymdeithasol newydd, brasder meddyliol, ariangarwch, dylanwadau trefol, fel gamblo, betio, etc., yw rhai o'r pethau newydd sydd yn ymosod ar fywyd y wlad'.[42] Gwelai David Evans fywyd traddodiadol y pentref yn gwanio o ddiffyg yr hen ysbryd annibynnol, hunangynhaliol ac o ddiffyg gwreiddioldeb. Gwelai'r pentref yng ngafael y meddylfryd materol a elwai ar adfyd. Gofynion economeg oedd piau'r bobol, gorff ac enaid:

> Nid ymestynnir i awyrgylch y gwerthoedd uwch ac uchaf. Ni ddatblygir moes ac arferion gwlad ymhellach. Yn wir, syrth yr hen draddodiadau yn ôl yn ffurfiau ysgafn a di-fywyd. Arwyddion yw hyn oll fod cyfansoddiad a meddwl yr ardal wledig yn dioddef o dan ymosodiadau cryf a dygn. Y perygl yw i ddiwylliant naturiol y wlad ddirywio'n anadferadwy. Yr oedd y gwladwyr gynt yn ddynion llawn a chrwn, yn bersonau ac arnynt ôl dylanwadau traddodiadol ardal gyfan; ac yn abl felly i ychwanegu at yr hen ddiwylliant gwledig ac i dderbyn popeth newydd a'i wneud yn rhan o'u horganiaeth bersonol a lleol.[43]

Nid Peate, mae'n amlwg, oedd yr unig Gymro i fwrw ei gas ar 'Yr Oes Faw' ac i rybuddio rhag y chwalfa a ddôi yn ei sgil. Yr oedd arwyddion yr amserau yn ddrwg ac yn 1936 ofnai'r newyddiadurwr diwylliedig hwnnw, E. Morgan Humphreys, fod bywyd y wlad wedi 'colli ei ganolbwynt' a bod ei ymddatodiad yn bosibilrwydd sobor o real.[44]

Ymhen chwe blynedd, yn Eisteddfod Genedlaethol Aberteifi, 1942, gwobrwyodd W. Ambrose Bebb a'r Dr. R. Alun Roberts draethawd ar 'Y newid ym mywyd y wlad yng Nghymru er 1914' gan awdur na chafwyd mo'i enw priod yng nghyfrol y 'Cyfansoddiadau a Beirniadaethau' am fod ei lawysgrifen mor flêr. Ei ffugenw oedd 'Sylwedydd', a gan mai galarnad yn wyneb diflaniad hen ffordd ragorach o fyw oedd craidd ei draethawd roedd yn eironig briodol nad oedd ei enw bedydd ef ei hun yn ddigon clir i'w gofnodi. Waeth beth am hynny, roedd am i'r beirniaid gredu mai hen ffarmwr o Geredigion ydoedd, wedi dychwelyd i fro ei febyd ar ôl cyfnod yn löwr ym Morgannwg a'i ysigo gan y dirywiad a welodd. Edmygent hwy'r ymdrech 'a roddodd inni lun nid annheg o fywyd gwledig Cymru yn gyrru ar oriwaered gwyllt' a charent weld cyhoeddi ei waith a oedd yn werth llawer mwy na'r ddwybunt o wobr am ei fod yn 'Llafur gwerinwr diwylliedig, yr union ŵr y dylai'r Eisteddfod ei noddi a'i foli'. Fel mater o ffaith, 'Sylwedydd' oedd y Parchg. Dan Adams, BA, BD (1876–1962), gweinidog y Tabernacl (A) yn Llechryd. Fe'i ganed yn Hebron, bu'n löwr yn y Rhondda Fach cyn cael ei godi i bregethu yn Ebeneser, Tylorstown yn 1898, a symudasai i Lechryd yn 1920 ar ôl gweinidogaethu yn Ebeneser, Cwm-twrch (1911–13) a Gwernllwyn, Dowlais (1913–20). Yn ŵr dygn, cydwybodol ac ymroddgar a wynebodd anawsterau bywyd yn lew – bu'n gofalu am ei wraig ddiymadferth am 32 mlynedd – yr oedd yn anorfod y byddai'n sylwedydd di-dderbyn-wyneb. Os oedd am gelu ei enw priod rhag y beirniaid, roedd am amlygu ei egwyddorion ar bob tudalen o'i draethawd.[45]

Yr oedd dau wedi cystadlu; 'Geraint' oedd y llall ac ymddengys mai'r gwahaniaeth clir rhyngddynt oedd fod traethawd 'Sylwedydd' gryn dipyn yn llawnach ei gynnwys. O ran ymagwedd roedd y ddau o'r un fryd â Peate ac Evans ac yn y cyd-destun Cymraeg yn etifeddion y gofal am enw da'r wlad sy'n un o nodau amgen yr adwaith llenyddol i Frad y Llyfrau Gleision. Yn eu drwgdybiaeth – yn wir eu condemniad – o effeithiau'r car, y sinema a'r radio, y ddawns, gyrfaoedd chwist, posau croeseiriau, y pyllau pêl-droed a gamblo o bob math ar arferion byw y werin, yr ydym eto yng ngafael gofidiau 'Cymru lân, Cymru lonydd'. Ac yn eu collfarn ar 'rysedd' merched a gwragedd dyddiau'r rhyfel, y mae'r batriarchiaeth a ddyrchafodd 'Y Wraig Rinweddol' a'r 'Ferch Rinweddol' i edliw i'r 'Ferch Syrthiedig' ei brad yn erbyn ei chenedl, i'w chlywed yn rhochian eto.

21

Nid da gan 'Geraint' oedd dyfod plant cadw o Loegr i'r wlad 'a llawer ohonynt heb eu goleuo na'u gwareiddio gymaint â phlant bach Cymru'.[46] Gwaeth fyth oedd dyfodiad merched a gwragedd 'gyda'u harferion brwnt, yfed a meddwi' ynghyd â'r gwersylloedd milwrol lle'r ymferwai trachwant amdanynt. Aethai merched ymbinclyd y wlad yn slafiaid i ffasiwn; rhyfeddai 'Sylwedydd' at y newid yn eu hymddangosiad o ran gwallt a gwisg; bellach roedd gan lawer ohonynt (yn groes i natur yn ei farn ef) fwy nag un wyneb a mwy nag un pennaid o wallt, a 'Steil Llundain yw steil y pentref heddiw'. Ysmocient yn gyhoeddus: 'Deuer am dro i'n pentref bach yma, a gwelir merched ifainc parchus ac o deuluoedd da yn cerdded allan ar yr heol yn ddigon wyneb agored a "Cigarettes" yn eu cegau ac yn hollol ddigywilydd. Gwn am lawer gwraig ifanc yn ysmocio cymaint ag ugain y dydd'. A mynychent dafarnau yn ewn: 'Yn ein pentref bach, saif un dafarn, a gwelir yn awr wragedd a merched ifainc yn mynd yn ôl a blaen iddo'n agored a digywilydd, yn eistedd yn hamddenol a gwydriad o ddiod o'u blaen. Un rheswm am hyn yw bod nifer o swyddogion a milwyr y fyddin yn aros yn ymyl, ac yn denu'r rhai hyn gyda hwynt i'r lleoedd yma'. Ni allai'r canlyniadau lai na bod yn alaethus: 'Gwelir merched ifainc o deuluoedd parchus, clyd, a glân, a hwythau eu hunain yn aelodau o Eglwysi Cristnogol yn dod allan ar awr cau'r tafarndai yn rhy feddw i gerdded ac yn hongian ar freichiau milwyr yn yr un cyflwr â hwythau. Wrth gwrs, nid ydys yn dywedyd bod y cyfartaledd y cant yn uchel; ond dengys blaen y llif sy'n dod i mewn i ardaloedd gwledig ein gwlad'. Yn achos y ferch fe olygai, ym marn 'Sylwedydd', fod rhai ohonynt wedi disgyn oddi ar bedestal eu rhinwedd gorfodol i rodio'n haerllug rydd.[47]

Fel y martsiodd difyrion y dref i'r wlad a pheri diflasu'r ddarlith gyhoeddus a'r ysgol nos, y cyngerdd a'r eisteddfod, gwelodd 'Sylwedydd' fod 'gogwydd a thuedd feddyliol y bobl yn gwaethygu, gwanhau, ac yn diflannu'. Collodd ymenyddwaith a sylwedd ei bris, troes chwaeth yr oes at yr arwynebol a'r rhwydd. Ac o bob colled fe aethai crefydd yn fwrn i lawer o'r werin – yr Ysgol Sul a'r amryfal gyfarfodydd a chymanfaoedd yn feichus, y gweithwyr yn brinnach a'r Sul fwyfwy yn ddiwrnod ymlacio. Yn wir, aethai'r 'Gydwybod Ymneilltuol' yn fwy o flinder nag o ysgogiad ysbrydol. Pa ryfedd fod anfoesoldeb amlwynebog yn ei swagro hi ar bob llaw pan oedd 'materoliaeth noeth a'r ysfa am bleser a mynd' yn 'gweithio crefydd allan o'r wlad dawel'.[48]

Ac fel yr enciliai crefydd fe âi hen garedigrwydd y wlad gyda hi. Ers talwm, 'cyn geni busnes y llaeth', pe galwai teithiwr mewn ffarm a gofyn am lasiad o ddŵr, nid dŵr a gâi 'eithr yn hytrach lasied o laeth a thipyn o hufen melyn ar ei wyneb. Gofynner am ddŵr heddiw, dŵr a geir'. Nid oedd llawer o ffermwyr yn cadw digon o laeth i ateb eu gofynion eu hunain: 'gwasgant eu hunain er mwyn y geiniog'. Roedd yr hawddgarwch a nodweddai'r wlad gynt bellach yn cael ei ddogni yn ôl deddf y farchnad ac nid oedd osgoi'r caswir mai'r 'byd hwn ac arian sy'n mynd â bryd pobl y wlad yn bennaf yn awr'.[49]

Clodd 'Sylwedydd' ei draethawd ar nodyn pur ddigalon. Gwelai ddraddodiadau Cymru dan draed, ei chrefydd a'i hiaith yn cyfrif fawr ddim yng ngolwg y genhedlaeth a godasai yn ystod y deng mlynedd ar hugain diwethaf heb wybod, a heb eisiau gwybod, dim am ymdrechion y gorffennol. Du oedd rhagolygon y Gymraeg:

> Synnir ni wrth weld y don estronol yn llifo i mewn i bentrefi bychain y wlad, ac yn ysgubo ymaith bopeth gorau ein gwlad o'i blaen . . . Nid ydys yn gweld fel y mae pethau'n awr ym mhentrefi lleiaf Sir Aberteifi y gall y Gymraeg fyw'n hir – rhyw ganrif! Sylwer ar y bobl ifainc yn y pentrefi hyn. Siaradant Saesneg â'i gilydd ar hyd y ffyrdd. Nid wyf 'bessimist' o ran natur, ond gorfodir imi edrych ar ffeithiau fel y gwelaf hwynt ar hyn o bryd ar ôl sylwadaeth fanwl a di-ragfarn. Nid fy nghalon sydd yn dod i'r casgliad hwn ond fy mhen![50]

Trigain mlynedd yn ddiweddarach y mae cnul y geiriau yna'n fyddarol eu harwyddocâd gan mai geiriau gwerinwr o weinidog ydynt a wyddai nad ysgolheigion fyddai ceidwaid y Gymraeg. 'Rhaid deffro'r werin, os yw'r iaith i fyw,' meddai, ac ni ddangosai'r werin fawr o awydd deffro. Ar gyfrif hynny mentrai 'Sylwedydd' broffwydo: 'Oni ddigwydd i ddeffroad dorri allan – Deffroad Ysbrydol a Chenedlaethol – y mae Cymru fel y gwyddem ni amdani wedi gorffen. Rhagolygon gwael a thywyll sydd o'i blaen'.[51]

Nid oedd gwadu fod bywyd y wlad o ran amodau byw ac amgylchiadau'r werin yn llawer gwell nag y buasai. Daethai'r fasnach laeth â gwaredigaeth faterol i deulu'r ffermwr ond ar yr un pryd rhoes gyfle i fydolrwydd dyfu ar led. Gadawsai'r Rhyfel Mawr ei wenwyn estron yn y tir ac yr oedd Rhyfel 1939–45 yn rhwym o adael mwy, fel na allai 'Sylwedydd' yn ei fyw rag-weld dyfodol gobeithlon i'r Gymru y credai ef yn ei gwerth. Ofnai'r gwaethaf:

Ein perygl yn awr yw datblygu'r ochr faterol, ar draul esgeuluso ochr foesol ac ysbrydol bywyd. Nid addysg, nid amgylchiadau gwell, nid mwy o bleser, nid mwy o fynd, nid mwy o chwarae, yw ffynonellau dyfnaf y dedwyddwch uchaf. Duw arbedo'n Gwlad![52]

Ymhen blwyddyn ar ôl gwobrwyo 'Sylwedydd' yr oedd George Stapledon i ddweud: 'Let rural Britain die completely and the whole superstructure will totter to ruin. It is just and only just not too late to stop the rot, but only heroic endeavours will suffice'.[53] Go brin y gwyddai ef am draethawd 'Sylwedydd' ond yr un gofid am barhad y gymdeithas wledig a yrrai'r ddau – dim ond i ni gofio, wrth gwrs, fod y Cymro yn poeni am golli mwy na ffordd o fyw, roedd yn poeni am golli byd o Gymreictod gwerinol, hardd yn ôl fel y dysgwyd ei genhedlaeth ef i'w weld trwy lygaid O.M. Edwards. Pa ryfedd i Ambrose Bebb a'r Dr Alun Roberts ei wobrwyo. Fel awdur a gwleidydd roedd Bebb yn wladwr o argyhoeddiad ac yn sgil cyhoeddi *Hafodydd Brithion* yn 1947 fe gâi Roberts ei gydnabod yn 'fardd' o wyddonydd a naturiaethwr y barnai'r Cyd-Bwyllgor Addysg Cymreig ar ddechrau'r 1960au y gallai'i ysgrifennu moethus ennill cenhedlaeth newydd i ymserchu yn y wlad a'i hiaith.[54]

Ym mlynyddoedd dinistr yr Ail Ryfel Byd wele ddau 'Gardi', y naill yn draethodwr o 'Gardi dŵad' a'r llall yn fardd o 'Gardi' alltud, yn ymateb fel pentrefwyr i'r byd oedd ohoni. Y mae'r traethodwr yn ei henaint (byddai'r Parchg. Dan Adams yn ymddeol yn 1950) i bob pwrpas yn anobeithio wyneb yn wyneb â'r dirywiad a welai ar bob llaw, tra mae'r bardd canol-oed yn dal i gredu o hirbell fod ffynhonnau pentrefolrwydd o hyd yn ffynhonnau bywiol. Nid mater syml o fraint henaint oedd gofid dwfn 'Sylwedydd'; fel yr hen wraig a welsai Iorwerth Peate ar Fynydd Epynt ofnai yntau ei fod yn dyst i ddiwedd byd ac onid ei ymwybod yntau â diwethafiaeth pethau yn Llanfihangel a roes ei angerdd i glasur Alwyn D. Rees, *Life in a Welsh Countryside*, yn 1950. Mae'n wir nad ffordd arfarnol 'Sylwedydd' o ymateb i chwalfa gymdeithasol oedd ffordd Alwyn Rees, ond nid ymdeimlai ronyn llai â thrasiedi ymddatodiad y gymdeithas wledig. Ni chredai y ceid iawn am y golled gan y gymdeithas fodern:

> The failure of the urban world to give its inhabitants status and significance in a functioning society, and their consequent

24

disintegration into formless masses of rootless nonentities, should make us humble in planning a new life for the countryside. The completeness of the traditional rural society . . . and its capacity to give the individual a sense of belonging, are phenomena that might well be pondered by all who seek a better social order.[55]

Ymarswydai 'Sylwedydd' rhag cyflymder y newid a ddaethai i'w fro a'r ffaith ei fod yn 'newid dirfawr' a oedd 'wedi chwyldroi bywyd y wlad yn hollol', newid a oedd yn 'annirnadwy', yn 'enbyd' ac yn 'frawychus'. Nid oedd rhaid mynd i'r dref i weld effeithiau'r ffenomenon hwn; nid oedd rhaid gadael 'ein pentref bach' i weld y menywod beiddgar yn smocio ac yfed, i weld ffoli ar ddawnsio, gamblo a hèl sinemâu, i sylweddoli fod godineb a thor-priodas ar gynnydd, bod y Gymraeg ar drai a chrefydd gryn dipyn yn llai ei gwerth. Ar draeth Llangrannog ar bnawn Sul hafaidd roedd yn hawdd credu fod Sul y cyfandir eisoes yn gymeradwy yng 'Ngwlad y Cymanfaoedd' – cofiwn am y pregethwr cyrddau mawr a ddaethai'n noeth borc ar hyd y traeth i ddifyrru Lisa Pennant a'i chyfeilles – ac ym marn un offeiriad ni fyddai 'nemor un yn mynd i wasanaeth crefyddol yn Sir Aberteifi ymhen ychydig o flynyddoedd' oni chlosiai'r eglwysi at ei gilydd i gydweithio dros y Deyrnas. Gwyddom yn y flwyddyn 2004 cystal proffwyd ydoedd hwnnw.[56]

Llandybïe.

25

Llechryd c. 1900.

Er cymaint dychryn iddo, mae'n siŵr, fyddai crybwyll eu henwau ar yr un gwynt, y mae 'Sylwedydd' o ran ei barodrwydd i gyhoeddi caswirioneddau dipyn yn nes at Caradoc Evans nag ydyw at O.M. Edwards, er nad oes dim o wenwyn hunanddirmyg awdur *My People* yn ei draethawd ac er ei bod yn ddiogel dweud y byddai'n dda gan hwnnw groesawu'r dirywiad a flinai 'Sylwedydd' i'r fath raddau. Ac yntau'n coledd y Gymru grefyddol i'r un graddau ag yr oedd Caradoc Evans yn ymwrthod â hi, o'i anfodd y barnai 'Sylwedydd' fod epil Seithennyn wedi agor y llifddorau i donnau bydolrwydd; ei onestrwydd a oedd yn gomedd iddo wadu'r 'ffeithiau noeth'. A choron Cymru bellach mor amlwg dan draed yr oedd yn rhy hwyr yn y dydd i'w delfrydu fel cynt.

Fodd bynnag, yr oedd yr awydd i estyn einioes y pentref gwyn, gwledig a fuasai'n addurn ar Gymru 'O.M.' i'w godi fry gan awen J.M. Edwards er gwaethaf yr arwyddion o ddirywiad ym mywyd y wlad a oedd mor glir i eraill. Cyn ysgrifennu 'Pentrefi Cymru' roedd wedi'i goroni yn Eisteddfod Genedlaethol Machynlleth, 1937, am bryddest ar 'Y Pentref' ac fe fyddai'n canu pryddest radio ar yr un testun drachefn yn 1951. Ac fel pe na bai hynny'n ddigon i'w urddo'n bencerdd pentrefolrwydd ar drothwy ail hanner yr ugeinfed ganrif, yr oedd yn 1944 wedi'i goroni am bryddest ar 'Yr Aradr' yn Eisteddfod Genedlaethol Llandybïe – y brifwyl a ddathlodd fuddugoliaeth gwerin

26

sawl gwlad ar ormes Natsïaeth mewn neuadd bentref yng nghanol tegwch tir a heulwen sir Gaerfyrddin.

I Amanwy, 'Ni bu gŵyl hyfrytach ers blynyddoedd lawer' ond i John Pennant yn y *Western Mail* yr oedd iddi arwyddocâd amgenach: 'To keep alive under the stress of war the Eisteddfod had to return to the sanctuary of the village, and, in so doing, it reinvigorated the village itself and the Welsh language and culture with it. It is a lesson for after the war'. Pa un a wyddai Pennant am gerdd 'Pentrefi Cymru' ai peidio yr oedd, heb os, yn siarad yr un iaith â J.M. Edwards a chanddo'r un ffydd ym mharhad daioni'r bywyd pentrefol. Daethai tawelwch yn sgil prifwyl Llandybïe, 'But the echoes of this Village "National" that defied the Philistines of war will reverberate in this countryside and throughout Wales for a long time. "The song is ended, but the melody lingers on"'.[57]

Y mae brawddeg derfynol John Pennant yn ddiweddglo cymwys i'r bennod hon, hefyd, oherwydd roedd hi'n rhy hwyr yn y dydd, bellach, i ganu mawl i'r seintwar o bentref gwledig ar ôl yr Ail Ryfel Byd. Fel y cyhoeddodd pryddestau coronog Euros Bowen a T. Glynne Davies – 'Difodiant' (1950) ac 'Adfeilion' (1951) – ynghyd ag awdl gadeiriol Tilsli, 'Cwm Carnedd' (1957), roedd y Gymru a roesai arlliw o hygrededd i'r folawd honno yn prysur ymddatod, er y byddai ei halawon yn dal yn glywadwy am ryw hyd eto wrth iddi gael ambell fardd ac atgofionydd yn gerrig ateb iddynt.

Ar ddechrau'r 1960au, fodd bynnag, fe ddaeth Caradog Prichard i symud y pentref o'r heulwen wledig i olau sinistr lloer y chwareli ac ar ddechrau'r 1970au fe ddaeth trigolion 'Cwmderi' fel pirana'r bardd i larpio'i gilydd mewn powlen. Yn y Deri Arms fe gawsai Caradoc Evans fodd i fyw o weld ei 'stinking truth' wedi ymgnawdoli'n rhemp ac o wybod fod cynulleidfa fwyaf S4C yn rhyfeddu ato'n ddiddiwedd.

27

1   J.M. Edwards, *Cerddi'r Daith* (Llandysul, 1954), 49–50.

2   *Cymru*, XLI (1911), 8.

3   Raymond Williams, *The Country and the City* (London, 1975), 18–22. Ymhlith papurau O.M. Edwards yn Llyfrgell Genedlaethol Cymru, ceir llythyr ato oddi wrth John Ruskin, 4 Mehefin 1886, yn cydnabod derbyn llythyr gan 'O.M.' a'i gwnaethai mor falch â'r paun. Y mae'n amlwg fod 'O.M.' wedi canmol llyfrau Ruskin – hwyrach ei fod yn ystyried cyfieithu darnau ohonynt – ac roedd Ruskin yn frwd o'i blaid. Y mae'r un mor amlwg fod 'O.M.' wedi traethu wrtho am y bywyd Cymraeg y bwriadai ei hybu ac ni allasai gael ymateb mwy cefnogol. Meddai Ruskin: 'It makes me chiefly happy in telling me that there is yet this native Welsh element in its purity and strength – I have believed so always but of late have feared its being crushed out by manufacture – and – Education. You could not have rejoiced me more than by your witness of it.' A chan sicrhau 'O.M.' ei fod 'Ever your faithful servant, J. Ruskin', terfynodd gan obeithio '[that] you will have no further hesitation in writing to me – as I am anxious to know more of your own mind and your proposed and probable future'. Roedd 'O.M.' yn 28 oed ac yr oedd Ruskin eisoes yn blaenori fel un o ddoethion oes Victoria. (Gw. papurau O.M. Edwards yn Ll.G.C., AG5/1/1).

4   Gillian Darley, *Villages of Vision* (London, 1975), 19. Gw. hefyd Howard Newby, *The Deferential Worker* (London, 1977). Y mae'n trafod hanfod a goroesiad delfryd y Lloegr wledig yn 'Prologue: Peace, Rusticity and Happy Poverty', tt.11–22. Craidd y traddodiad, meddai, yw bod i fywyd y wlad gytgord a rhinwedd. Mae'r dref yn afreolus a'r wlad yn llonydd; mae'r dref yn ddrwg a'r wlad yn dda; mae'r wlad yn naturiol a'r dref yn annaturiol. 'The English village has come to be regarded as the ideal community, a tradition that prizes "the thatched cottage and the half-timbered house as the proper place for proper Englishmen to dwell in."' Ac yn ôl Newby roedd y traddodiad hwn wedi hydreiddio rhannau helaeth o ddiwylliant Lloegr – yn arbennig ei llenyddiaeth, ei hestheteg, ei syniadau am gymuned, ei phensaernïaeth a chynllunio gwlad a thref, a hyd yn oed ei gwyddor gymdeithasol. (12-13)

5   Peter Bishop, *An Archetypal Constable. National Identity and the Geography of Nostalgia* (Farleigh Dickinson University Press, 1995), 127.

6   P.D. Edwards, *Idyllic Realism from Mary Russell Mitford to Hardy* (Macmillan Press, 1988), 2.

7   Alun Howkins, 'The Discovery of Rural England', yn Robert Colls a Philip Dodd, eds., *Englishness. Politics and Culture 1880-1920* (London, 1986), 62–88.

8   ibid., 69.

9   Georgina Boyes, *The Imagined Village. Culture, ideology and the English Folk Revival* (Manchester University Press, 1993).

10 Alun Howkins, 'The Discovery of Rural England', 80.

11 Frank Trentman, 'Civilization and its Discontents: English Neo-Romanticism and the Transformation of Anti-Modernism in Twentieth-Century Western Culture', *Journal of Contemporary History*, 29 (1994), 594.

12 ibid., 587; Alun Howkins, 'The Discovery of Rural England', 82–4.

13 Malcolm Chase, 'This is no claptrap, this is our heritage' yn Christopher Shaw a Malcolm Chase, eds., *The Imagined Past: history and nostalgia* (Manchester, 1989), 128–46; Valentine Cunningham, *British Writers of the Thirties* (Oxford University Press, 1988), 231–43; Alex Potts, '"Constable country" between the wars', yn Raphael Samuel, ed., *Patriotism: The Making and Unmaking of British National Identity, Vol III: National Fictions* (London, 1989), 160-86.

14 Valentine Cunningham, op.cit., 228–38.

15 ibid; Malcolm Chase, op.cit., 132–4.

16 ibid.

17 Roger Scruton, *England. An Elegy* (Pimlico edition, 2001), 235.

18 H.V. Morton, *In Search of England* (London, 1927), 1–2.

19 ibid., xi.

20 Malcolm Chase, op.cit., 132–4.

21 *Y Geninen*, XXII (Ion,1904), 7.

22 Gw. R. Gerallt Jones, 'Llenyddiaeth Gymraeg oddi ar 1914' yn Geraint H. Jenkins a Mari A. Williams, goln., *'Eu Hiaith a Gadwant'? Y Gymraeg yn yr Ugeinfed Ganrif*. Cyfres Hanes Cymdeithasol yr Iaith Gymraeg (Caerdydd, Gwasg Prifysgol Cymru, 2000), 381–404.

23 Alun Llywelyn-Williams, 'Owen M. Edwards: Hanesydd a Llenor' yn idem., *Nes Na'r Hanesydd? Ysgrifau Llenyddol* (Dinbych, d.d.), 11–28.

24 *Trafodion Anrhydeddus Gymdeithas y Cymmrodorion (1917–18)*, 220–31, 239–43.

25 ibid., 196–7.

26 ibid., 197.

27 ibid., (1926–7), 156.

28 ibid., 161–3.

29 ibid., 163–9.

30 *'Land of My Fathers' (And of my children). Why only sing about it?* (Reprinted from the *Welsh Housing and Development Year Book, 1930*) (1931), 5–6.

31 Saunders Lewis, 'Deg Pwynt Polisi' yn idem., *Canlyn Arthur: Ysgrifau Gwleidyddol* (Aberystwyth, 1938), 12.

32 Pyrs Gruffudd, 'Tradition, Modernity and the Countryside: The Imaginary Geography of Rural Wales', yn Graham Day a Dennis Thomas, eds., *Contemporary Wales*, Vol. 6 (Cardiff, University of Wales Press, 1994), 33–48. Gw. hefyd Pyrs Gruffudd, 'Yr Iaith Gymraeg a'r Dychymyg Daearyddol 1918–1950' yn Geraint H. Jenkins a Mari A. Williams, goln., *'Eu Hiaith a Gadwant'? . . .*, 107–32.

33 idem., 'Tradition, Modernity and the Countryside . . .', 35.

34 I.C. Peate, *Cymru a'i Phobl* (Caerdydd, Gwasg Prifysgol Cymru, 1948), 1-2.

35 idem., *Ymhob Pen . . .* (Gwasg Aberystwyth, 1948), 123.

36 ibid., 124.

37 ibid., 12.

38 Hugh Evans, *Cwm Eithin* (Lerpwl, 1931), vii.

39 I.C. Peate, *Y Crefftwr yng Nghymru* (Gwasg Aberystwyth, 1933); David Evans, *Y Wlad: Ei Bywyd, Ei Haddysg, A'i Chrefydd* (Lerpwl, 1933).

40 David Evans, op.cit., 34–7.

41 idem., *Yr Efrydydd*, 6–7 (1929–31), 247–50.

42 ibid.

43 ibid., 249–50.

44 E. Morgan Humphreys, 'Bywyd yn y Wlad', *Yr Efrydydd*, I (Meh, 1936), 207–11.

45 *Cyfansoddiadau a Beirniadaethau Eisteddfod Genedlaethol 1942 (Aberteifi)*, 100; *Blwyddiadur yr Annibynwyr, 1963*, 147.

46 *Cyfansoddiadau a Beirniadaethau . . . 1942 (Aberteifi)*, 97.

47 ibid., 109–10, 120–22.

48 ibid., 116–8, 122–8.

49 ibid., 124.

50 ibid., 128.

51 ibid., 129.

52 ibid., 130.

53 R.G. Stapledon, *The Way of the Land* (London, 1943), 94.

54 R. Alun Roberts, *Hafodydd Brithion*. Cyfres Pobun XV, gol., E.Tegla Davies (Lerpwl, 1947).

55 Alwyn D. Rees, *Life in a Welsh Countryside* (Cardiff, University of Wales Press, 1971), 170.

56 *Cyfansoddiadau a Beirniadaethau . . . 1942 (Aberteifi)*, 109–18, 127–30; Lisa Pennant, *Tai Bach a Thai Mas. Y Cardi ar ei Waethaf* (Cymdeithas Lyfrau Ceredigion, 2000), 57–9.

57 *The Western Mail*, 19 Aug 1944.

LLANNAU LLONYDD O.M. EDWARDS

Pwy piau'r pentref dedwydd wledig yn ein llên? Pwy ond O.M. Edwards. O'r foment y dechreuodd gyhoeddi mewn difrif yn 1889 ac y dechreuodd olygu *Cymru* yn 1891, fe daflodd Lanuwchllyn ei faboed yn fantell hud dros bentrefi'r Gymru lenyddol. Yno, fel y pwysleisiodd Hazel Walford Davies, y clymwyd cwlwm annatod ei serch at ei famwlad, yno, lle y meddiannwyd ef gan ei hyfrydwch, y treiddiodd i mewn i'w hanfod:

> Ble bynnag y mae 'O.M.' wrthi'n ysgrifennu – ac y mae'r broydd eraill y bu'n byw ynddynt hwythau ymhlith broydd prydferth y byd – mae tirwedd ac ardal Llanuwchllyn yn codi fel tirlun yr isymwybod. Ac nid Llanuwchllyn mewn unrhyw ystyr annelwig, gyffredinol, ond Llanuwchllyn ar ffurf ei sanctaidd leoedd . . . Y gwir yw fod Llanuwchllyn a'r fro wedi tyfu'n dirlun o'i ymwybyddiaeth. Nid nad yw'n cynnwys pobl hefyd. Yn wir, y rheini sy'n rhoi'r ystyr pennaf i'r lle.[1]

Gan iddi chwilio pac O.M. Edwards yn llwyrach na neb o'i blaen, y mae Hazel Walford Davies yn dyst safadwy i afael Llanuwchllyn ar ei gymeriad a'i bersonoliaeth. Yn 1889, pan oedd yn ddarlithydd yn Rhydychen a'i ddau lyfr taith, *O'r Bala i Geneva* a *Tro yn yr Eidal* yn y wasg, ynghyd â'r gyfrol deyrnged i *Rhobet Wiliam, Wern Ddu* a olygwyd ganddo, ysgrifennodd at ei gariad, Elin, ar 9 Chwefror i'w sicrhau mai'r 'peth *olaf* wnaf ydyw anghofio Llanuwchllyn, a "phawb sydd yno'n byw".' Yn ei deyrnged i Rhobet Wiliam roedd wedi dweud mai Llanuwchllyn oedd y lle prydferthaf yn y byd, nid yn gymaint er mwyn plesio Kate, chwaer Elin, 'ond o ran rhyw ysfa fydd yn dod drosof weithiau i ddwedyd y gwir'. Yr oedd hyd yn oed yn gweddïo dros yr hen le bob nos ar ôl ethol Michael D. Jones yn aelod o'r Bwrdd Sirol ar draul stiward Syr Watkin Williams Wynn.[2]

Fe aeth â Llanuwchllyn gydag ef i Geneva, yr Eidal a Llydaw a'i gael yn cyson ragori 'ar bob dim a welodd llygad' – llygad Calfin di-lol o

Llanuwchllyn a'r fro.

ragfarnllyd wrth reswm – yng nghanol ysblanderau Ewrop Gatholig. Ni safai gwychder yr eglwysi cadeiriol ddim yn wyneb ei atgof am 'hen gapel Llanuwchllyn, ar lan dwfr tawel, a'i do heb fod yn uwch na thai y pentrefwyr o'i amgylch'. Plaen, garw yn wir, oedd yr adeilad, ond gan gyfoethoced ei gysylltiadau iddo tystiai 'O.M.' mai 'dyna'r lle prydferthaf y bûm i ynddo erioed'. Yr oedd 'pob teimlad a meddwl dyfnach na'i gilydd, dynol ac ysbrydol, yn cyfeirio'n ôl at yr hen gapel llwyd'.[3] Dyma fangre profiadau tu hwnt i bris a'i gafael ar serchiadau 'O.M.' gymaint tynnach yn rhinwedd cydnawsedd ei leoliad:

> Nid oedd yno dlysni adeiladaeth na darluniau, ond drwy'r ffenestr oedd ar gyfer ein sêt gallaswn weled y gwynt yn gyrru'r glaw ar hyd ochrau'r mynyddoedd, ac yr oedd yno goeden griafol yn ymwyro gyda'r awel mewn dull nas gall yr un o'r 'celfyddydau breiniol', hyd yn oed pe buasai gennym ryw Fac Whirter o Gymro, ddarlunio prydferthwch ei changhennau.[4]

Pan feddyliai am y nefoedd fe'i gwelai fel y cofiai hen gapel Llanuwchllyn gynt, 'y teuluoedd yn eu seti, pawb yn yr oed yr oeddynt, a'r pregethu, a'r canu gorfoleddus, a sŵn lleddf y gwynt, a'r hen goeden griafol'.[5]

Gwelodd yn Llanuwchllyn syberwyd gwerin ddigymar yn un â thirlun ysblennydd. Yn ei olwg hanfodol ramantaidd – Wordsworthaidd yn wir – aethai natur dyn a daear ym mro ei eni yn un iddo yn eu harddwch. Yno, gallai ddweud gydag Islwyn – y bardd y barnai ei fod gydradd â Wordsworth – fod yr 'oll yn gysegredig'. Pan oedd yn tynnu at ei hanner cant disgrifiodd ei brofiad yn cyrraedd Llangollen yn flinedig fin nos falmaidd o haf ac yn gorffwys ar lan yr afon gan feddwl am drannoeth a'r bryniau. Yn ddiatal y mae'n cynganeddu ei synwyriadau a'i fyfyrion yn rhapsodi:

> Swn suol yr afon sy'n llenwi'r lle. Mae y swn hwn bron yn ddwyfol i mi. Yn swn yr afon hon y'm magwyd, ond ei bod yn aber ieuanc loew yno; nid oes yno ond dedwyddwch bore oes ym murmur dawnsiol yr afon fach, ond yma y mae peth o wae bywyd yn gymysg a gwynfyd yn y swn rhuol dwfn. Ar fore braf o haf, pan fo'r haul ar ewyn crych y tonnau sy'n llamu ac yn dawnsio dros y creigiau, hawdd yw teimlo nad oes yn unlle le mor dlws. Siaredir Cymraeg cywir a melodaidd, Cymraeg Ceiriog a Chynddelw, yn Llangollen; mae miwsig yr afon fel pe wedi mynd i iaith y bobl. Nid yn aml y gwelir wynebau

prydferthach ychwaith, yn enwedig wynebau genethod. Wrth weld aml wyneb, tybiwn fod miwsig yr afon wedi mynd, nid yn unig i'r iaith, ond hefyd i'r pryd ac i'r wedd, –

'And beauty, born of murmuring sound,
Hath passed into her face'.[6]

Beth ond blodeuo'n geinder a wnâi bywyd gwerin gwlad mewn amgylchedd mor dêr?

Fel y dadleuodd W.J. Gruffydd yn ei gofiant anorffen iddo, daeth O.M. Edwards i weld Llanuwchllyn 'fel arwydd o holl werin Cymru', y werin yr oedd ei ffyniant yn ganolog i ddyfodol y Gymru y credai ef ynddi, ac yn sgil y weledigaeth honno nid oedd yn ei fywyd 'ond un amod, un ymhoniad, un ymdrech, – cadw Llanuwchllyn y weledigaeth drwy wneuthur y gwrthrych ynddo'i hun yn gyfystyr â'r symbol'.[7] Ni ellid 'codi'r hen wlad yn ei hôl' heb gadw, 'cadw Llanuwchllyn fel yr oedd, cadw Cymru fel yr oedd', ac fe fyddai'r ysfa oes honno yn denu llawer ar ei ôl. Ni ragorwyd ar gyflead W.J. Gruffydd o'r 'weledigaeth' a gawsai 'O.M.' yn Llanuwchllyn:

> Golwg a gafodd O.M. Edwards ar bethau, nid clywed y byddai; golwg ar ei dad yn y lluwch eira, golwg ar fynyddoedd Meirion a'r glaw yn ysgubo drostynt, golwg ar hen lafurwyr gwyrgam a mamau'r werin yn codi cyn dydd ac yn hen cyn amser; golwg ar hen bregethwyr y Methodistiaid yn gwrando ar dician y cloc yn nhŷ ei dad. Anwesodd ac anwylodd y gweledigaethau hynny yn ei dawelwch swil a'i bellterau ei hun, a throesant yn grefydd ac yn gredo a oedd fel tân ysol. Ei gredo oedd na welodd y byd erioed y fath werin; ei grefydd oedd penderfynu cadw y rhagor hwn yn y werin honno.[8]

Ni flinodd O.M. Edwards ar hyd ei oes ar foli harddwch natur a glendid bywyd wedi'i fyw yn syml ddaionus mewn cytgord â hi. Dyna'r fformiwla a oedd i gynhyrchu'r pentrefi y canodd J.M. Edwards eu clod pan oedd Hitler am sarnu pob tegwch. Ac wrth gwrs fe dyfodd 'O.M.' i adnabod a gwerthfawrogi'r cytgord rhwng dyn a daear a wnâi fywyd yn bêr ac a feithrinai bobol stans, cymwys a pharod i arwain bywyd y gymdeithas yn ei blwyf genedigol. Nid yw ei Ragymadrodd i *Rhobet Wiliam, Wern Ddu* (1889) yn ddim llai na molawd i ragoriaeth plwyf Llanuwchllyn 'fel magwrle arweinwyr ymhob da', ac ymhell cyn ei farw yn 1920 fe fyddai ef ei hun wedi ennill ei le gyda'r pennaf yn eu plith.

O.M. Edwards (1858-1920).

Yn Rhobet Wiliam fe gafodd yr union fath o gymeriad i'w osod gerbron gwerin ei ddyhead yn batrwm o ddaioni, un yr oedd ei fywyd, yn fwy na'i bregethu, yn 'goron ei fri'. Bu byw yn 'ei dyddyn bychan ym Mhenanlliw' i ireiddio'r gymdeithas o'i gwmpas: 'Purdeb syml a charedig ei fywyd oedd yn rhoddi grym yn ei bregethu; ei ddylanwad sancteiddiol ar drigolion ei ardal ac ar bawb a'i hadnabyddai oedd cuddiad ei nerth; mewn dylanwad, yr oedd yn frenin ei fro, oherwydd ei fod yn wir gynrychiolydd gallu'r byd ysbrydol'. Ac oherwydd yr hyn oedd Rhobet Wiliam yng ngolwg 'O.M.', fe allai yn 1889, ac yntau'n academydd disglair 31 oed, ddwyn i gof ei ymweliadau'n fachgen ysgol â'r tyddyn ym Mhenanlliw fel petai'r brodyr Grimm yn cyfeirio'i gamre.[9]

Petai O.M. Edwards yn swyddog iechyd go brin y buasai'i gof am y Wern Ddu mor addolgar. Bu lladd droeon ar dyddynnod cyntefig gan ymgyrchwyr mawr eu gofal am iechyd y bobol yn ail hanner y bedwaredd ganrif ar bymtheg ac y mae'n sicr y cawsai'r Wern Ddu sgwat, myglyd ei gondemnio ganddynt. Ond ni fynnai 'O.M.' â llygad atgof ond gweld goleuni Cristnogol Rhobet Wiliam yn tywynnu trwy'r mwrllwch a'r tyddyn 'bychan', noder ei anwyldeb, yn ymgelu megis crisial yn un o greigiau Meirionnydd. Nid oedd dim salw ynghylch y fan gan gryfed ydoedd llewyrch harddwch dyn a daear:

Ty to gwellt mewn hafn, a'i wyneb tuag ataf a welwn. Fel pob ty to gwellt, yr oedd ganddo gorn crwn, a bargod hir, a thywyrch gwyrdd-felyn ar ei grib. Edrychai dwy ffenestr fechan, – ffenestr y llawr a ffenestr y siamber, – arnaf drwy wrych oedd yn gysgod i'r hen dy rhag gwynt y dwyrain, – 'gwynt traed y meirw'. Yr oedd y beudai tan yr unto a'r ty, ac o flaen y rhes hir o adeiladau, – prin y dylwn ddesgrifio tai to brwyn fel 'adeiladau' hwyrach, – llithrai nant fechan yn ddistaw hyd y llethr i lawr i'r Afon Liw sy'n rhedeg hyd waelod y cwm.[10]

Dyna'r Wern Ddu yn ei ddistadledd.

Ond buan y'i trawsffurfir o'i weld yng ngogoniant ei gynefin ac o ddyfalu dylanwad y cynefin hwnnw ar genhadaeth Rhobet Wiliam. Y mae'r darn sy'n dilyn cystal dangoseg â'r un o'r modd yr hoffai O.M. Edwards dystio na ellir tynnu dyn oddi wrth ei dirlun, fwy na'i dylwyth:

Dros do'r hen annedd wledig, gwelais olygfa nad ydyw golygfeydd enwoca'r ddaear yn harddach na hi. Yn union uwch ben, ar graig ysgythrog, saif Castell Carn Dochau – dim ond adfeilion. Yr oeddwn wedi clywed fod gwallt y forwyn yn tyfu yno, a fod telyn aur yn guddiedig dan y llawr. Ymhellach, drwy lwyni o goed, gwelwn Foel Llyfnant, o liw glas tyner; a chadwen yr Arennig werddlas yn ei hyd, yn rhedeg tua'r gogledd. Rhed cwm i fyny at droed yr Arennig, a gorffwys y llygad yn esmwyth arno, oherwydd y mae 'trefn' prydferthwch arno, o'r Wernddu i fyny i bigyn main yr Arennig. Yr oedd mor swynol y tro y gwelais i ef fel yr anghofiwn mai daear oedd y cwm, – hanner dybiwn mai miwsig yr afon sy'n dwndwr trwyddo oedd. Dyma'r olygfa welai Rhobet Wiliam o'r cae lle gwnai ei bregethau. Ac y mae delw'r cwm hir prydferth ar ei bregethau, – y mae pob pregeth yn meddu trefn prydferthwch, ac yn arwain yn naturiol ac o anghenrhaid at un pwnc sy'n uwch na phob pwnc arall, – Gwaredwr i bechaduriaid na haeddasant ond eu colli.[11]

Beth ond 'O.M.' ar ei aden yw peth fel yna.

A llygaid ei atgof yn llawn llewyrch golygfa a gweledigaeth, pa ryfedd mai'n ddall y cofiai'i arwain yn fachgen dros lawr pridd anwastad y tyddyn i eistedd wrth y tân mawn. A phan gynefinai ei lygaid â thu mewn y Wern Ddu gallai weld Rhobet Wiliam yn eistedd ger y pentan a'i gefn at y ffenestr fechan: 'Yr oedd ei ben yn union rhyngof a'r ffenestr, a dyna'r unig beth welwn yn eglur'. Yno, er gwaetha'r mwg, llathrai presenoldeb yr hen bregethwr: 'Ni welais ddim byd erioed harddach na phen yr hen wr rhyngof a'r ffenestr fach. Mawredd cymeriad y Cristion, dwysder efengylwr, diniweidrwydd plentyn, – yr oeddynt yn y gwyneb i gyd'. A hwn a dderbyniodd 'O.M.' yn gyflawn aelod o eglwys Crist mewn seiet a fu'n 'ddylanwad sancteiddiol' ar ei fywyd byth wedyn: 'gole gwyn aneglur y canhwyllau, a'r hen wr tenau urddasol, a'r cynghorion difrifol, a'r gofyniadau manwl, a'r addewidion crynedig, a'r weddi drosof, – ymgyfyd hyn oll ger fy mron yn amlach na phob bore'. Iddo ef y gwnaeth addewidion yr oedd yn sicr na wnâi mo'u torri a chysur iddo oedd gwybod bod 'ugeiniau' yn Llanuwchllyn wedi gwneud yr un addewidion ag yntau yr un mor ddifrifol. Gwyddai y byddai 'grym ac ysprydolrwydd yng nghrefydd yr ardal' tra byddai yno 'gymeriadau wedi eu ffurfio dan ddylanwad Rhobet Wiliam'.[12]

Trwy'r blynyddoedd y bu'n ymlafnio i 'godi'r hen wlad yn ei hôl', yn ei lyfrau a'i gylchgronau – ystyrier yn arbennig *Cartrefi Cymru* (1896), *Clych Atgof* (1906) a *Cymru* (1891–1927) – fe garai O.M. Edwards gael gan ei gyd-Gymry weld eu hardaloedd, eu pentrefi a'u pobol hwy, fel y gwelai ef Lanuwchllyn – yn llefydd concweriol o hardd – llefydd i ddiolch amdanynt a glynu wrthynt fel meithrinfeydd arwyr o bob gradd. Fe wyddai'n dda, ac yntau wedi cael achos yn foesolyn ifanc i waredu rhag ffair wagedd Y Bala, fod blysiau'r cnawd yn trwblu plwyfolion Llanuwchllyn fel y rhelyw o blant dynion, ond ni chaent ddod ar gyfyl 'y Llan' a fyddai'n llusern ei genhadaeth dros Gymru ddyrchafedig. Tra oedd yn cydnabod bodolaeth meidrolion broc nid oeddent o ddefnydd i un â'i fryd ar gyffroi teimladau addolgar at ei Gymru ddelfrydedig ef.

Tybed, gofynnodd, wrth ddwyn *Cartrefi Cymru* i ben, 'A yw daear gwlad ein tadau ychydig yn fwy cysegredig i rywun ar ôl darllen y peth a ysgrifennais?'[13] Dyna, iddo ef, fyddai mesur llwyddiant popeth y ceisiai ei wneud drosti. Roedd fel petai am ordoi Cymru â'r gwawl Wordsworthaidd hwnnw na welsid erioed ar dir na môr.

Nid rhyfedd fod Ceiriog cymaint ffefryn ganddo ac yntau'n dymuno credu, hyd y gellid, 'fod pob peth yn hardd, pob peth yn annwyl, a phob dyn yn dda'. Hwyrach mai Ceiriog oedd yn ei feddwl wrth ateb 'Astud', pan ddywedodd na ddylid 'adrodd hanes ffaeleddau beirdd. Cladder eu beiau, a bydded eu meddyliau pur byw. A dyna drefn natur; yr iach a'r pur yn unig sy'n anfarwol'.[14] Y mae holl gynnwys *Cymru*, y cylchgrawn poblogaidd nodedig hwnnw y buddsoddodd O.M. Edwards gymaint o'i ddawn, ei egni a'i fodd ynddo o 1891 tan ei farw yn 1920, yn sicr yn

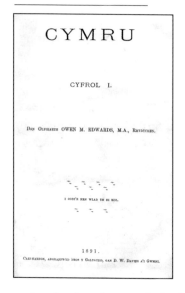

CYMRU

CYFROL I.

Dan Olygiaeth OWEN M. EDWARDS, M.A., Rhydychen.

I GODI'R HEN WLAD YN EI HOL.

1891.

Caernarfon, Argraffwyd dros y Golygydd, gan D. W. Davies a'i Gwmni.

amlygiad o'i ffydd yn anfarwoldeb yr 'iach a'r pur' ac nid oes dim sy'n dangos hynny'n gliriach na'r lle diogel a roes o rifyn i rifyn i'r ysgrifau (ynghyd â cherddi a ffotograffau a darluniau) ar 'Ardaloedd Cymru' gan liaws o ysgrifenwyr. Tra bu'n olygydd ymddangosodd dros bum cant o'r ysgrifau hynny ac (heb honni cywirdeb mathemategol cyfewin) yr oedd rhyw 180 ohonynt yn ymwneud â phentrefi penodol o Fôn i Fynwy, y mwyafrif ohonynt o ddigon yn bentrefi gwledig. Y mae'n ddiogel dweud mai *Cymru* O.M. Edwards, ynghyd â'i lyfrau taith a chrwydro, a roes i'r pentrefi hynny eu hawl arbennig ar gof, dychymyg a serchiadau ei gydwladwyr am y rhan orau o ganrif.

Gwlad a oedd i'w gweld trwy desni ei gorffennol oedd y Gymru yr aeth 'O.M.' ati i godi'r llen ar ei theilyngdod. Ni chelodd mo'i fwriad fel y dengys ei Ragymadrodd i gyfrol gyntaf *Cymru* yn 1891: 'Yng nghyfnod ei haddysg, ni ddylid anghofio beth fu Cymru, trwy "godi'r hen wlad yn ei hôl" y rhoddir cryfder i gymeriad Cymro, purdeb i'w enaid, dysg i'w athrylith, a dedwyddwch i'w fywyd'.[15] Noder yr anhepgorion: cryfder, purdeb, dysg a dedwyddwch. Maent yn hollbresennol yn ei gyhoeddiadau. 'Y mae Cymru', meddai, yn Rhagfyr 1892, 'wedi bod i lawer yn ddu a hagr fel pebyll Cedar; i'w meibion y mae heddyw'n wen fel llenni Solomon'. Ac adlewyrchu'r gwynder hwnnw oedd pwrpas *Cymru*, cael y bobol i deimlo 'grym sancteiddiol hiraeth am Gymru' p'le bynnag y byddent a'u hannog i'w hystyried eu hunain megis cenedl etholedig ynghlwm wrth gyfamod: 'cyfamod heb ysgrifen, a hiraeth am fynydd a chynulleidfa'n sêl iddo, sydd yn gwneyd y Cymry'n allu yn y byd . . . "Un" bywyd sydd yng Nghymru, ac ymhob Cymro iawn, ac y mae hwnnw mewn cyfamod â Duw'r mynyddoedd'.[16]

Rhybuddiodd yn ei Ragymadrodd i'r ddegfed gyfrol yn 1896 – a thranc mudiad 'Cymru Fydd' gerllaw – rhag y 'dylanwadau cryfion' a fygythiai barhad y Gymraeg a dinistr y cymeriad Cymreig 'sydd wedi ei fagu ar gariad at ryddid, ar hoffder at lenyddiaeth, ac ar gyffroad llawer diwygiad'.[17] Pe ildiai'r Cymry i'r dylanwadau hynny ac ymddarostwng i gyflwr y werin Seisnigedig, faterol, fe gollai'r byd 'allu puredigol'. Yr oedd 'O.M.' yn poeni am weld diflasu halen y ddaear – dim byd llai na hynny! Gallai'r Cymry gymryd ffordd i dir angof trwy gefnu ar eu hiaith a'u diwylliant, a chrwydro 'heb feddwl i'w gynnyg i drysorfa meddwl y byd'. Neu fe allent gymryd llwybr arall: 'ar hyd hwnnw cerdda Cymro i bob man fel Cymro, clyw lais Rhyddid a Llenyddiaeth ac Aberth a Diwygiad yn ei nerthu o'r gorffennol, â â'i Ysgol Sul a'i Eisteddfod gydag ef i bob man. Cariad at Gymru wna'r Cymro'n allu yn y byd'.[18] Ac yr oedd y llwybr hwnnw'n dechrau mewn iawn werthfawrogiad o fywyd yr ardal y ganed pob Cymro a Chymraes gwerth yr enw ynddi.

Drosodd a thro fe ddaw'r pentrefi ger bron yn gymhleth o rinweddau amrywiol gymwynaswyr a chymeriadau adeiladol ynghyd â phrydferthion maes a mynydd, dyffryn ac afon a glannau'r môr. Barnai 'O.M.' fod gwladgarwch wedi agor llygaid llenorion i ddangos ar dudalennau *Cymru* y 'swyn' oedd yn hanes y wlad, 'y prydferthwch hygar' ym mywyd ei gwerin a'r 'tlysni roddodd Duw i'w hardaloedd'. A'r bedwaredd ganrif ar bymtheg ar ddarfod yr oedd yn sicr mai 'neges ddyrchafol a sancteiddiol *Cymru*' oedd 'dangos beth sy'n brydferth, a beth ddylid ei gadw, ym mywyd Cymru'. Ni ellid rhagori ar 'prydferthwch hygar' fel diffiniad o'r ansawdd a ystyriai'n nod amgen bywyd ei werin ac yn sicr ni ddylid disgwyl i realiti anhygar dresbasu ar weledigaeth golygydd cylchgrawn a chanddo 'neges ddyrchafol a sancteiddiol' i'w chynnig i'w genedl.[19]

Fel petaem ar grwydr mewn oriel gelf y mae'n rhaid sefyll a syllu ar un neu ddau o 'Ardaloedd' *Cymru* a sylwi ar y modd y mae'r darlun yn dwyn cyrch bwriadus ar ein sentimentau gorau. Wele 'Llanwrin' gan David Samuel o Aberystwyth:

> Pentref bychan yw Llanwrin ar lan yr afon Dyfi, tua phedair milldir o Fachynlleth a thua thair o orsaf Cemaes Road, a gellir ei weled o'r ffordd haiarn pan yn trafaelio o'r naill i'r llall o'r ddau le hyn. Saif wrth odre'r mynyddoedd uchel sy rhyngddo a Choris ac Aberllefenni, yn ymlochesu rhag oerwyntoedd miniog y gogledd a'r dwyrain, a phob amser yn ymheulo yng ngwenau Brenin y Dydd pan fo hwn uwch ei gaerau. Ychydig o dai sydd yn y pentref ac ni chlywir swn yn ei heolydd – yn unig, clywir brefiadau'r defaid yn y meysydd, a swn

curo'r eingion gan y gof wrth ei waith yn yr efail yng nghanol y
pentref. Y mae yno eglwys wedi ei chysegru er coffadwriaeth i'w
nawdd-sant Gwrin, ac ysgoldy, a chapel yn perthyn i'r Methodistiaid
Calfinaidd, a chapel hefyd gan yr Anibynwyr.[20]

Neillduedd, hedd, harddwch, cysegredigrwydd – ie, a seintwar i un o
arch-gymwynaswyr cyfoes y Gymraeg, gŵr y bu 'O.M.' yn eistedd wrth
ei draed yng ngholeg prifysgol Aberystwyth ac yr oedd yn falch i'w
arddel yn fath o dad bedydd ei Gymreictod, sef y Canon D. Silvan
Evans. Pa well ffordd o gydnabod teilyngdod Llanwrin na'i uno yn ei
degwch â dysg a choethder Silvan Evans.

Edrychwn trwy lygaid Anthropos ar 'Ardderchog Glynog Lonydd' a
chlywn â'i glustiau ef hyfrydwch bore Sul ym Mai:

Y mae swn cloch Eglwys Beuno yn disgyn yn esmwyth a pheraidd ar
fy nghlyw. Tywynna'r haul drwy y ffenestr fechan, ac y mae blodau y
'laburnum', sydd o flaen y tŷ, wedi eu goreuro gan ei belydrau.
Ymestynna'r eigion glas i'r pellderoedd, ac y mae awel adfywiol yn
anadlu ar y cae gwair. Dios fod Anian yn cadw Sabboth yn y frodir
heddychol hon. Nid ydyw chwibaniad tren, twrf cerbydau, na chlychau
ansyber llaeth-fasnachwyr yn blino y galon. Y mae oriel Anian ar
ddihun. Os oes gan y côr asgellog ganiadau mwy detholedig na'u
gilydd, yr ydym bron a meddwl eu bod yn eu cysegru ar gyfer bore
Sabboth ym Mai . . .
    Lle dedwydd iawn ydyw capel Clynog ar Sabboth heulog, nawsaidd
ym Mai. Yr ydych yn gweld y môr trwy ddrws yr addoldy – yn gweld
y don, fel pererin, yn penlinio ar y lan. Ac yn gymhleth â lleisiau
hoenus y dyrfa, yr ydych yn clywed acenion y fronfraith yn y mangoed
gerllaw. Y mae pobl Clynog yn credu yn yr arfer dda o ddod i'r
addoliad ar 'fore' Sabboth, ac nid ydyw hun na hepian yn bechod
parod i'w hamgylchu.
    Nid ydyw henaint a llesgedd yn ymweled â'r fro hon, ond yn hynod
achlysurol. Yma y mae y blaenor Methodistaidd hynaf yn y wlad, onide?
Ond pwy fuasai yn meddwl hynny wrth edrych arno yn y set fawr, ac yn
arbennig wrth ei wrando yn canu? Nid yw mab pedwar ugain ond
glaslanc yn y broydd hyn, ac y mae afiechydon diweddar, megis yr
'influenza' a'r 'sciatica', heb ddarganfod y llannerch o gwbl!'[21]

Rhyfedd o bentref nef-debyg! Eglwys a chapel Methodist ynghlwm (yn
1897) mewn tangnefedd heulog, perseiniol ac awen ddifarw Eben Fardd

eto'n nawseiddio llan na ddôi blinderau, gellid meddwl, ar ei chyfyl. Dyna gael cip ar nefoedd mae'n rhaid.

A cheir cip arall ym mhortread Owen R. Owen o 'Pont Robert', trigle'r Parchg. John Hughes pan fu'n gweini ar ysbryd Ann Griffiths. Cymerodd ei le yn oriel *Cymru* yn 1906 ac ôl brws y Diwygiad yn drwm arno:

Pentref gwledig teneu ei boblogaeth yw Pont Robert yn awr. Saif ar lan y Fyrnwy, yn union wedi iddi ddod allan o'r cwm cul na chawsai ond ei lled ynddo ar ei ffordd o Raiadr Dolanog tua dyffryn Meifod, a rhyw ddwy filltir helaeth cyn i'r Fanwy ymuno â hi. Mae'r Bont yn llecyn prydferth iawn a rhamantus; rhandir llawn coed – derw gan amlaf – a'r ffermydd yn codi hyd y llethrau afreolaidd o lan yr afon. Daweled yw'r lle fel na wna trydar yr afon ar argae y felin islaw'r bont ond dwyseiddio a phwysleisio y tawelwch. Felused dyddiau distaw yr Hydref hyd y llethrau hyn. Heb ysgydwad cangen, na chwibanaid aderyn, cysga natur hun yn dawel a'r lliwiau ar ei grudd. Wyr trefwr ddim am swynion dyddiau llonydd distaw Calan Gaeaf. Ar adegau felly teimla dyn fel pe na bai ond ysbryd pur yn ymgymuno a'r ysbrydion rhydd sydd yn poblogi'r distawrwydd; ac ni wyr oddiwrth ei gorff ond pan y bydd ambell i ias yn cerdded drwyddo, ac yn ymgnawdoli yn ei lygaid yn ddeigryn anesboniadwy. Ymgymunwn ag ysbrydion – yn hytrach a'r un Ysbryd mawr sy'n llond pob lle. Nid oes yma onid tŷ i Dduw, a dyma borth y nefoedd. Nid rhyfedd i dduwiolion gael eu magu yma. Ond nid duwiolion segur fagwyd yma – nid breuddwydwyr; canys y mae yma ddyddiau gwanwyn, a'r dduwies sy'n cysgu'n awr yn effro ac yn brysur iawn, gydag uniondeb calon yn ei llygaid effro, a'i phrysurdeb yn troi yn lendid dilychwin ar ddail a blodau.[22]

Y mae'n hawdd dychmygu 'O.M.' yn derbyn 'Pont Robert' i'w oriel megis manna o'r nef, yn union fel y derbyniodd Eifionydd bortread Anellydd o Grug-y-bar dan bennawd 'Bro fy Maboed' i'r *Geninen* ar awr anterth Diwygiad 1904–05. Pentref bychan diarffordd oedd Crug-y-bar Anellydd hefyd, heb 'yr un deml i Satan ar ddull tafarn', ymhell o 'ferw a dwndwr yr oes', yn 'ymguddfa, os myner, rhag geudeb gwleidyddiaeth ac hyawdledd brefol merthyron dimai':

Nid yr hen dôn 'Crugybar', er nefoled yw, ydyw yr unig beth hawddgar a berthyn i'r ardal, eithr, hefyd, geindra y fro, yng nghyd a

41

bucheddau glân, hunanymwadol, unplyg, a duwiol, rhai o'i thrigolion a adwaenwn gynt, ac eraill y clywais y tadau yn coffa'n barchus am danynt. Adsain cân y bucheddau hyn – dyna'r beroriaeth felusaf yn fy nghalon heddyw! Yr hen ardal hoff! Y gwanwyn a gerdd yn gynar, gynar drwy ei chaeau a'i choedydd; a daw yr haf ar ei ol, gan ei haddurno hi, megis priodasferch dlos, â garlantau o flodau; eithr tiriondeb gwanwynaidd ei hen gymeriadau gynt, o dan flodau rhinwedd, ydyw ei phenaf swyn i mi'.[23]

Pwy ond O.M. Edwards allasai drwyddedu Anellydd i ysgrifennu yn y modd pentregarol hwn?

Siawns na chafwyd yn yr enghreifftiau hyn syniad clir o'r math o bentref eiconig sydd i'w weld droeon yn oriel 'Ardaloedd' *Cymru*. Y mae'n rhaid gwrthsefyll y demtasiwn i laithsyllu ar fwy ohonynt ac eithrio am un prawf arall o ddawn 'O.M.' ei hun i rinio lle â'i estheteg. Cemais, ym Môn, yw'r pentref glan môr y mynn fwrw ei hud drosom:

Draw dros faesydd tawel undonnog Mon mae pen mynydd y Wylfa yn ymgodi uwch y môr. Yno y mae Cemaes fel hen bentre mewn darlun, ar lan y môr. Wrth gerdded hyd ymyl y clogwyn at eglwys Llanbadrig gallwch weled y pentre yn codi ris uwch ris o lan y dwr, y bryn tu cefn i'r tai bychain gwynion, ac ar ben y bryn yr hen felin wynt yn estyn ei breichiau yn erbyn yr awyr glir. Bu natur yn garedig wrth Gemaes. Nid yw y môr yn cael chwyddo ei donnau cryfaf yn ei erbyn; yn hytrach mae fel llyn crwn wedi ei gloi i mewn gan dir, gydag un agoriad drwy ba un, ar ddiwrnod hafaidd, y gellir gweld ar y gorwel fynyddoedd gleision ynys Manaw. Lle tawel yn edrych ymhell yw Cemaes.

Nid anghofiaf fyth fy ngolwg gyntaf ar y lle wrth ddyfod o Amlwch. Diwedd mis Mai oedd hi, ac nid oedd dim ond eithin, eithin yn llawn blodau, ym mhob man. Yr oedd yr awel yn llwythog o arogl y blodau. Yr oedd pob bwthyn bach gwyn fel pe bae yn ymguddio mewn eithin. Yr oedd gwynt glân y môr i'w deimlo hefyd. Edrychai pob peth fel pe bai gwynt y môr yn eu glanhau.

Ac yna, o ben y golwg, dacw'r môr, môr diderfyn. Ni welwch mo Gemaes nes yn ei ymyl, ond acw mae clogwyn y Wylfa, a'r felin wynt, a melin Mechell ymhellach yn y wlad. I mi yr oeddwn fel pe yn mynd i wlad hollol ddieithr, pell o Gymru . . . Y ffordd wen, hir, y tai hen ffasiwn, y cei a'r cychod pysgota; y ffermydd a'u cloddiau a'u buarthau wedi eu gwyngalchu, y maesydd yn dechreu blaguro, a'r môr fel gwregys lâs – nid peth i'w anghofio yn hawdd yw hyn.[24]

Nage'n wir; y mae fel darllen darn coll o un o geinciau'r Mabinogi. Dyma'r math o ysgrifennu, y mae'n rhaid, a oedd gan Roger Scruton yn ei feddwl pan soniai am 'the re-enchantment of the land' a dyma'n sicr y math o ysgrifennu a enillodd i 'O.M.' gynulleidfa luosog a brwd ei gwerthfawrogiad.

'Lle tawel yn edrych ymhell', meddai, oedd Cemais a beth ond llefydd o'r fath yw pentrefi *Cymru* at ei gilydd, pentrefi yn edrych ymhell tua'r wlad a'r genedl adferedig y mynnai 'O.M.' gael gan ei gydwladwyr gredu y gallent ymddisgleirio ryw ddydd. Nid ffeithiau cymdeithasegol mohonynt yn gymaint â chysyniadau delfrydedig sydd i weithio fel eples yn y cof a'r dychymyg cenedlaethol, a phorthi dyhead:

> Abercuawg! Where is it?
> Where is Abercuawg, that
> place where the cuckoos sing?

gofynnodd R.S. Thomas cyn mynd ymlaen i ddweud:

> An absence is how we become surer
> of what we want. Abercuawg
> is not here now, but there . . .[25]

A'i barnu'n ddoethach i beidio â chyrchu 'Llan-y-dŵr/A'i fyd di-stŵr' a wnaeth T. Rowland Hughes, peidio â mynd i'r daith rhag clywed yno sgrechiadau'r gwylanod a'r tonnau yn torri'n gynddeiriog ar lan y lledrith. Ac er y gwyddai Waldo Williams fod 'pob rhyw hyfrydwch i lawr yng Nghwm Berllan' a 'hendre fy nghalon ar waelod y feidir', gwell oedd iddo beidio mynd yno, 'rhag ofn'.[26] Felly'n union, nid yn Cemaes Bay y mae dod o hyd i Gemais O.M. Edwards, oherwydd nid mangre hiraeth mo Cemaes Bay, yr hiraeth a fu'n gyrru'r dyheu am adnewyddiad trwy rifynnau *Cymru*, yr hiraeth am ddelfryd o le a wnaeth i Eli Sawyl yn Aberdâr lofaol englyna'i ffordd yn ôl i'w wynfyd yn Llansawel:

> I'w fynydd a'i haf annwyl, – af yno
> Ar f'union ryw noswyl;
> Gwlad o hedd – golud a hwyl,
> Llun Seion yw Llan Sawyl.[27]

Ie, a phob llan arall yng Nghymru deisyfiadau O.M. Edwards.

Yn *Paradise Lost*, sef ei ymdriniaeth â phaentiadau o dirlun a bywyd gwledig Lloegr rhwng 1850 ac 1914, cafodd Christopher Wood ei hun yn gofyn faint o'r 'gwir plaen' am y bywyd hwnnw a gafwyd gan yr artistiaid dan ei sylw. Rhoes ateb diamwys i'w gwestiwn: 'Most Victorian artists were painters of pretty pictures first, and social historians second'. Ni allent lai na gwybod am ddrygau'r wlad a'r dref gan mor llafar oedd diwygwyr cymdeithasol yr oes ar lwyfan ac mewn print: 'But like many men faced with the unpleasant or the unacceptable, they simply ignored it'. Fe dalai paradwyso'r wlad yn llawer gwell iddynt pan oedd hylltod diwydiannaeth yn drais ar synwyrusrwydd pobol y trefi a'r dinasoedd, a phan oedd y dosbarth canol yn barod iawn i wario ar baentiadau o ddedwyddwch gwladaidd: 'The ideal picture was a pleasant scene, painted in good weather, suitable for all the family, and making few mental demands on the viewer ... Painter and patron were united in their devotion to the artistic fiction of the rural paradise'.[28]

Gellir cymhwyso sylwadau Wood at gynnwys *Cymru* er gwaetha'r ffaith mai'r ffotograffydd, yn hytrach na'r arlunydd, a fu wrthi amlaf o ddigon yn darlunio'r amryfal ysgrifau. Buasai 'O.M.' ei hun yn tynnu lluniau ar gyfer ei gylchgrawn cyn iddo gael manteisio ar gamera nodedig John Thomas, Lerpwl ac y mae'n drawiadol pa mor gyson y mae'r ffotograffau mewn cytgord ag ymdrechion y gwahanol ysgrifwyr i beri

Llansawel ers talwm.

synhwyro mwynderau tir a chymuned. Wedi'r cyfan, gwladwr o 'Gardi' oedd John Thomas hefyd yn ei hanfod. Y mae fel petai'r camera a wasanaethodd *Cymru* wedi syrthio i ddwylo Helen Allingham (1848–1926) o ffotograffydd a fynnai droi'r Gymru wledig, fel y trodd hi Surrey ei phaentiadau, yn ddihangfa rhag hagrwch y byd diwydiannol, torfol.

Wrth gwrs, fe wyddai O.M. Edwards yn dda nad dedwydd, na theg, na phersawrus pob bwthyn a llan yn y wlad. Nid oedd rhaid mynd i Ferthyr a Dowlais i weld a gwynto budreddi a godai gyfog ar ddyn. O bryd i'w gilydd fe rôi'r wasg sylw i adroddiadau arolygwyr iechyd y cyhoedd na allai eu darllen lai nag arswydo pobol ystyriol. Er enghraifft, ar 7 Chwefror 1873 dan y pennawd 'Shocking Filthiness and Immorality' fe roes y *Cambrian News* le amlwg i adroddiad pythefnosol cyntaf (20 Ionawr) Mr W. Alderson (Inspector of Nuisances) gerbron awdurdod Ardal Iechydol Wledig Aberystwyth. Ymwelsai â 1,110 o anheddau a chael fod rhyw fil ohonynt heb dai bach. O ganlyniad, 'the whole surface of the ground and the atmosphere around those 1,000 dwellings, not only prove offensive to the senses of sight and smell, but most also prove more or less prejudicial to the general health and comfort of about 5,000 persons who dwelt therein'.[29]

Ym mhentrefi Goginan, Ponterwyd, Eisteddfa Gurig a Llanfihangel-y-Creuddyn gwelodd bethau gwrthun a phan adroddodd yr ail waith (3 Chwefror) ni chawsai bethau ddim gwell ym mhentrefi Cnwch-coch, Penuwch ('this place of notoriety'), Bronant, Llanrhystud, Llangwyryfon a Llanilar. Ymwelsai â thros 800 o anheddau a chael 600 ohonynt heb dai bach. Ar 17 Chwefror manylodd ar drueni Taliesin:

> I have inspected about 100 dwelling places here, and more than one half are without the needful accommodation. Overcrowding is also prevalent here, as many as seven, eight, nine, ten, and twelve persons sleep in one room. At least two houses are totally unfit for human beings to live in. Pigsties and pig manure heaps abound all over the place, many of them being under windows and close by the doors of the dwellings.[30]

Erbyn diwedd 1879 nid oedd pethau ddim gwell yno.

Rhwng 1878 ac 1879 bu farw deuddeg o deiffoid oherwydd 'an absence of almost all sanitary precautions'. Gerllaw roedd ffynnon wedi'i llygru: 'Manure abounds, the water is foul, and dunghills and

45

pigsties drain into it'. Ymhen blwyddyn byddai 'O.M.' yn mynd i'r coleg yn Aberystwyth, ergyd carreg o bentref bach adfydus Taliesin yr anobeithiai'r *Cambrian News* am ei gyflwr yn Rhagfyr 1879:

> The history of the little village of Taliesin is as melancholy a story of dirt, disease and death, as could well be written. The facts as related by the Medical Officer, Mr. Morris Jones, and by the Local Government Board, are sufficient to make thoughtful people ask whether, after all, human life is of any value.[31]

Y mae eisiau nodi fod John Gibson (1841–1915) y *Cambrian News* (Syr John Gibson cyn ei farw yng Ngorffennaf 1915) yn ohebydd o Sais hunanhyderus, parod i resynu at ddiffygion y Cymry, ond roedd yn newyddiadurwr galluog ac ni raid amau dilysrwydd adroddiadau'r Arolygydd Alderson yn yr achos hwn. Yr oedd pethau'n bur sioclyd yn y pentrefi y rhoesai sylw iddynt – pentrefi yng Ngheredigion, cofier, er mai pentrefan ym Meirion 'O.M.' ei hun oedd targed gresyndod Gibson pan dynnodd sylw at 'A Little Bit of Arcadia' ym Mai, 1873. Clwstwr o un ar hugain o fythynnod ger y ffordd dyrpeg ac felly yng ngolwg dynion oedd Cwrt, a thruenusle a gawsai ei esgeuluso'n warthus gan Fwrdd Iechyd Lleol Tywyn: 'The Medical Officer was fully aware of it all, and yet for twenty long years misery, dirt, discomfort, and attendant indecency and immorality have been rife there. . . The arch of the bridge serves for the common easement of all, and is favourable to the health of the inhabitants, whatever it may be to decency and morals'.[32]

Beth bynnag am hynny, ni châi'r un Taliesin na Chwrt le ymhlith yr ardaloedd a gafodd fynediad i *Cymru* dros y blynyddoedd. Yng nghyd-destun pwrpas 'O.M.' nid oedd pentrefi o'r fath yn bod. Ond fe'i cynhyrfwyd yn 1898 i fynegi barn ar y mater wrth ateb gohebwyr. Roedd yn siom iddo fod pentrefwyr Lloegr yn rhagori ar y Cymry yn eu cariad at flodau, eithr dicter a deimlai oherwydd yr hyn a welsai ar ôl bod ar grwydr:

> Un o bethau mwyaf gwarthus Cymru yw budreddi ei phentrefydd. Mewn glanweithdra a thaclusrwydd, y mae gwerin Cymru gan mlynedd ar ôl gwerin Lloegr. Yr wyf wedi laru ar glywed canmol crefydd, rhinwedd, a diwylliant rhai o'n hardaloedd, a minnau'n gwybod fod eu cyflwr iechydol yn warth i wareiddiad. Rhaid mynd i rannau tlotaf yr Eidal cyn y ceir lleoedd mor aflan a rhai o bentrefydd

gwledig Cymru. Y ffenestri hagr, y pentyrrau baw, yr absenoldeb blodau, y drewi ffiaidd, – dyna sy'n amgylchu llawer na flinant ar ganu ffoliaeth am Gymru 'lân'. O ddifrif, onid yw'n bryd i ni ddeffro, a dweyd y gwir wrth ein cyd-wladwyr? Na rodder ond y sebon a ylch.[33]

A allai Caradoc Evans ddweud yn amgenach? Pwy fyth a gredai y byddai golygydd *Cymru* yn siarad felly a'i gylchgrawn yn gyforiog o 'artistic fictions'! A beth pe gwyddai Caradoc! Y mae'n rhaid, wrth reswm, fod ymwybod 'O.M.' â lled y bwlch rhwng Cymru ei ddyhead a'r Gymru a adwaenai mor dda yn fwy nag a allai ei ddioddef weithiau, nes peri iddo ffrwydro. Y mae'n siŵr, hefyd, y dywedai nifer ohonom heddiw y buasai'i lên ar ei hennill petai wedi ffrwydro'n amlach. Ond nid ar edliw beiau a dadlennu drygioni ei famwlad yr oedd ei fryd; ei fwriad ef oedd gosod delfryd gerbron y bobl a'u symbylu i gredu fod modd ei sylweddoli.

Eithr fel y dywedwyd, weithiau prin fe ffrwydrai a chyhoeddi ambell farn gofiadwy. Gofynnodd 'Aelod' iddo a oedd dyn a esgeulusai wacáu'r tŷ bach yn gymwys i'w ethol i'r Sêt Fawr:

> Nid wyf yn credu fod gŵr yn Gristion, – yn wir y mae yn waeth na phagan, – os yw ei geudy'n berygl i iechyd ei ardal. Peth annuwiol ynoch fyddai pleidleisio i'w wneyd yn ddiacon. Nis gallaf fyth gredu fod dyn na falio am iechyd corff ei gyd-ddynion yn malio botwm am eu hiechyd tragwyddol ychwaith.[34]

Sicrhaodd lythyrwr arall wrth yr enw 'Cashawr Baw' fod yr awdurdodau iechyd wedi gwneud mwy o ddrwg nag o les wrth orfodi pobol y wlad i godi tai bach heb eu gorfodi hefyd i'w gwacáu. Gallent fod heb eu clirio 'am flynyddoedd' ac o'r herwydd achosi clefydau a thwymynnau difrifol: 'Danghoswch i mi ŵr wrthoda glirio ei geudy, a danghosaf finnau i chwithau ŵr fuasai'n llofrudd o ran dim gras sydd yn ei gymeriad'.[35] Os oedd maddeuant i bechaduriaid yng Nghalfiniaeth 'O.M.', mae'n sicr nad oedd pardwn i gachaduriaid.

Cyffrowyd R. Price Hughes gan ei gollfarn i lunio ysgrif o glod i lendid Abermo a bygythiodd 'O.M.' roi lle i gyfres o ysgrifau ar fannau a oedd i'w hystyried yn lân neu'n aflan.[36] Ond y mae'n rhaid ei fod wedi ailfeddwl; ni chafwyd cyfres o'r fath yn *Cymru* rhag ofn, mae'n debyg, iddi lychwino cenhadaeth y cylchgrawn. Yn ateb i lythyrwr a gyhuddodd bawb mewn rhyw bentref o fod 'yn anonest ac yn derfysglyd', dywedodd iddo ofyn barn un a adwaenai'r pentref hwnnw'n dda a chael

gwybod ganddo fod pawb yno'n 'onest a heddychlon, – ond y plismon.'
'Pwy', gofynnodd 'O.M.', 'rwyf i'w goelio?'[37] Nid oedd ei ddarllenwyr
i'w poeni gan broblem o'r fath wrth ddod wyneb yn wyneb â 'phentrefi
tawelfwyn' *Cymru*. Yn syml, fe ddisgwyliai 'O.M.' yn ffyddiog iddynt
ymddiried yn yr hyn a ddywedid wrthynt mewn cylchgrawn na ddarparai
ond 'maeth meddyliol a diddanwch dyrchafedig'.[38]

Yn 1909 fe gafwyd gan un o gyfranwyr *Cymru*, gŵr y barnai 'O.M.'
fod ei arddull yn batrwm i'w efelychu, bortread o bentref tragwyddol
ifanc ei harddwch a'i ddaioni. *Y Pentre Gwyn* oedd hwnnw ac
Anthropos, a oedd eisoes, fel y gwyddom, wedi gweld ei wyn ar fore Sul
o Fai yng Nghlynnog Fawr, oedd ei awdur. Ysgrifennodd lawer iawn yn
ystod ei oes ddiwyd ond yn rhinwedd *Y Pentre Gwyn* y mae ganddo'r
hawl i'w ystyried yn swynwr yr aeth rhai cenedlaethau o blant o bob oed
yn ffoaduriaid dedwydd i'w fro rhwng y ddau Ryfel Byd.

1 Hazel Walford Davies, gol., *Llythyrau Syr O.M.Edwards ac Elin Edwards 1887–1920* (Llandysul, 1991), xxviii-xxix. Dechreuodd 'O.M.' gyhoeddi *Cymru* pan oedd Lloegr yng ngafael adfywiad diddordeb mewn diwylliant gwerin a llawer yn pwysleisio gwerth ysbrydol cymuno â harddwch. Credai'r hanesydd, G.M. Trevelyan, y byddai'r Saeson farw yn ysbrydol heb harddwch naturiol ac felly'n sicr y teimlai 'O.M.' am y Cymry. Gw. Frank Trentman, 'Civilization and its Discontents . . .', 596.

2 ibid., 80–1.

3 O.M. Edwards, *O'r Bala i Geneva* (Y Bala, 1889), 112–3.

4 ibid., 113.

5 ibid.

6 *Cymru*, XXXI (1906), 189.

7 W.J. Gruffydd, *Owen Morgan Edwards – Cofiant. Cyf. I, 1858–1883* (Aberystwyth, 1938), 1.

8 ibid., 4.

9 O.M. Edwards, *Rhobet Wiliam, Wern Ddu* (Llyfrau'r Bala, 1889), 12.

10 ibid., 36.

11 ibid., 36–7.

12 ibid., 34–5, 39.

13 O.M. Edwards, *Cartrefi Cymru* (Wrecsam, 1927), 165.

14 *Cymru*, XXXVI (1909), 292.

15 *Cymru*, 1 (1891), Rhagymadrodd.

16 ibid., III (1892), Rhagymadrodd.

17 ibid., X (1896), Rhagymadrodd.

18 ibid.
19 ibid.
20 ibid., III (1892), 12.
21 ibid., XIII (1897), 22–3.
22 ibid., XXX (1906), 23.
23 *Y Geninen*, XXIII (1905), 261.
24 *Cymru*, XLI (1911), 6–7.
25 R.S. Thomas, *Collected Poems 1945–1990* (Phoenix Giants, 1993), 340.
26 T. Rowland Hughes, *Cân neu Ddwy* (Dinbych, 1948), 9.
27 *Cymru*, LI (1916), 208.
28 Christopher Wood, *Paradise Lost. Paintings of English Country Life and Landscape 1890–1914* (London, 1988), 7–10.
29 *The Cambrian News*, 7 Feb. 1873, 4.
30 ibid., 26 Dec. 1879, 5.
31 ibid.
32 ibid. 2 May 1873, 4.
33 *Cymru*, XIV (1898), 188.
34 ibid., 51.
35 ibid., 148.
36 ibid., 201.
37 ibid., XXVII (1904), 52.
38 ibid., VII (1894) Rhagymadrodd.

Y PENTRE GWYN

Afraid fyddai mynd ati i danlinellu edmygedd Anthropos o ddawn a llên O.M. Edwards. Y mae'n ddiogel dweud fod ar bopeth a ysgrifennodd stamp delfrydau 'O.M.' ac yn yr ysgrifau a gyfrannodd i'r *Dinesydd Cymreig* yn yr 1920au anelai at ysgogi cynulleidfa ifanc yn union fel y gwnaethai ei arwr dros y blynyddoedd. Tynnodd eu sylw at gamp lenyddol y 'word painter' a'r 'portrait painter' a ysgrifennodd *Tro yn Llydaw*[1] a *Clych Atgof*[2] a'u hannog i feithrin chwaeth at geinder a gorseddu rhinwedd. Wrth sôn wrthynt am hyfrydwch Saboth a dreuliodd ym Metws-y-coed, ymadroddodd megis 'O.M.' ei hun: 'Yr oedd Natur a gras yn cynghaneddu y bore hwnnw – heulwen oddiallan a heulwen oddifewn'.[3] A dyna'r gynghanedd, y gynghanedd y mynnai 'O.M.' ei dwyn i bob rhifyn o *Cymru*, a enillodd le i'r *Pentre Gwyn* yn serchiadau lleng o ddarllenwyr.

Ond y mae yna bresenoldeb arall yn hofran dros y pentref eneiniedig hwnnw hefyd, neb llai na J.M. Barrie, awdur *Auld Licht Idylls* (1888), *A Window in Thrums* (1889), *Margaret Ogilvy* (1896), *The Little Minister* (1897) a chonsuriwr *Peter Pan* (1904) – y ffantasi ddidraul honno lle'r oedd plant Mr a Mrs Llewelyn Davies, yn rhith plant y teulu Darling, i'w cael eu hunain yn y 'Neverland' na pheidiodd y bachgen bythol yn Barrie â'i gyrchu ar hyd ei oes. Yn Albanwr a aned yn Kirriemuir yn 1860, fe fu dramâu Barrie yn boblogaidd yng Nghymru yn ystod hanner cyntaf yr ugeinfed ganrif. Pan ffurfiwyd 'cwmni cenedlaethol' dan gyfarwyddyd y Parchg. E.R. Dennis i actio yn Eisteddfod Genedlaethol Treorci, 1928, y ddrama a ddewiswyd oedd *A Ŵyr Pob Merch*, cyfieithiad D.R. Davies o gomedi Barrie, *What Every Woman Knows* (1908). Ac y mae'n ddiogel dweud fod 'Ystori Bore Bywyd' Anthropos, fel y disgrifiwyd *Y Pentre Gwyn* ganddo, yn nawsio o ymwybod Barrieaidd â chyfaredd rhyw 'land of lost content'.[4]

I un a oedd i ymborthi'n llenyddol ar ei atgofion tan y diwedd, fe gafodd Anthropos yng ngwaith Barrie, fel yng ngwaith O.M. Edwards, ysgogiad i'w gof a chyweiriau i'w nostalgia. O atgofion ei fam,

Margaret Ogilvy, am ei phlentyndod y tarddodd llwyddiannau cynnar Barrie, ac mewn ysgrif ar 'Llwybrau Atgof'[5] dyfynnodd Anthropos yn frwd un o'i wirebau – 'Memory has been given us that we may have roses in December'. Yng ngwasanaeth y cof detholus nad arddelai ddrain ac ysgall y cafodd yntau, Anthropos, fwyaf o flas ar lenydda. Fel i 'O.M.' a Barrie, fel i Ceiriog yr ymhoffai gymaint yn ei gerddi, ofer llên heb ei swyn yn achos Anthropos hefyd. Gallai ddotio, pan oedd yn 74 oed, at 'Myfanwy Fychan', rhieingerdd Ceiriog, am ei bod yn dal yn 'gyforiog o swyn – swyn meddyliau, a swyn iaith ac ymadrodd' ac iddo ef nid oedd, ac ni fyddai, 'treiglad blynyddoedd yn edwino y swyn'.[6] Byddai 'Myfanwy Fychan' yn 'newydd o hyd', yn un o rosynnau Rhagfyr, a rhoi rhosyn cyn deced i'w gydwladwyr oedd gobaith Anthropos pan gyhoeddodd *Y Pentre Gwyn* yn 1909 ac yntau'n 56 oed.

Er nad enwodd Anthropos mo'r pentref 'real' a droes yn 'bentre gwyn' dan hudlath ei atgofion, datgelodd yn 1944, blwyddyn ei farw, mai dyffryn Edeirnion oedd dyffryn ei febyd; dyna'r enw a'r lle, meddai, 'bydd yn deffro atgofion un a fagwyd yn y "Pentre Gwyn".'[7] Ond diolch i'r Parchg. John Baker a ddaeth yno'n weinidog ar ddechrau'r Ail Ryfel Byd a lletya y drws nesaf i'r tŷ lle maged Anthropos, gwyddom mai Tŷ'n-y-cefn, ger Corwen oedd crysalis *Y Pentre Gwyn*. Wedi'i swyno'n grwtyn gan y llyfr, ofnai na allai 'fyth ymsefydlu mewn byd mor ddi-fynd a digyffro' ar ôl symud yno o ganol prysurdeb tref a diwydiant, ond

Anthropos (1853–1944)

51

ildiodd yn fuan i gŵyn felys afon Alwen a'r hydref yng nghoed y Rug pan aethai'r 'byd i gyd yn berth yn llosgi'. Arhosodd am rai blynyddoedd.[8]

Cafodd wybod gan ei letywraig ei fod yng nghartref un o brif drigolion *Y Pentre Gwyn*, sef Mr Jones yr Ocsiwnïar, a thrwyddi hi daeth i adnabod holl fannau hud y llyfr. Ac fe ddaeth i sylweddoli fod yn ei gyfnod yntau 'rhyw gyfaredd yn yr ardal sy'n dal i ddenu cymeriadau diddorol'. Un y byddai Anthropos yn siŵr o fod wedi'i drysori oedd Dafis y Jockey, gwaddotwr wedi hynny a gŵr di-gapel a farnai ei fod ef a'r gweinidog wrth yr un gwaith 'yn dwyn creaduriaid o'r tywyllwch i'r goleuni'. Fe wnaethai bartner da i Tomos Olfyr a draethai wrth blant *Y Pentre Gwyn* am frwydr Waterloo a champau'r 'twenty-third', er mai bost Dafis, a fuasai'n gweithio yn stablau Castell Penarlâg, fyddai iddo weld Gladstone droeon yn cwympo deri ac iddo wneud ambell swllt o werthu sglodion ei orchest i'w arwraddolwyr. Amdano ef ei hun, ni chofiai i Gladstone erioed gymryd sylw ohono na dweud gair wrtho, ac felly nid oedd amgenach na dyn cyffredin arall iddo ef. Fe fyddai Dafis yn gymeriad wrth fodd calon Anthropos.

Ond, wrth gwrs, nid Tŷ'n-y-cefn John Baker oedd 'Pentre Gwyn' Anthropos. Roedd Tŷ'n-y-cefn Anthropos, yn nhermau'r calendar, yn agos at fod ganrif yn hŷn ond roedd ei 'Bentre Gwyn', yn iaith galw'n ôl, orwelion i ffwrdd. Lle bychan, cymwys ar fap oedd Tŷ'n-y-cefn; hiraethle oesol meidrolion yw'r 'Pentre Gwyn'. Ni all ond dyhead ei gyrraedd. Dyna pam na roes Anthropos iddo'i enw 'cywir'. Y mae'n bod yn unig yn nhiriogaeth deisyfiadau dyn. Nid lle mohono yn gymaint â phle dros barhad diniweidrwydd maboed. Y mae'n fyd-eang a chyffredinol ei ddilysrwydd.

Gwnaeth Anthropos hi'n glir mai ymgais oedd *Y Pentre Gwyn* 'i bortreadu y bywyd pentrefol yng Nghymru cyn i'r cyfnewidiadau "diweddaraf" ei oddiweddyd' ac fel J.M. Edwards chwarter canrif yn ddiweddarach roedd yn argyhoeddedig o rinwedd hanfodol y bywyd hwnnw:

> Yr oedd yr allanolion yn hynod syml a diaddurn, a'r Pentre, fel ei drigianwyr, yn gwbl amddifad o unrhyw hynodrwydd, neu hanesiaeth henafol a chyffrous. Ond yn y cyfryw lanerchau y tŷf cymeriadau naturiol a gwerthfawr; ac y mae dylanwad rhai o'r cyfryw wedi ymsuddo i feddwl ac i fywyd Cymru. Nid oes coffa am danynt mewn

cylchgrawn na bywgraffiad; ond dichon y bydd yr hyn adroddir am danynt yn yr ystori hon yn rhyw fantais i ereill i weld eu neilltuolion, pan oeddynt yn gwasanaethu eu cenhedlaeth yn y 'Pentre Gwyn'.[9]

Gallwn glywed O.M. Edwards yn cymeradwyo.

Cyffesodd Anthropos, hefyd, iddo geisio 'adfeddiannu "meddwl" ein bachgendod; a phortreadu pobl a phethau fel yr oeddynt yn ymddangos i'n llygaid dibrofiad yn y cyfnod hwnnw'. Dewisodd bennill o gerdd Ceiriog i'r 'Garreg Wen' yn epigraff i'w lyfr, fel y dewisodd 'O.M.' linellau o gerdd arall ganddo, 'Mae'n Gymro Byth', yn epigraff i *Clych Atgof*, ac y mae *Y Pentre Gwyn* yn nawsio o'r nostalgia Ceiriogaidd wrth i'r gweinidog 56 oed fynd eto'n fachgen i bysgota yn nant ei atgofion. Wrth gwrs fe wyddai nad gwyn popeth a phawb yn yr hen ddyddiau ond roedd yn ysgrifennu i fytholi dyhead, nid i wirio 'ffeithiau' tymhorol:

> Diau fod dyddiau anifyr, a throion anhyfryd a siomedig yn dod, yn awr ac eilwaith, yn y cyfnod dedwydd hwnnw. Ond y mae y cyfryw ddyddiau wedi diflannu yn llwyr o lyfr ein coffadwriaeth. Yr hyn sydd yn aros ydyw y dyddiau braf, claerwynion, megis y dyddiau hynny pan fyddem yn dyrfa ddedwydd yng nghangau 'derwen fawr' Coed y Barcud, a'r awel yn suo yn y dail. Ac os anghofiaf di, – Ffynnon y Ddôl, – anghofied fy neheulaw ganu! Ie, 'canu' yr oeddym yn y llannerch honno, ac nid oedd un nodyn lleddf wedi dod i delyn bywyd.[10]

Ffynnon y Ddôl.

Na, nid oes yr un Captain Hook i arswydo'r plant yn *Y Pentre Gwyn* ac nid rhaid wrth na Peter Pan na thylwyth teg i'w gochel gan eu bod yn byw dan oruchwyliaeth Gristnogol gariadlon. Roedd '"ysbryd" y Saboth yn teyrnasu yn y Pentre Gwyn'; fe ddôi'r dydd hwnnw heibio 'â theyrnwialen aur yn ei law', ac er fod Anthropos am i blant ei bentref fod yn fwy o blant nag o saint – roedd tipyn o anian Twm Nansi ynddo ef ei hun yn ôl O. Llew Owain – y mae'n amlwg mai plant 'Ysgol y Llofft' a'r 'Rhodd Mam' oeddynt. Tyfodd John y Tŷ Pella, arweinydd ac amddiffynnydd y plant, i fod yn genhadwr yn yr India, er gwaethaf esgeulustod tad meddw, garw a cholli ei fam pan foddwyd hi mewn llif. O'r llif hwnnw gwaredwyd John, yn faban yn ei grud megis Moses, ac fe'i cofleidiwyd gan ddaioni'r 'Pentre Gwyn' ym mherson Rhobet William, Tŷ Pella, a'i wraig Betsi. Yr oedd yn rhaid ei fod wedi'i waredu i fod yn genhadwr dros Grist. A dyna Ifan Edward, arweinydd côr y plant wrth y ffynnon. Roedd Cyrnol Wood am ei gyflogi ond mynnodd Ifan fynd yn llongwr a boddodd ar ei fordaith gyntaf. Disgwyliodd ei fam amdano mor daer nes iddi ymddrysu a marw'n sicr fod Ifan 'wedi dwad': 'Ac yr oedd y rhai a safent o'i hamgylch yn credu fod Ifan a hithau wedi cyfarfod eu gilydd ar riniog arall fyd!'[11] Plant y byddai nefoedd o'u cwmpas tra byddent oedd plant *Y Pentre Gwyn*.

Yn wir, y mae pawb sydd ynddo i'w gweld yn rhodio yng ngwawl cariadusrwydd a thiriondeb sy'n gwneud tlodi yn hardd a chyfoeth, ym mherson Cyrnol Wood, perchen Plas Marian, yn ddynol braf. Mae trigolion y 'Slendai' (yr Elusendai), megis yr hen filwr, Tomos Olfyr, ei wraig, Catrin, a Miss Green, mewn lle sy'n gweddu i'w cymeriadau persawrus:

> Nis gellid dymuno lle tawelach i dreulio nawnddydd einioes na'r 'Slendai'. Yr oedd yr oll ar yr un patrwm, – tai un llawr, gyda chegin a siamber; ffenestri tebyg i ffenestri eglwys, gyda 'phaenau' gwydr, bychain, tair-onglog. Yr oedd 'porch' o flaen pob drws, a hwnnw, fel rheol, wedi ei orchuddio gan eiddew. Ar y mur, tyfai 'coed rhosys', a phan fyddai y ffenestr wedi ei hagor, yn yr haf, yr oedd perarogl rhosynau yn llenwi'r ystafell. O flaen y tai, ceid 'gravel walk', a blodau amryliw ar bob ochr iddi, ynghyda glaswellt îr o'i hamgylch. Rhwng y tai a'r weirglodd, yr oedd dwy neu dair o goed castanwydd yn estyn eu cangau llydain, cysgodfawr; a hyfryd fyddai cael eistedd ar y fainc odditanynt, yn hwyr y dydd, i wrando ar y gwenyn yn murmur yn eu brig! Ar yr ochr arall, rhyngddynt a'r 'ffordd fawr', yr oedd gwrych tew o bren 'box', a nifer o goed lilac, yn hanner guddio y 'Slendai' o olwg y byd.[12]

Ie, eu hanner cuddio sylwer. Ond i'r plant roedd y ffaith fod Mr Bowen, y Person a phobol y Plas yn galw'n gyson i'w gweld yn ddigon o reswm dros feddwl yn uchel o drigolion y 'Slendai'. Wedi'r cyfan, 'Onid oeddynt yn ffrindiau efo'r "byddigions", ac yn medru siarad Saesneg?'

Mae disgrifiad Anthropos o'r 'Slendai' yn peri meddwl am baentiadau dyfrlliw Helen Allingham o fythynnod swydd Surrey, 'where the banks of hollyhocks and the cottages tumbling under the weight of rambler roses threaten to suffocate the inhabitants'.[12a] Yn wir, y mae ei holl atgofion megis pwysïau wedi'u taflu wrth draed yr hen bentrefwyr a'u pentyrru ar y mannau mwyn. Achubir Tomos Olfyr gan y plant a ymwelai ag ef i ddarllen y Beibl a chanu emynau nes i 'Dyma geidwad i'r colledig' ei lorio, a throir ei angladd yn gyfle i ddathlu duwiolfrydedd *Y Pentre Gwyn*. Mewn gair, seiliodd Anthropos eidyl ar gymwynasgaredd Cristnogol a allai gydymddwyn hefyd â'r baledwr alcoholig, Eos Mawddwy, ac â phedleriaid llygad-y-geiniog fel Martin ac Uncle Sam. Fel gyda rhieni Waldo Williams, rhaid credu na châi enllib a llaid roddi troed o fewn i gartrefi pentrefwyr Anthropos chwaith.

Y mae'n briodol, gan mor hydreiddiol yw'r cytgord rhwng tegwch dyn a natur yn hanes *Y Pentre Gwyn*, mai'r peth diwethaf a glywn â chlust dychymyg yr awdur yw sŵn côr y plant wrth Ffynnon y Ddôl yn canu 'Cawn ni gwrdd tu draw i'r afon' wrth i'r haul fachlud dros Goed y Barcud. Oherwydd un o bentrefi'r 'ochor draw' yw'r 'Pentre Gwyn', wrth gwrs; paradwys goll ydyw sy'n ateb gofyn oesol yn y meddwl. Dyna pam fod ei apêl yn drech na phob dadleniad cymdeithasegol-feirniadol o'i afrealiti.[13]

Yn gynnar ar ôl Rhyfel 1914–18 cyhoeddodd Anthropos *Pentre'r Plant. Atgofion Bore Bywyd* a'i gyflwyno i blant yr oes newydd. Y mae'n debycach i nofel nag yw *Y Pentre Gwyn* ac y mae arlliw Margaret Ogilvy yn amlwg ar Nansi Owen y Llofft sy'n llygaid a chlustiau i'r crydd cloff, Sadrac Jones, ceidwad moes ac enaid pentref 'Llanaber'. Yn ei weithdy, mewn hen gapel wedi cau ar y rhiw uwchlaw 'Llanaber', nid oedd dim na wyddai Sadrac, y capelwr selog, doeth, am ei bobol: 'Gwyddai "fesur troed" ei gwsmeriaid mewn mwy nag un gofyn, a gwnai hynny wahaniaeth yn ei ymddygiad'. A'r hyn nas gwyddai, siawns na allai Nansi Owen ei oleuo yn ei gylch.[14]

Fel Margaret Ogilvy yn *A Window in Thrums*, eisteddai yn ei chadair wellt yn ymyl ffenestr y llofft gan 'sylwi'n ddi-goll' wrth wau ar fynd a dod y pentrefwyr. Byddai ymddangosiad pob dieithryn yn ei chyffroi gan gymaint yr hiraethai am ddychweliad ei mab, Lewis, a oedd wedi mynd ers blynyddoedd i weld y gwledydd pell. Ond nid cloncen mohoni; ni fynnai Sadrac glywed clonc. Sylwebydd ar ffyrdd dynion yw Nansi a phwysleisiodd Anthropos fod digon iddi sylwi arno yn 'Llanaber':

> Y mae drama bywyd yn bod yn y pentre gwledig, tawel, fel yn y ddinas fawr a phoblog. Dichon nad oes ynddi nemawr o olygfeydd cyffrous ac anghyffredin yn y pentref, ac nid ydyw ei chylchdro ond bychan a chyfyngedig. Ond i'r sawl a fedd lygad i weled, a chlust i wrando, y mae rhyw ddiddordeb diddarfod mewn bywyd ym mhob man.[15]

Ac fel y dywedwyd yr oedd gan Nansi Owen lygad a chlust di-feth yn ogystal â chydwybod a'i codai uwchlaw hel tai i wasgaru clecs. Yr oedd o'r un brethyn â Sadrac 'a ffieiddiai y sawl a wnai ddrwg i'w gymydog' ac felly roedd yn bod i hyrwyddo daioni yn 'Llanaber':

> Yr oedd ganddi ddawn i sylwi ar bethau, ac yn enwedig ar fywyd y Pentre. Yr oedd ei 'safle' yn fanteisiol, a chanddi hithau lygad craff. Yr oedd y Llofft iddi hi fel arsyllfa i'r seryddwr. Dilynai'r sêr yn eu graddau, a gwyddai am bob 'comed' a ddeuai ar dro i 'orbit' y Pentre. Rhyw 'gwch gwenyn' cymdeithasol oedd Llanaber, a dichon fod rhai o'r trigolion yn perthyn i adran y 'gwenyn meirch', ac yn fwy tueddol i golynnu nag i gasglu'r mêl. Ond yr oedd Nansi Owen yn ddiogel rhag y colynnau canys syllu ar y cyfan o bell oedd ei harfer hi.[16]

Pa ryfedd iddi gael ei gwobr yn y diwedd pan ddychwelodd Lewis o America ar ôl gwneud ei ffortiwn yn San Francisco.

Dan ddylanwad Sadrac Jones fe welir newid 'Llanaber' o fod yn 'rhyw bentre "diddrwg didda". . . heb nemawr hynodrwydd na bri' i fod yn lle a rôi gyfle i'r ifainc ymbaratoi ar gyfer her yr oes newydd. Y catalydd, noder, yw'r hen grydd cloff y mae ei sêl wasanaethgar wedi'i gwreiddio yn ei grefydd. Ef yw'r Samaritan sy'n rhoi gwely i Twm Pirs a'i gadw rhag y wyrcws tra oedd yn gwella ac o ganlyniad y mae'n newid ei fuchedd. Y mae'n croesawu sipsiwn a chrwydriaid er ei fod yn byw mewn pentref lle'r oedd 'dieithrwch yn faen tramgwydd', am fod rhamant yn ei galon a'i fod yn cynhesu at gymeriadau 'allan o'r ffordd gyffredin'. Y mae'n caru barddoniaeth ac o'r herwydd yn rhoi gwaith i'r gogleddwr, Idwal Ddu, ac yn troi'r gweithdy yn ail Babell Lên. A phan ddaw Mr Powel yn athro newydd i 'Lanaber' ac yntau'n gynganeddwr medrus, y mae Sadrac yn ymhoffi ynddo gymaint ag unrhyw un o'r plant.

Fel y morgrugyn cloff a helpodd Culhwch i ennill Olwen, y mae Sadrac yn rhinwedd ei gymwynasgarwch greddfol yn gyfrwng i agor drws i fywyd helaethach i'w gyd-bentrefwyr. Prynir Hendre Lwyd, plasty'r hen sgweier, gan Bleddyn Rees, gŵr canol-oed sy'n flaengarwr penderfynol. Y mae am newid pethau ond nid am ei fod yn dirmygu'r hen ffyrdd. Deallai fod 'ymlyniad wrth yr "hen bethau" yn rhywbeth cryf iawn – bron cyn gryfed â greddf . . . Yr hyn sydd eisiau ydyw deffro'r bobol a'u symbylu i symud ymlaen gyda'r oes'.[17] Pe câi Sadrac yn bartner iddo byddai'n siŵr o ennill ymddiriedaeth y pentrefwyr. A dyna sy'n digwydd.

Roedd cyfeillgarwch Sadrac â'r hen sgweier wedi talu'n dda iddo. Arferent gwmnïa yng ngardd yr Hendre ac yr oedd Sadrac, wrth adrodd am yr Arglwydd Dduw yn dod i rodio yn Eden gydag awel y dydd, wedi swyno'r sgweier i'r fath raddau fel iddo'i wobrwyo yn ei ewyllys. Peth sy'n talu yw duwioldeb. Yr oedd Bleddyn Rees, felly, yn cael yn bartner iddo Gristion nad oedd cerdded yr hen lwybrau wedi'i ddallu rhag gweld y ffordd ymlaen. Y mae'r ddau yn mynd ati, gan rannu'r gost, i godi neuadd bentref a darllenfa i'r ieuenctid er cof am y sgweier, ac y mae Bleddyn Rees yn gwobrwyo Sadrac trwy adnewyddu'r hen gaban coed yng ngardd yr Hendre lle'r arferai seiadu gyda'r sgweier a'i roi iddo fel y câi dreulio'i ddyddiau i ben yn ei Eden ei hun.

Yn *Pentre'r Plant* fe wnaeth Anthropos ble dros ddarparu cyfleusterau addysg i ieuenctid pentrefi'r wlad i'w harfogi ar gyfer treialon oes newydd, galed. Roedd angen gweledigaeth, menter a chydymdeimlad rhywun fel Bleddyn Rees i'w hybu. Ond yr oedd angen priodi menter â sêl Gristnogol rhyw Sadrac os oedd i beidio â suddo i ffos materoliaeth. Roedd gan ieuenctid y pentrefi eneidiau i'w porthi yn ogystal â meddyliau i'w hymestyn, ac ofer fyddai addysg y ddarllenfa oni chyfranogai o ysbryd Mathew Dafis, yr hen dorrwr cerrig tlawd yn 'Llanaber'. Yn grefftwr a garddwr o fri, roedd ei fedr yn drech na'r garreg galetaf a'i hynawsedd wrth rannu ei wybodaeth am fyd natur â'r plant yn ddi-ffael: 'Bychan oedd ei gylch a chyffredin oedd ei orchwyl.

57

Ond yr oedd mor siriol â'r gwanwyn, ac mor gyson yn ei orchwyl â goleuni'r dydd'.[18] Wrth ei waith yn torri cerrig roedd yn paratoi ffordd dda i'w gyd-bentrefwyr, gan ddechrau trwy roi esiampl o unplygrwydd i'r plant wrth eu cael i ryfeddu at ogoniant y cread o'i weld o'u cwmpas mewn pethau bychain. Oedd, yr oedd Anthropos am gyfoethogi dysg a diwylliant 'Llanaber' trwy gyfrwng neuadd a darllenfa ond nid ar draul digowntio gwaddol Mathew Dafis, Sadrac a'u tebyg ymhob llan. Onid 'hen grydd neu gobler ym Metws Gwerfyl Goch' a wnaeth gynnau ei ddiléit ef mewn llenyddiaeth a newyddiaduraeth.[19]

O'u cymharu y mae 'Llanaber' yn lle mwy dynol ddiddorol na'r 'Pentre Gwyn'. O leiaf fe gydnabyddir fod yno fodau brith a 'gwenyn meirch'; roedd yno rai pobol a wrthodai galennig i'r plant! (Fe fyddai Sadrac, fodd bynnag, yn rhoi copi o *Y Tlws Arian* iddynt, cyfrol o gerddi Tegidon a oedd yn cynnwys 'Hen Feibl Mawr Fy Mam'). Ond heb ddyfodiad Idwal Ddu, Mr Powel a Bleddyn Rees i nerthu radicaliaeth gynhenid Sadrac, rhaid casglu mai aros yn eu hunfan drwgdybus a wnaethai trigolion 'Llanaber'. (Barn Anthropos, gyda llaw, oedd fod pentrefwyr glannau'r môr yn fwy agored i'r byd na phentrefwyr y wlad: 'Huda cyfaredd yr eigion fechgyn y pentref ar finion y lli. Y mae antur yn berwi yn eu gwaed. Ond erys plant y bythynnod a'r ffermydd gwledig yn eu cynefin, os gellir cael gwaith ar eu cyfer'.)[20] Beth bynnag, y mae mwy yn digwydd yn 'Llanaber' o'i gymharu â'r 'Pentre Gwyn' er mai'r cymdeithasgaredd Cristnogol sy'n sail bywyd yno yw nod amgen bywyd 'Llanaber' hefyd.

Ond dyweder a fynner am wedd fwy nofelyddol *Pentre'r Plant*, ni wnaeth ddim tebyg i'r argraff ar ddarllenwyr ag a wnaeth *Y Pentre Gwyn*. Yn ôl *Y Goleuad* roedd y gyfrol fechan 'swynol odiaeth' honno yn waith 'arlunydd goreu llenyddiaeth Cymru' ac ni wyddai'r *Brython* 'am yr un gyfrol a barai fwy o fwyniant i'r ifanc, nac a dynnai felusach deigryn atgof o lygaid y rhai a fagwyd yn y wlad wrth ddarllen portread mor syml o'r hen ardal, yr hen bobl, yr hen ddifyrrion, ie, a'r hen brofedigaethau, sy erbyn heddyw'n felusach na'r difyrrion eu hunain'. A dyna roi Anthropos yng nghwmni dewiniaid yr heneiddiwch rhamantaidd – gyda W.J. Gruffydd, R. Williams Parry a T.H. Parry-Williams – yn bencampwr ar ysgrifennu Cymraeg ac ym marn R.Silyn Roberts yn bencampwr ar lunio llenyddiaeth bur sy'n adeiladu wrth ddiddanu. Yr oedd Anthropos, meddai Silyn, wedi deall y dirgelwch hwnnw 'yn fwy trwyadl' na'r un awdur arall yng Nghymru, tra i'r Parchg. H. Cernyw Williams ei gamp fwyaf oedd gallu gwisgo 'amgylchiadau mwyaf cyffredin bywyd gyda swyn arbennig'. I ddarllenwyr roedd hynny'n rhwym o apelio 'gan fod cymmaint o'r cyffredin ynom ni ein hunain'.[21]

Yn sicr, nid oes i *Pentre'r Plant* hudoliaeth *Y Pentre Gwyn*; nid yw'n tynnu ar fyth dihysbydd gwynfyd bore oes. Er rhoi *Pentre'r Plant* yn deitl i'r stori nid oes i blant ddim rhan o bwys ynddi. Yr oedolion sydd am lywio'u dyfodol, sydd am ddarparu ar eu cyfer – hwynt-hwy sy'n cyfrif yn *Pentre'r Plant*. Awdur a ragorai fel doegarwr oedd Anthropos; fel doegarwr yr oedd yn grëwr, yn gyfareddwr. Gallai fyw nôl mor fyw nes peri meddwl ein bod yng nghanol rhyw NAWR bythol. Y mae stori *Pentre'r Plant* wedi hen ddyddio ond y mae plant *Y Pentre Gwyn* ynom yn feunyddiol.

Hyd at ei farw yn 1944 daliai'r 'Pentre Gwyn' i alw Anthropos yn ôl. Yng Ngorffennaf y flwyddyn honno a'r rhyfel yn ei rym, gyrrodd ysgrif i'r *Herald Cymraeg* ar 'Pan oedd Cymru'n dawel', ac unwaith eto, ac yntau'n 90 oed, crwydrai ei atgofion dros 'Y lle bûm yn gware gynt'.[22] Bu'n ysgrifennu yn llifeiriol am flynyddoedd, fel y prawf cyfrol O. Llew

Coed y Barcud.

59

Owain,[23] ac y mae'n amlwg fod ei lên yn gainc o'r traddodiad mawl y cafodd olwg ar ei odidogrwydd yn ymgyrch O.M. Edwards dros Gymru. Ymhell cyn hynny, fodd bynnag, diau fod gafael Tŷ'n-y-cefn ar ei serchiadau wedi deffro'r molwr ynddo a'i gwneud i bob pwrpas yn anorfod y byddai 'O.M.' a J.M. Barrie, a hwythau'n synied am bentrefi eu magwraeth megis cysegrleoedd, yn ennyn ei edmygedd.

Yn haf 1926 ysgrifennodd am ddychwelyd ar dro gyda chyfaill i Dŷ'n-y-cefn 'ar brynhawn tawelfwyn' – a dyna 'Bentre Gwyn' o ansoddair os bu un.[24] Gadawsant y ffordd fawr i ddilyn llwybr troed gyda glan yr afon ac ar unwaith roedd yr hud amdanynt: 'Ymdaenai gwyrddlesni o amgylch, gwelid porffor y grug ar lethrau'r Berwyn, a throai lliwiau'r coed i ddelw yr Hydref melyn. Mor dawel y fro!' Synhwyrir presenoldeb T. Gwynn Jones, un arall o'i arwyr a gawsai'i blesio'n fawr gan *Y Pentre Gwyn*, yn yr ysgrif:

> Dyna'r hen lwybrau, ac y mae hudoliaeth 'Tir Na-n Og' yn eu cylchynu o hyd. Yn araf, araf y gellid symud ymlaen, ond dyna oedd yn briodol dan yr amgylchiadau. Croeswn yr afon unwaith yn rhagor, a deuwn i ymylon y Pentre Gwyn. Dacw 'Goed y Barcut' yn ymgodi dros y trumau ar y gorwel. I mi yr oedd yr olygfa yn ddarn o Baradwys bore oes.[25]

Ac fel llif yr afon daw'r atgofion â phopeth y darfu amdanynt fel yr oeddynt yn ôl eto'n gymwys – yn bobol a thai a llecynnau glwys. Fel Ffynnon y Ddôl y mae'r hanfod yno o hyd:

> Ie, dyma hi fel tlws arian ar fynwes y lasfron dawel! Y mae'r 'amgylchedd' wedi cyfnewid. Dinoethwyd y fangre dlos. Nid yw y llwyn drain yn aros mwy, ond erys y ffynnon fel cynt – 'ffynnon Bethlem' ydyw i ni, ac yng nghanol twymyn bywyd buom lawer adeg – yn blysio ei dyfroedd hi . . .[26]

Pennill dirwestol, wrth reswm, a ganai'r plant gynt o'i chwmpas ac yng ngafael hyfrydwch y ddoe bythol bresennol hwnnw ni allai Anthropos yn 1926 ond ailadrodd a ddywedasai eisoes yn *Y Pentre Gwyn* am rin Ffynnon y Ddôl.

Daeth yr ailgymuno â Thŷ'n-y-cefn i ben wrth ymyl 'y garreg filltir aur', sef y cartref lle magwyd Anthropos, a chlywir yn niweddglo'r ysgrif union gywair yr ymlynu angerddol sy'n cyfrif am apêl barhaol *Y Pentre Gwyn*. Nid oedd perygl i Anthropos ei fethu byth:

Melys oedd y cyffyrddiad â'r gorffennol, a melys ein myfyrdod am y llwybrau enciliedig, a sŵn yr afon yn murmur cyfrinion yr eang dangnef.

Dyma'r bont enwog, a'r llif yn llanw glennydd yr afon loew.

I stood on the bridge at midnight
When the clock was striking the hour.

Ond gwahanol ydyw ein hanes heddiw –

Canllaw'r bont! pa le mor braf,
Tra'r heulwen ar yr afon?

Ac felly yr ydym yn 'ysgwyd llaw' – y mae'r heulwen yn ein henaid; heulwen ar yr afon, a heulwen yn goreuro y Pentre Gwyn![27]

Erbyn 1926 cawsai Anthropos amser i feddwl am y darllenwyr a sicrhaodd boblogrwydd *Y Pentre Gwyn*. Fe wyddai fod 'arwain arall i randir ein cyfaredd ni ein hunain' yn fenter go beryglus. Paradwys y naill yw diflasle'r llall yn hyn o fyd. Profiad chwithig yw methu â chael arall i weld mewn llyfr neu ddarlun yr hyn sy'n bleser pur i'r sawl sydd am ei rannu:

Y Bont.

61

> Felly gyda golygfa. Nid rhywbeth oddi allan yn unig ydyw; ni ellir ei
> mesur fel mesur tir. Y mae'r olygfa mewn gwirionedd wedi dyfod yn
> rhan ohonom, a hynny sydd yn ei gogoneddu am byth.[28]

A beth ond cyfres o olygfeydd sy'n mynd 'yn rhan ohonom' yw *Y Pentre
Gwyn* i'r rhai a'i coledd? Pentref ydyw sy'n fwy o stad ar feddwl nag o
le daearol. Ynom y mae. Ar ei ymweliad â Thŷ'n-y-cefn flynyddoedd
wedi iddo ffarwelio, cafodd Anthropos yn gydymaith un a ddoniwyd 'i
weled pethau trwy lygaid y sawl a'u câr yn fwy na'r holl olud'. A dyna,
meddai, yw 'y "passport" i'r Pentre Gwyn'.

I Anthropos, cyfrwng oedd ffenestr J.M. Barrie yn *A Window in
Thrums*, 'drych a dameg' ydoedd a barai newyddu pethau cyfarwydd o'u
gweld drwyddi: 'Yr oeddynt yno o'r blaen, ond heb gael eu gweled a'u
gogoneddu gan gyffyrddiad athrylith. Y mae yna ryw ffenestr i bob
gweledigaeth dlos'.[29] Gallasai fod yn siarad am *Y Pentre Gwyn*, lle mae'r
pethau a fu o'u gweld trwy ei ffenestr ef yng ngoleuni breuddwydion
'wedi eu gweddnewid a'u gogoneddu oll'. A dyna'r gair yna eto –
gogoneddu – sy'n gymaint o allweddair i Anthropos ag ydyw 're-
enchantment' i Roger Scruton. Fel llenor bu byw i ogoneddu Cymru a
llwyddodd i wneud ei 'Bentre Gwyn' i lawer yn lle sydd oddi mewn yn
creu hyfrydwch.

Cyn llunio'r bennod nesaf y mae'n well pwysleisio cyn gorffen y
bennod hon nad oedd Anthropos wedi'i eni i fod yn ogoneddwr gwlad a
gwerin. Y gwir yw fod anian y dychanwr yn gryf iawn ynddo ac roedd
iddo enw fel gŵr llym ei dafod a pharod i watwar. Synnai hyd yn oed
Bob Owen at ei 'grafogrwydd' a'i 'wawd deifiol', ac fe'i cofiai yn
'glafoerio ei ddirmyg'.[30] Roedd mwy na chynganeddu digrifwch yn
llinell gyfarch Cadfan – 'Anthropos yw bos y byd'. Gwelsai fod yn y
gweinidog a fu'n teyrnasu ar 'Glwb Awen a Chân' tref Caernarfon o
1909 tan 1939 – clwb heb groeso i ferched gyda llaw – awydd i
awdurdodi, waeth beth am y 'swildod' honedig a'i gwnâi'n hapusach yn
pregethu o'r Sêt Fawr nag o'r pulpud. Cystal cofio mai ar awdurdodaeth
y Sêt Fawr yr ymosododd dramodwyr newydd Cymru ar ddechrau'r
ugeinfed ganrif!

Rhyfedd meddwl am awdur *Y Pentre Gwyn* 'fel dyn yn hoffi
beirniadu'n llym gastiau cymdeithas a gwag-ystumiau gwahanol fathau
ar bobl'. Ond dyna farn Bob Owen. Ac mewn ysgrif bortread dda iawn

barnai E. Morgan Humphreys, a fu'n cydnewyddiadura ag ef am lawer blwyddyn, fod Anthropos heb os wedi gwadu ei briod ddawn:

> Dychanwr oedd Anthropos wrth natur; dyna ei arf briodol ef, ac un miniog ac effeithiol iawn ydoedd, ond ni ddefnyddiodd ef ond i raddau cyfyngedig iawn. Gwyddai yn dda am ei ddawn – ni allai beidio gwybod, – a rhoddodd y ffrwyn ar ei gwar weithiau mewn ymgom.[31]

Ond ni wnaeth mo hynny yn ei lên. Yn syml, roedd yn ofni ei 'ddawn halltu' am ei fod yn ofni digio a chreu gelynion – ofn a fu'n 'faen tramgwydd iddo ar hyd ei oes' ac a barodd iddo, yn ôl Humphreys, beidio â defnyddio 'yr arf yr oedd yn feistr arno i ddim byd tebyg i'r graddau y gallasai fod wedi ei ddefnyddio'.[32] Yn hyn o beth y mae Anthropos yn enghraifft dda o ddychanwr a'i sbaddodd ei hun er mwyn gwasanaethu 'Cymru lân, Cymru lonydd' yn ddi-fai – yn union fel y gwnaeth Ceiriog o'i flaen. Fe fyddai'r Gymru honno yn gorfod talu pris eu tawedogrwydd yn fuan.

Y mae'n ffaith y gall fod llawer swmbwl yng nghnawd dychanwr i'w yrru i ladd ar wrthrychau ei sylw ac y mae'n ddiau fod awydd i ddial cam, boed hwnnw'n gam go iawn neu dybiedig, boed bersonol neu gymdeithasol, gyda'r mwyaf mynych a'r tostaf o symbylau. O ystyried ei fywyd gallasai Anthropos roi fent i'r dychanwr ynddo petai'n unig oherwydd cam ei eni. Fe'i ganed yn 1853 yn blentyn siawns – ffrwyth cyfathrach rhwng gweinyddes a swyddog milwrol fel y tybiai – mewn gwlad lle'r oedd 'brad' Llyfrau Gleision 1847 wedi sicrhau y byddai bastardiaeth i'w hystyried yn felltith genedlaethol am y rhan orau o'i fywyd.[33] Ni allai Anthropos lai na gwybod fod perygl iddo, fel plentyn siawns, gael ei farcio â gwarth ei eni ac y byddai fel y bachgen Arthur Puw (ac ef ei hun oedd hwnnw) yn *Y Golud Gwell* (1910) yn clywed edliw iddo ar hyd ei oes: 'Wyddost ti ddim pwy ydi dy dad na dy fam'.[34] Roedd hynny ynddo'i hun yn fwy na digon o gam i'r dychanwr ynddo ei ddial.

Ond at hynny, am flynyddoedd cyn iddo ymsefydlu yng Nghaernarfon yn weinidog mawr ei barch a'i boblogrwydd ar gapel Beulah (MC), fe fu byw yn llencyn tlawd ac ansad. Bu'n teilwra yng Nghorwen cyn mynd, ar ôl dechrau pregethu yn 1873, at y Dr Lewis Edwards yng Ngholeg y Bala lle'r oedd O.M. Edwards yn un o'i gydfyfyrwyr. Cafodd 'O.M.' ef yn 'charming conversationalist', ond ni bu Anthropos yn hapus yn Y Bala. Roedd ei dlodi yn ei lethu yn ogystal â'r addysg drwyadl Saesneg ei chyfrwng a ddarperid gan Lewis Edwards. Honno, mae'n debyg, a warpiodd Anthropos i'r fath raddau am gyfnod fel y gallai gyfeirio at 'vulgar peasants' yn ei 'bentre gwyn' ei hun. Cafodd waredigaeth rhagddi yn 1879 pan ddywedodd wrth ei brifathro ei fod yn gadael y coleg i fynd yn newyddiadurwr yng Nghaernarfon. Y mae'n hawdd dychmygu ysgorn hwnnw wrth feddwl ei fod wedi afradu pum mlynedd o addysg ar fyfyriwr diwinyddol dim ond i'w weld yn rhoi ei fryd ar newyddiadura. Roedd Lewis Edwards eisoes wedi dirmygu'r bardd yn Anthropos a gyhoeddodd *Y Blodeuglwm* yn 1878 – ond newyddiadurwr! Nid yw'n anodd credu na hoffai Anthropos mo'r Parchedig Ddoctor Edwards.[35]

Fodd bynnag, cyn ei ordeinio yn 1887 a rhoi gweddill ei fywyd i'r weinidogaeth, fe dreuliodd flynyddoedd wrth ei fodd yn gweithio ar *Yr Herald Cymraeg, Y Genedl Gymreig* a'r *Amseroedd*. Ac am rai misoedd yn unig, gwaetha'r modd, rhwng 20 Rhagfyr 1883 – 3 Gorffennaf 1884, fe fu Llew Llwyfo ac yntau'n gyfrifol am gyhoeddi *Y Wyntyll*, pythefnosolyn dychanol a rôi le amlwg i'r cartŵn. Nid oes rhifyn ohono, fe ymddengys, wedi goroesi ond yn ôl O. Llew Owain roedd yn 'Newyddiadur hynod ar lawer cyfrif . . . yn finiog, beirniadol, deifiol, llym, ac ysgubol ei osodiadau. Prin y credaf y mentrai neb gyhoeddi newyddiadur cyffelyb heddiw, oni buasai yn ddifater o'i ddiogelwch personol'. Y mae'n anodd meddwl am gyhoeddiad yr oedd mwy o'i angen ar 'Gymru lân, Cymru lonydd' ac fe fu Anthropos, gogoneddwr y Gymru honno am yr holl flynyddoedd, yn ei borthi â'i 'ddawn halltu'.[36]

Fel y *Punch Cymraeg* (1858–64) o'i flaen, rhaid casglu nad oedd i ddychan *Y Wyntyll*, chwaith, groeso gan amddiffynwyr Cymru ôl-1847, ac y mae'n werth nodi fod Anthropos, ymhen tair blynedd, wedi cefnu ar newyddiadura fel galwedigaeth er iddo ysgrifennu i'r papurau yn ddiflin tan ddiwedd ei oes faith a threulio cyfnod yn olygydd *Y Goleuad*. Ni ellir mwy na dyfalu faint o'r newyddiadurwr rhwystredig oedd yn y gweinidog a fyddai, er mor driw y bu i'w 'barchus, arswydus swydd', yn rhoi'r ffrwyn ar war ei ddychan o hyd pan gâi achos a chyfle. Faint, tybed, o'r newyddiadurwr 'y gwnaethai gam ag ef' oedd yn ffrwydradau ei watwaredd achlysurol?

I W.R. Owen roedd Anthropos 'yn esthêt o ran ei ysbryd a llenyddiaeth yn rhywbeth crefyddol iddo', a gallai ei ddychmygu yng nghwmni Swinburne a beirdd a llenorion y 'fin de siecle' (hynny yw, cyfnod y 'decadence') 'mewn cêp lipa, a het ddu fflat, a locsyn bychan'. Anthropos a Swinburne! Chwedl T.H. Parry-Williams pan gafodd ragolwg o awdl Gwenallt i'r 'Sant': 'Y Nefoedd Fawr!' Ond fel E. Morgan Humphreys yr oedd W.R. Owen yntau'n ymwybod â'r Anthropos arall a allasai fod petai ei amgylchiadau cynnar wedi bod yn fwy ffafriol:

> Petai wedi anturio dipyn ym more oes, neu pe bai'r gŵr a'r wraig caredig a'i mabwysiadodd yn ardal Corwen . . . yn gwybod mwy am y byd mawr tu allan ac am wneuthuriad cywrain a bregus y bachgen a gafodd yr enw 'R.D. Rowland' ganddynt, hwyrach y gwelsem ef yn mysg gwŷr llengar Fleet Street y blynyddoedd hynny.[37]

Heb ddweud mwy gellir mentro'r farn nad anodd fuasai i Anthropos, pe mynnai, gynnull rhesymau yn ei fywyd dros esblygu'n ddychanwr dialgar; ond ni fynnai.

Yn Nhŷ'n-y-cefn fe'i magwyd yn gynnes ar aelwyd ei fabwysiad a thyfodd yn blentyn y pentref – yn gymwys fel John y Tŷ Pella yn *Y Pentre Gwyn* y mae gennym air Anthropos iddo'i greu ar ei lun a'i ddelw ef ei hun.[38] Fel John a aeth i'r India yn genhadwr fe aeth Anthropos o swyddfa'r newyddiadurwr i weinidogaethu. Dyna'r ad-daliad i Robert a Betsi Rowlands a'i mabwysiadodd a'i roi ar ben ei ffordd, ac i Dŷ'n-y-cefn am fod iddo'n 'Bentre Gwyn' pan allasai ei stori, pe cawsai'i hun mewn man a'i digowntiai, fod yn un chwerw. Do, fe'i magwyd yn dlawd fel nifer o'r plant eraill: 'Ond yr oeddym yn "wyn ein byd", ac yn ddiarwybod i ni ein hunain, yn ystorio argraffiadau oeddynt i fod yn weledigaethau hynaws, prydferth, ymhen llawer o ddyddiau, ac wedi i ni ymwasgaru ar hyd a lled y byd'.[39]

Nid lle i fagu dychanwr oedd Tŷ'n-y-cefn Anthropos ond lle i fagu gogoneddwr. Yr oedd yn natur pethau iddo ef ymuno yn rhengoedd gogoneddwyr *Cymru* O.M. Edwards a thewi'r dychanwr ynddo er mwyn gwneud ei ran i 'godi'r hen wlad yn ei hôl', canys dyna, yn iaith ei wladgarwch a'i Gristnogaeth, oedd ei 'resymol wasanaeth' ef. Ond yn Stryd y Fflyd yn 1909 roedd 'Cardi' 31 oed yn paratoi i gladdu cysyniad y 'pentre gwyn' dan domen ei ddialedd am mai dyna, yn ôl fel y gwelai ef bethau, oedd y tro gorau y gallai ei wneud â'i famwlad.

Yn 1903, mewn erthygl yn *Cymru* ar 'Gogwydd Presennol

65

Llenyddiaeth Gymreig', roedd Anthropos wedi pwysleisio mor hanfodol Gymreig oedd llenyddiaeth Eingl-Gymry megis Allen Raine, Owen Rhoscomyl ac Ernest Rhys. Roedd yn gefnogol iawn iddynt gan ragweld na byddai'n hir cyn y dôi J.M. Barrie o Gymro i'r amlwg, un a fyddai'n deall Cymru a'r Gymraeg yn drwyadl ac yn medru trin y Saesneg yn llenyddol gain.[40] Degawd dda yn ddiweddarach fe ddaeth 'tad' honedig llenyddiaeth 'fodern' yr Eingl-Gymry i ysgwyd ei chrud. Nid J.M. Barrie o awdur mohono, fodd bynnag, ond diawl mewn croen i Anthropos a'i gyd-ogoneddwyr o'r enw Caradoc Evans. Tybed ai 'alter ego' yr Anthropos nad aeth i Stryd y Fflyd ydoedd?

1 *Y Dinesydd Cymreig*, 13 Gorff. 1927, 3.
2 ibid., 2/9 Tach 1927, 3.
3 ibid., 21 Medi 1927, 3.
4 Gw. Andrew Birkin, *J.M. Barrie and The Lost Boys* (London, 1979); Hywel Teifi Edwards, *Codi'r Llen* (Llandysul, 1998). Gw. Rhagymadrodd a t.52.
5 *Yr Herald Cymraeg*, 3 Ebrill 1939, 6.
6 *Y Dinesydd Cymreig*, 20 Gorff. 1927, 3.
7 *Yr Herald Cymraeg*, 24 Gorff. 1944, 4.
8 John Baker, Batley, 'Un o Gymeriadau Pentre Gwyn', *Y Fflam*, Awst, 1952, 20–3.
9 Anthropos, *Y Pentre Gwyn. Ystori Bore Bywyd* (Wrecsam, Hughes a'i Fab, adargraffiad d.d.), Rhagymadrodd.
10 ibid., 109–10.
11 O. Llew Owain, *Anthropos. Cyfrol ddathlu Canmlwydd ei eni. Bywyd, Gwaith ac Arabedd Anthropos* (Caernarfon, 1953), 30; Anthropos, *Y Pentre Gwyn*, 104.
12 Anthropos, *Y Pentre Gwyn*, 22–3.
12a Ina Taylor, *Helen Allingham's England. An Idyllic View of Rural Life* (London, 1990).
13 ibid, 110.
14 Anthropos, *Pentre'r Plant. Atgofion Bore Bywyd* (Caernarfon, d.d.), 8.
15 ibid., 26.
16 ibid., 27.
17 ibid., 97, 99.
18 ibid., 66.
19 O. Llew Owain, *Anthropos*, 32.
20 Anthropos, *Pentre'r Plant*, 29–30.
21 *Y Goleuad*, 15 Rhag. 1909, 11; *Y Brython*, 2 Rhag. 1909, 3; *Y Glorian*, 15 Ion. 1910, 6.
22 *Yr Herald Cymraeg*, 24 Gorff. 1944, 4.

23 Gw. O. Llew Owain, *Anthropos* (1953) am restr hirfaith o'i gyfraniadau i wahanol bapurau a chyfnodolion, tt.104–21.

24 *Y Dinesydd Cymreig*, 21 Gorff. 1026, 2.

25 ibid.

26 ibid.

27 ibid.

28 ibid.

29 ibid., 16 Mai 1928, 3.

30 *Y Fflam*, Mai 1947, 55–7.

31 E. Morgan Humphreys, *Gwŷr Enwog Gynt. Argraffiadau ac Atgofion Personol* (Llandysul, 1950), 85-94. Gw. t. 89.

32 ibid.

33 O. Llew Owain, *Anthropos,* 28-30, 33, 35.

34 ibid., 30.

35 ibid., 33–5.

36 ibid., 38–40.

37 W.R. Owen, 'Anthropos', *Y Traethodydd*, XXI (1953), 23.

38 O. Llew Owain, *Anthropos*, 30.

39 ibid.

40 *Cymru*, XXIV (1903), 212.

'MANTEG' CARADOC EVANS

Yn 2002 cyhoeddodd T. Llew Jones hunangofiant byr dan y teitl, *Fy Mhobl I*, ac yn y bennod olaf ond un, 'Gelyn y Bobol', tanlinellodd arwyddocâd y teitl hwnnw. Yr oedd yn datgan fod eto'n fyw rai 'Cardis' – a beth ond 'Cardi' a fu 'T. Llew' **erioed**, er ei eni yn 'sir Gâr' – heb anghofio na maddau i Caradoc Evans ei 'frad' yn erbyn ei bobol ei hun, a phobol pentref Rhydlewis yn anad neb, yn y casgliad o storïau byr y rhoes *My People* yn deitl iddo yn 1915.[1]

Yn 1972 roedd y Canon Daniel Parry-Jones a aned yn Llangeler, 'sir Gâr', yn 1891, wedi cyhoeddi ei drydedd gyfrol o atgofion, *My Own Folk*, yn dilyn llwyddiant ei ddwy gyfrol flaenorol, *Welsh Country Upbringing* (1948) a *Welsh Country Characters* (1952), ac fe'i gwnaethai hi'n glir o'r dechrau ei bod yn fwriad ganddo wrth-ddweud 'that school which began with Caradoc Evans' – sef yr awduron Eingl-Gymreig.[2] Fel D.J. Williams, na welai fawr ddim da ynddynt yn sgil 'llurguniaeth annynol' Caradoc o bobol Rhydlewis ac a godOdd 'Storïau'r Tir', *Hen Wynebau* a *Hen Dŷ Ffarm* megis tariannau yn erbyn ei saethau ef a'i gefnogwyr, fe aeth Parry-Jones yntau ati i arddangos, heb ddelfrydu, werth a thegwch ei bobol ei hun. Ac yr oedd darparu gwrthwenwyn i falais Caradoc yn sicr yn un o'r cymhellion a barodd ysgrifennu ei gyfres ef o atgofion.

Yn achos T. Llew Jones y mae min ei ddicter wrth drin 'Gelyn y Bobol' yn amlwg. Fe'i ganed ef ym Mwlchmelyn, Pentre-cwrt, yn 1915, blwyddyn 'anfadwaith' Caradoc, ac 87 o flynyddoedd yn ddiweddarach roedd ei 'Stories of the Peasantry of West Wales' yn dal i godi gwrychyn 'T. Llew'. Mae gweld *My People* ymhlith ei lyfrau yn ei gorddi o hyd ac ni allai ymatal yn *Fy Mhobl I* rhag adrodd y stori a gawsai gan J.R. Evans, prifathro Ysgol Gynradd Llanilar. Yn ôl honno, ar ôl marw Caradoc ar 11 Ionawr 1945 yn New Cross ger Aberystwyth, fe gysylltodd ei weddw, Marguerite Jervis alias Oliver Sandys alias Countess Barcynska, â J.R. Evans yn y gobaith y gallai ef hurio mwrnwyr drosti ar gyfer yr angladd. Roedd hi'n barod i dalu punt y pen.

Fe gafodd 'T. Llew' flas ar ailadrodd y stori honno a llawn cymaint o flas ar ddweud iddo ddod o hyd i fedd Caradoc, pan aeth i chwilio amdano ymhen blynyddoedd ym mynwent capel Horeb yn New Cross, ynghladd dan ddrain a drysni. Fe ŵyr pawb a'i clywodd fod 'T. Llew' yn gyfarwydd marwol ei amseru a'i oslefu, a brawddeg deilwng o'i gelfyddyd sy'n cloi pennod 'Gelyn y Bobol': 'Hir iawn yw cof cenedl!'[3]

Dwy flynedd cyn ymddangosiad *Fy Mhobol I* roedd Lisa Pennant, a aned tua diwedd yr 1920au ym mhentref Blaen-y-groes yng ngwaelod Ceredigion, wedi cyhoeddi *Tai Bach a Thai Mas. Y Cardi ar ei Waethaf.* Gellid disgwyl i ddrychiolaeth Caradoc gael rhan o bwys yn ei stori ond i'r gwrthwyneb, prin y caiff ei big i mewn. Cyfeirir ato'n unig i nodi'r cam a wnaethai ag enw da ei ewythr, Dr Joshua Powell, 'yr hen Ddoctor Powell', y daeth 'yr ardal gyfan i dalu'r deyrnged olaf iddo' pan fu farw yn 1917. Yr oedd Caradoc wedi'i gamliwio a pha mor ddrwg bynnag oedd y 'Cardi' yr oedd Lisa Pennant am ei ddinoethi, nid oedd iddi hi mor ddrwg ag i gyfiawnhau galw Caradoc o'r cysgodion i ddilysu ei phortread ohono. Yn wir, o'i gymharu â *My People* y mae *Tai Bach a Thai Mas* at ei gilydd yn 'exposé' digon hynaws o gymdeithas wledig gredadwy frith ei dynoliaeth, ond wedyn, efallai na fyddai Lisa Pennant wedi mentro dweud cymaint ag y gwnaeth pe na bai wedi tyfu'n 'Gardi' pan oedd Caradoc yn ddychryn yn y tir.[4]

Dr Joshua Powell (1850–1917)

Y mae agwedd T. Llew Jones at *My People* yn gyson â'r farn, onid yn wir y ddamnedigaeth, a lynodd wrth Caradoc ar ôl 1915. Rhaid cydnabod, fodd bynnag, na fu gan rai sylwebyddion o Gymry fawr o amynedd o'r cychwyn â'r colbo a fu ar ei ragfarnau a'i wyrdroadau honedig ar draul anwybyddu ei gamp lenyddol, ac ar ôl ei farw y mae wedi ei werthfawrogi'n feirniadol mewn nifer o astudiaethau. Yn Saesneg, er enghraifft, fe lwyddodd Gwyn Jones mewn sawl cyfraniad, Glyn Jones yn *The Dragon Has Two Tongues* (1968), Trevor L. Williams yn *Caradoc Evans* (1970) ac yn arbennig John Harris fel awdur sawl erthygl berswadiol ac fel golygydd *Fury Never Leaves Us* (1985), *My People* (1987), *Nothing to Pay* (1989) a *Selected Stories* (1993) i greu cyd-destun cynhwysfawr ar gyfer trin awdur, rhagor anfadwr. Ychwaneger atynt bennod rymus bleidiol D.Z. Phillips, 'Distorting Truth', yn *From Fantasy to Faith* (1991) ac erthygl adolygol athrylithgar M. Wynn Thomas ar olygiad John Harris o *My People*, sef '*My People* and the revenge of the novel', ac fe welir fod yr haul wedi codi cryn dipyn ar enw da Caradoc erbyn diwedd yr ugeinfed ganrif.[5]

Yn Gymraeg, mewn erthygl ar 'Y Llenor a'i Gyfrwng', amddiffynnwyd ef gan Aneirin Talfan Davies yn benodol rhag 'ymosodiad deifiol' D. Tecwyn Lloyd arno yn *Barn*, Ionawr 1963. Pwysleisiodd 'pe bai'n rhaid inni gondemnio pob llenor ar gorn ei "gasineb" tuag at ei wlad, yna fe syrthiai llawer un i'r llawr' ac ychwanegodd fod eisiau cofio 'bod casineb yn aml iawn yn gywely i gariad purach nag a freuddwydiasom, efallai'.[6] Cafwyd gan David Jenkins yn 'Dai Caradog' erthygl o ymateb i astudiaeth Trevor Williams sy'n llawn gwybodaeth gefndirol anhepgor am ach a gwreiddiau tebygol dialgaredd Caradoc.[7] Ac mor ddiweddar ag 1995 fe ysgrifennodd Gerwyn Wiliams yn gadarnhaol am ei waith mewn pennod ar 'Gwerin Dau Garadog' – Caradog Prichard yw'r llall – yn y gyfrol a olygwyd gan M. Wynn Thomas, *DiFFinio Dwy Lenyddiaeth Cymru* (1995).[8]

Ac nid hynny'n unig. Sgriptiwyd portread llawn cydymdeimlad ag ef yn 2001 gan y prifardd Alan Llwyd ar gyfer 'Adar Drycin', cyfres deledu i S4C, a chanodd gerdd frawdgarol i'w feddrod sy'n ei gyfarch fel mab y weddw dlawd a 'dorrwyd mas' o'r capel ac ymgeleddwr a gafodd garreg fedd anhysbys yn gosb 'Am fawa ar ein gwag-grefydd . . .' Yn wahanol i David Jenkins nid amheuai'r prifardd 'sicrwydd' tystiolaeth ei arwr camdriniedig; roedd yn haws ganddo yntau amau capelwyr Hawen. Wedi'r cyfan roedd yn hysbys fod Caradoc wedi gofalu am ei fam, a Josi ei frawd gwan ei feddwl, ar ôl iddo wneud ei farc yn Llundain, ac yn dipyn llai hysbys nad oedd modd gwirio'r stori fod Mari Evans dlawd wedi'i 'thorri mas' o Hawen am fethu â chyfrannu at y casgliadau. Roedd tlodi'n beth mor gyffredin yng nghefn gwlad Ceredigion y pryd hwnnw. Yng ngeiriau cynnil David Jenkins: 'Os bu "torri mas" nid dyma oedd y rheswm; erys esboniad arall ar gof gwlad'. Y mae ei wybodaeth ef am blwyf Troedyraur yn ddiarhebol ers blynyddoedd.[9]

Yn fyr, ymhell cyn diwedd yr ugeinfed ganrif nid 'enaid digymar heb gefnydd' mo Caradoc hyd yn oed yn y Gymru Gymraeg. Yn wir, fe ddylid nodi yma i'r *Faner* yn Nhachwedd 1915 gyhoeddi adolygiad di-enw annisgwyl o wrthrychol o *My People*. Achwynwyd fod Caradoc hwyrach 'yn ymdroi yn ormodol gyda chyssylltiad y ddau ryw' a bod y Saesneg a roes yng ngenau ei Gymry tomlyd 'yn taraw yn frwnt ar glust y coeth a'r diwylliedig'. Ond nid oedd amau 'gwerth llenyddol eithriadol' ei storïau na'i ddidwylledd wrth geisio 'cywilyddio a pheri na byddo y drygau a ddinoethir ganddo yn cael eu hefelychu etto yng Nghymru, ac na byddo rhagrith a ffug-grefyddolder yn cael eu cyfrif yn rhinweddau yn Eglwys Crist'. Ar y pryd, Anthropos a ofalai am 'Y Golofn Lenyddol' yn *Y Faner* a'i ymateb ef i'r adolygiad oedd tewi â sôn. Nid felly D. Tecwyn Lloyd a'i gwnaeth hi'n glir pan gyhoeddodd *Llên Cymru a Rhyfel a Thrafodion Eraill* yn 1987 fod gwaith Caradoc o hyd yn wrthun yng ngolwg llenor o feirniad a foldiwyd gan ddiwylliant gwerin Meirionnydd ar ei gorau.[10]

Fodd bynnag, yn ystod y blynyddoedd ar ôl cyhoeddi *My People a Capel Sion* (1916), a pherfformio'r ddrama *Taffy* yn 1923 – hynny yw, yn ystod y cyfnod pan oedd y dicter at Caradoc yn wynias – nid mor hawdd i Gymro Cymraeg oedd dweud gair o'i blaid, oni bai ei fod yn dipyn o aderyn drycin ei hun. A dyna ydoedd W.J. Gruffydd. Roedd ei ddrama, *Beddau'r Proffwydi*, ac ef ei hun yn chwarae'r brif ran, wedi'i hactio ar lwyfan y Theatr Newydd yng Nghaerdydd ym mis Mawrth, 1913, ac roedd Gruffydd wrthi ers tro yn gwatwar 'pinky-dinkies' Rhyddfrydiaeth a rhagrithwyr Anghydffurfiaeth wrthfywydol – fel y syniai ef amdani o bryd i'w gilydd. Hynny yw, roedd yn cael hwyl ar wneud synau Caradocaidd rai blynyddoedd cyn cyhoeddi *My People* ac yn reit eiddigeddus o'i statws fel cynhyrfwr.[11]

Ar ôl i storom *Taffy* dorri yn Llundain ar 26 Chwefror 1923 ac i Gruffydd gymryd at olygu *Y Llenor* o 1922 ymlaen, dangosodd fwy nag unwaith yn 'Nodiadau'r Golygydd' ei fod yn edmygu Caradoc Evans fel artist llenyddol. Cafodd gyfrol Herbert M. Vaughan, *The South Wales Squires. A Welsh Picture of Social Life*, yn anfoddhaol am fod yr awdur yn hanesydd unochrog, ond nid fel hanesydd neu awdur 'yn pwrpasu . . . rhoddi disgrifiad realistig o fywyd Cymru' yr ysgrifennai Caradoc: 'rhyw wlad tylwyth teg o ddychryn, rhyw annwfn pell annelwig ym myd y ffansi sydd gan Mr. Evans, ac y mae harddwch a gogoniant mawr yn ei waith fel creadigaeth artistig'.[12]

Gwnaeth yr un pwynt drachefn wrth ganmol *Starved Fields*, nofel E. Inglis Jones, gan daranu yn erbyn helgwn 'y darlun cywir' a'u cwestiynau delff, 'A yw'n wir? A yw'n deg?' Meddai:

> Pa bryd y sylweddola ein cyd-genedl y gwahaniaeth hanfodol rhwng traethawd gwyddonol ar gymdeithas a gwaith yr artist? Byth, y mae arnaf ofn; o leiaf nid cyn i'n cysêt cenedlaethol a theneuwch ein crwyn a chymhleth y taeog ladd yr iaith Gymraeg fel offeryn i'r artist ac fel mynegiant i feirniadaeth oleuedig ar lenyddiaeth yn yr ieithoedd eraill.[13]

Ni chyhuddid Thomas Hardy o drin gwerin swydd Dorset yn annheg ac yr oedd hawl gan Caradoc Evans ac E. Inglis Jones i'r un ystyriaeth aeddfed.

'Is Caradoc Evans Right?' oedd cwestiwn Gruffydd yn 1925 pan gyfrannodd erthygl i'r wythnosolyn a olygid gan Caradoc, sef *T.P's Weekly*. Fe'i hatebodd yn ffafriol gan ymuniaethu â'r golygydd dwyn-sylw:

> It is highly dangerous for a Welshman to speak of Mr. Caradoc Evans except in terms of execration, and it is doubly dangerous for me, who has always been represented by some of my critics as a traducer of my native land.

Fel Alan Llwyd yn 2001 teimlai Gruffydd fod cwlwm personol rhyngddo a'r erlidiedig Garadoc, ac roedd yn deimlad a'i boddhâi. Mynnai nad oedd Caradoc, fwy nag yntau, yn enllibiwr ei gydwladwyr a byddai'n dal i ollwng ambell sylw Caradocaidd ymhen blynyddoedd, megis y gwnaeth yn 1939 pan ddywedodd ei fod yn gwybod am bentref

Caradoc Evans (1878–1945).

W.J. Gruffydd (1881–1954).

o bedwar cant o drigolion, a 380 ohonynt yn gapelwyr, lle nad oedd argoel o Deyrnas Nefoedd yn cyrraedd. Ni allai ddychmygu dim mwy anghynnes na bywyd honedig Gristnogol y rhan fwyaf o bentrefi Cymru. Ni allai Caradoc ei hun ddweud yn amgenach.[14]

Cystal i ni gofio, yn y man hwn, i'r perfformiwr yn Gruffydd bara'n heini tan y diwedd. Ond pwysicach yw cofio na chyhoeddwyd yr un erthygl ar waith Caradoc Evans yn *Y Llenor* tra bu Gruffydd yn ei olygu a phan aeth ati i gyhoeddi ei 'Hen Atgofion' yn y cylchgrawn hwnnw nid fel codwr llewys Caradoc yr ymroes i'r dasg. Stamp dwfn Llanuwchllyn O.M. Edwards, nid 'Manteg' Caradoc, sydd ar *Hen Atgofion* (1936). Un peth oedd trwblu'r dyfroedd er difyrrwch y wasg; peth arall hollol fyddai bod yn ddibrisiwr 'yr hen bobol' yn Llanddeiniolen. Gyda'r gogoneddwyr yr oedd Gruffydd pan draethai amdanynt hwy; fe wyddai i bwy yr oedd yn perthyn, ac am berthyn.

Un arall o ddramodwyr dadeni'r ugeinfed ganrif a fynnai roi sylw cyfrifol i Caradoc oedd D.T. Davies. Fel J.O. Francis, y parodd ei ddrama *Change* gryn anesmwythyd i rai o oruchwylwyr 'yr hen drefn', yr oedd Davies, yntau, yn *Ephraim Harris* a *Ble Ma Fa?* wedi peri blinder meddwl iddynt. Wrth geisio'u darostwng, ni allai'r Parchg. Tywi Jones daro ergyd galetach yn eu herbyn na'u cyhuddo o fod cynddrwg â

73

Caradoc Evans. A drewdod 'y domen estronol' yn bygwth llenwi'r tir ni allai Tywi Jones ond galarnadu: 'O Gymru wen, pa hyd y'th waradwyddir gan fradwyr er mwyn aur a geirda Sais? Pa hyd y camliwir dy grefydd gan rai na wyddant ddim am dy iaith na'th lên nac am dy gymundeb â'r ysbrydol a'r anweledig?'[15] Yn ateb iddo ni allai D.T. Davies ymatal rhag dirmygu ei hunan-dwyll: 'Pob croeso i chwi faldorddi am "Gymru wen" a'i chymundeb â'r ysbrydol a'r anweledig pan ŵyr pawb fod cymaint o ddu a gwyn yng Nghymru ag a geir yng nghyfansoddiad unrhyw werin arall'.[16] Amddiffyn a chyfiawnhau *Change* J.O. Francis a wnâi'n benodol wrth ateb Tywi Jones ond fe fyddai'r un mor barod i geisio sicrhau trafodaeth adeiladol â gwaith awdur *My People*, *Capel Sion* a *My Neighbours* (1919) fel y dangosodd yn ei ysgrif, 'Caradoc Evans: a defence and an appreciation' a gyhoeddwyd yn y *Western Mail* yn 1924.[17]

O gofio fel yr oedd W.J. Gruffydd, J.O. Francis, D.T. Davies ac R.G. Berry wedi anelu eu saethau at grefyddolder a moesoldeb cystwyol y Gymru y ganed hwy iddi, gellir deall pam eu bod yn cydymdeimlo â Caradoc er mor salw oedd ei gynnwys, ei idiom a'i gywair o'i gymharu â hwy. Yr oedd Gruffydd yn dipyn mwy o sentimentalydd fel bardd a llenor nag ydoedd fel polemegydd ac nid oes yng ngwaith Francis a Davies ddim o gasineb dinistriol Caradoc. Eto i gyd, gallent ei arddel fel aelod o'r teulu, amddiffyn ei hawl i'w 'dweud hi' am ei famwlad a chydnabod gyda gwên ei fod, wrth gwrs, yn chwannog i'w 'gor-ddweud hi'. Iddynt hwy nid oedd hynny ond mefl artistig, ond i lawer iawn o'u cydwladwyr nid oedd yn ddim llai na gwyrni a brad. Iddynt hwy roedd Caradoc, fel dyn ac yn sicr fel Cymro, yn golledig.

Erbyn heddiw y mae safbwynt beirniadol Gruffydd a bwysleisiai ffolineb condemnio 'anwireddau' portread Caradoc o'r Gymru wledig, Anghydffurfiol-Ryddfrydol am ei bod mor amlwg mai artistwaith dychmyglon ydyw yn hytrach nag adlewyrchiad realistig o bethau fel yr oeddent, i bob pwrpas yn safbwynt uniongred. Ond na feier mo'r rhai na allai o 1915 ymlaen weld ymhellach na diawlineb *My People*. Wedi'r cyfan, Caradoc ei hun a bennodd dermau'r ymrafael o'r dechrau trwy fynnu, a dal i fynnu tan ei farw, iddo ddweud y gwir: 'I told the truth,' meddai, 'and it was the stinking truth'.[18]

O ystyried rhai o'i osodiadau yng nghwrs yr ymeirio a ddilynodd cyhoeddi *My People* a *Capel Sion*, y mae'n amhosibl peidio â barnu fod creu storom yn bwysicach iddo na'i thewi a cheisio creu amodau ar gyfer trin llenyddiaeth heriol iawn yn gall. Meddylier am weld pethau fel hyn mewn print:

Wales would be brighter and more Christianlike if every chapel were burnt to the ground and a public-house raised on the ashes thereof . . . (*Western Mail*, 27 Nov.1915)

My sketches are unsavoury because they deal with a people which has been taught by the pulpit that wrong is right, and that lust, cruelty, lying and hypocrisy are goodly things to inherit. (*Western Mail*, 6 Dec. 1915)

I want to bring my people nearer to civilization. (*Western Mail*, 24 Jan. 1916)

In my youthful days West Wales was a 'moral sewer'. As it was, so it is even unto this day . . .It were better if on the site of every chapel in West Wales were erected a cinema palace. (*Western Mail*, 20 Dec. 1916)

We are as Welsh Nonconformity has made us. Not until the last chapel is a cowhouse and the last black-coated worker of abomination is hanged shall we ever set forth on our march to the light. (Dyfynnwyd yn y *Western Mail*, 7 Nov. 1916)

Ac yr oedd ei gawell yn llawn o saethau tebyg a bwa'i ddicter yn gyson barod i'w gollwng i gorpws y bwystfil Anghydffurfiol. Hwnnw oedd ei 'Ffwlbart' ef ac fel Gwenallt ysai Caradoc, hefyd, am ollwng yr angau o dan ei flewiach a dawnsio uwchben ei boen. Ni chofiaf imi erioed glywed Gwenallt yn siarad am Caradoc ond mae'n hysbys iddo fynegi'r farn nad oedd ei sadistiaeth lenyddol a'i fflangellu namyn mynegiant gwyrdroëdig o'i wladgarwch. O ran anian lenyddol fe fentraf awgrymu, brad ai peidio, fod y ddau yn nes at ei gilydd nag y carai edmygwyr Gwenallt gredu.[19]

Roedd Caradoc, wrth gwrs, yn ddigon o 'Gardi' i sylweddoli fod dal ati i saethu, a'r wasg mor barod i roi sylw iddo, yn debygol o dalu iddo fel awdur – roedd yn hunanhysbysebwr llygadog – ac ni fedrai ei gaseion ei ddal o hyd braich a'i drin yn bwyllog gan gymaint yr ofnent y byddai gwatwarwyr y Cymry yn ei gredu. Nac anghofier gymaint y bu hyrwyddwyr y genedl wedi Brad y Llyfrau Gleision ac ymosodiad enwog y *Times* ym Medi, 1866, yn dyheu am gyfleoedd i godi baner teilyngdod 'Cymru lân, Cymru lonydd'. Roedd yr awydd i weld Cymru fach yng nghwmni'r mawrion yn ddiollwng. Onid yr Athro Edward Anwyl a gyfeiriodd yn *Young Wales*,[20] pan oedd mudiad 'Cymru Fydd' yn pallu yn 1896, at 'this almost painfully nervous impatience to see Wales great amongst the nations', gan bwysleisio fod yn rhaid sicrhau 'a sound and balanced patriotism' yn gyntaf dim. I ddeall pam fod Caradoc yn gymaint o anfadwr i gynifer o'i gydwladwyr y mae'n rhaid cofio fod y wasg Gymraeg a Saesneg o 1847 ymlaen yn frith gan gyfranwyr yr oedd delwedd y genedl yn ofid cyson iddynt. Niwrotig yw'r unig ansoddair priodol yn y cyswllt hwn – ac y mae'n dal yr un mor briodol yn 2004. Ni ellir darllen na llên na newyddiaduraeth Cymru ôl-1847 heb sylweddoli fod y Cymry yn gaeth i ormodiaith ansicrwydd. Ac yn 1915 fe ddaeth Caradoc â'i ormodiaith yntau i wneud pethau'n ganmil gwaeth am dipyn.

Yng ngafael ofn y dirmyg Saesneg fe redodd 'y traddodiad mawl' yn wyllt. Cododd i'r awyr yn gymylau o ager ac aeth ei sgrech drwy'r wlad. Ystyrier yn arbennig lên cyfnod 'Cymru Fydd' rhwng 1885 ac 1896. Gyrrwyd dychan i'r seidins er gwaethaf ymollwng academig John Morris-Jones a T. Gwynn Jones. Y mae'n wir i'r eisteddfodau gynnig gwobrau am ddychangerddi, ond yn ofer. O ddarllen yr hyn a wobrwyid gellid tybio mai holl bwynt y cystadlaethau oedd dangos cyn lleied o angen dychan oedd ar y Cymry. Ac os na fynnent ddychan yn Gymraeg – meddylier am 'amhoblogrwydd' David Owen (Brutus), awdur *Wil Brydydd y Coed* (1863–5) ac Emrys ap Iwan, a 'methiant' *Y Punch Cymraeg* (1858–64) – yn sicr ni fynnent mohono yn Saesneg. Roedd y genedl wedi cael mwy na digon o'i gwatwar gan gyfryngau'r 'imperial tongue'.

Fe ddisgynnodd *My People* i bwll a oedd newydd ei drwblu gan ddwy gyfrol bryfoclyd iawn, sef *The Perfidious Welshman* (1910) gan Arthur Tyssilio Johnson a *Taffy was a Welshman* (1912) gan T.W.H. Crosland – dwy gyfrol a sathrodd ar eidylau Alfred Thomas, *In the Land of the Harp and Feathers* (1896) a H. Elwyn Thomas, *Where Eden's Tongue is Spoken Still* (s.d.) Roedd storïau anwes Alfred Thomas wedi'u cyhoeddi yn *Wales* O.M. Edwards fel 'A Series of Welsh Village Idylls' ond ni fyddai dim Saesneg rhwng 'O.M.' a Johnson a Crosland.

Ni wnâi ddim sylw, chwaith, o ddwy ddrama a boenodd nifer o'i gydwladwyr yn 1912 ac 1914. Ym Medi, 1912, cyhoeddwyd llythyr yn y *Daily Despatch* gan Gymro a oedd wedi'i wylltio gan berfformiad o *Little Miss Llewelyn* yn y Vaudeville Theatre yn Llundain. Unwaith eto roedd anfoesoldeb honedig y Cymry i wneud cyff gwawd o'r Celtiaid 'for the amusement of superficial Londoners'. Cenhedlu plant siawns oedd y felltith eto. Yn ôl rhyw gylchgrawn cwrs neu'i gilydd roedd disgwyl i fonheddwr o Gymro genhedlu o leiaf un plentyn siawns, ac yn *Little Miss Llewelyn* roedd yna dad a mab wedi ateb y gofyn. Oni phrotestid roedd perygl i'r Cymry gael eu hystyried 'as men of doubtful antecedents, and, therefore, as undesirable acquaintances of any self-respecting English families'.

Atebodd Edmund Gwenn, un o reolwyr y Vaudeville, fod tri aelod seneddol, J. Hugh Edwards, Edgar Jones a W. Llewelyn Williams, wedi gweld y ddrama a'i chael yn ddi-fai. Yn wir, roedd Llewelyn Williams wedi canmol y portread o fywyd Cymru – bywyd 'sir Gâr' yn benodol! – a'r un oedd barn y Parchg. W. Roberts, Eglwys yr Holl Eneidiau. Yn y ddrama roedd Gwenllian yn perswadio'i chariad i briodi'r ferch a gawsai'i blentyn ac yn rhoi taw ar wrthwynebiad ei dad trwy ei atgoffa mai dyna'n union a wnaethai ef ei hun. Sut yn y byd y gallai hynny fod yn sarhad ar Gymru oedd cwestiwn Edmund Gwenn – cwestiwn a oedd islaw sylw i 'O.M.'.[21]

Ac islaw sylw iddo hefyd oedd comedi – ffars yn hytrach – Laurence Cowen, *The Joneses*,[22] a berfformiwyd gan gast o Gymry yn Theatr y Strand yn Llundain ym mis Tachwedd, 1913. Er fod y ddrama yn perthyn i gyfnod o leiaf drigain mlynedd yn ôl, barnai Cowen nad oedd fawr ddim wedi newid yng Nghymru erbyn 1913. Roedd wedi byw ymhlith y Cymry ac yn eu hadnabod yn dda. Felly daw cafflwr o Sais, Plantagenet Jones, i bentref 'Llynwllanwllyn' a llwyddo i berswadio'r trigolion delff i fuddsoddi mewn menter i gynhyrchu chwisgi di-alcohol. Mae'r Capten Owen Thomas yn cael y gorau arno trwy roi rỳm yn lle'r 'ddiod sobr' ar noson y blasu gan feddwi'r blaenoriaid (pwy arall?) a oedd ymhlith y buddsoddwyr. Yna mae'n ei rwystro rhag priodi ei gariad, Myfanwy, merch Eleaser Lewis Jones, y ffermwr cefnog, ac y mae Plantagenet Jones yn gorfod ffoi, ond nid yn waglaw. Y mae'r Sais didoriad wedi dwyn canpunt oddi wrth y Cymry dwl o hygoelus ond gan eu bod mor ariangar maent i'w hystyried, os rhywbeth, yn fwy o gnafon na'r Sais. Cawsant eu haeddiant.

Fel y mae'r enw 'Llynwllanwllyn' yn dangos, rhyw gerdyn post gwyliau o beth oedd *The Joneses* ac yr oedd yn gas gan 'O.M.' y pethau di-chwaeth hynny a wnâi sbort am ben enwau Cymraeg. Cynghorodd Ifor Williams ei gyd-Gymry i fynd i weld perfformiad o sioe gerdd wladgarol-siwgraidd J. Lloyd Williams a Llew Tegid, sef *Aelwyd Angharad*, yn hytrach na mentro'u hiselhau gan Laurence Cowen ac ni raid amau am eiliad mai'r un fyddai cyngor 'O.M.' iddynt. Fe allai fod yn dipyn o gwdihŵ ar adegau, megis pan gwynai fod yr ysgolion yn rhoi gormod o le i chwarae ac felly'n esgeuluso dysgu'r plant 'i weled o'u mebyd fri sancteiddiol gwaith a chysegredigrwydd dyledswyddau dinasyddiaeth'. A'n gwaredo![23]

A chynifer o'r Cymry yn methu â deall dychan ond fel dirmyg ac yn ddiflino ar drywydd clod, roeddent yn rhwym o'u tramgwyddo gan bobol fel Johnson, Crosland a Cowen er mor hen oedd eu mater. Ym mlynyddoedd cynnar yr ugeinfed ganrif roedd delwedd y genedl fel petai'n ymloywi. Rhoes *Wales* (1902) O.M. Edwards, *Flame-Bearers of Welsh History* (1905) Owen Rhoscomyl a'r Pasiant Cenedlaethol a sgriptiwyd ganddo ar gyfer pythefnos o ddathlu 'Rhwysg Hanes Cymru' yng Nghaerdydd yn haf 1909, gyfle i ymffrostio. Cododd Arwisgiad Tywysog Cymru yng nghastell Caernarfon y fflodiart ar falchder diwarafun yn 1911 ac yr oedd esgyniad anorfod David Lloyd George i uchelfannau llywodraeth Prydain Fawr yn dilyn concwest Rhyddfrydiaeth yn Etholiad Cyffredinol 1906 a dewrder disglair ei gyllideb yn 1909 – 'Cyllideb y Bobol' – i roi iddo statws arwr, arwr o Gymro 'gwerinol' a fyddai ymhen dim yn Brif Weinidog ac yn waredwr yr Ymerodraeth rhag rhaib y Kaiser. Ar lawer cyfrif, heb anghofio buddugoliaeth tîm rygbi Cymru yn erbyn Crysau Duon Seland Newydd yn 1905 pan oedd 'Diwygiad Evan Roberts' yn ei rym, roedd blynyddoedd cynnar yr ugeinfed ganrif yn rhai dyrchafol i'r Cymry.

Ym myd y ddrama Gymraeg roedd chwyldro ar gerdded hefyd. Os oedd 'y ddrama newydd' yn peri anesmwythyd i garfan geidwadol a fynnai gyfystyru crefydd â chrefyddolder, fe brofodd yr ŵyl ddrama a gynhaliwyd yn Theatr Newydd Caerdydd, ddechrau Mai 1914, fod y farn oleuedig o'i phlaid.[24] Fe'i gwelid yn gyfrwng i helpu creu Cymru fwy hyderus, fwy gonest, fwy hunanfeirniadol. Dywedai'r ddrama newydd fod y genedl ar i fyny a dywedai cerddi arobryn yr Eisteddfod Genedlaethol, awdlau T. Gwynn Jones, 'Ymadawiad Arthur' (1902) a

'Gwlad y Bryniau' (1909), J.J. Williams, 'Y Lloer' (1906), R. Williams Parry, 'Yr Haf' (1910) a phryddestau W.J. Gruffydd, 'Tristan ac Esyllt' (1902) ac 'Yr Arglwydd Rhys' (1909) yr un peth yn union.

Yr oedd T. Gwynn Jones a W.J. Gruffydd wedi'u cadeirio a'u coroni yn Neuadd Frenhinol Albert lle daethai David Lloyd George, a Balfour ac Asquith i'w ganlyn, i helpu cwhwfan baner y dadeni yn 1909, yr union adeg yr oedd y miloedd yn tyrru i erddi Sophia yng Nghaerdydd i ryfeddu at Basiant Rhoscomyl. A pha raid ofni oedd am oroesiad 'Cymru lân' pan gâi Crwys ei goroni yn 1911 am anwes o bryddest ar 'Gwerin Cymru' a Sarnicol ei gadeirio yn 1913 am bartneres o awdl iddi ar 'Aelwyd y Cymro'? Ac onid oedd Eifion Wyn ar gael, yn fardd 'Gwalia Wen' o'r groth ac yn ymgeleddwr o feirniad eisteddfodol na phetrusodd gondemnio pryddest T.H. Parry-Williams yn 1915 am nad oedd ei 'Ddinas' (Paris oedd honno) yn lle y gallai bugail Cwm Pennant anadlu'n rhydd ynddo? Nid oedd gwadu fod lleisiau newydd yn y tir yn bygwth 'hedd y wlad' ond yr oedd eto wylwyr ar y mur i'w hatgoffa nad mor rhwydd y caent eu goresgyn. Pa ragorach prawf o hynny oedd ei eisiau yn 1915 na'r antholeg hardd, *Gwlad fy Nhadau. Rhodd Cymru i'w Byddin*, a olygwyd gan John Morris-Jones er nerthu'r bechgyn a oedd yn ymladd, eto fyth, 'brwydr y Celt dros ryddid a gwareiddiad yn erbyn traha milwrol ac anwariaeth y Teuton.'[24a]

Ac yna, fe ddaeth *My People*. Fe ddaeth pan oedd dyfodiad y sinema i Gymru yn peri pryder. Ond os oedd mynd i'r sinema fel cael cip ar Fabilon roedd troi dail *My People* fel bod yn Sodom. Roedd ymddangosiad 'Manteg' ymhlith pentrefi gwyn y Gymraeg mor dderbyniol â phebai anghredadun wedi mynd i Gwrdd Diolchgarwch i ollwng taran o rech ar ganol gweddi, a rhag i'r gynulleidfa gyhuddgar feddwl mai rhech strae ydoedd, ollwng ar ei hôl ffiwsilâd o rechfeydd ategol. Y mae'n ffaith gyfarwydd mai pentref Rhydlewis, lle maged Caradoc gan ei fam weddw yn un o bump o blant ar ôl marw'r tad, William Evans, pan oedd Caradoc yn deirblwydd, a'i hysgogodd i greu 'Manteg', a'r canlyniad fu ei wneud mor atgas yng ngolwg lliaws o'i gydwladwyr ag ydoedd John Griffiths, ficer plwyf Aberdâr (a 'Chardi' arall) wedi iddo roi tystiolaeth wenwynig i gomisiynwyr 'Brad y Llyfrau Gleision' gan haeru, ymhlith pethau eraill, fod wyth o bob deg o ferched Cymru dros un ar bymtheg oed yn anniwair.

Bu llawer o ddyfalu pam y bwriodd ei gas ar bentref ei fagwraeth.

Ger capel Hawen yn Rhydlewis c. 1910.

Heb os, ysgrifennai fel un a chanddo bwyth i'w dalu, fel un yn berwi gan awydd i ddial ei gam. Y mae'n rhaid, a'i fam yn gloncen ac yn ystorfa o hanesion lleol, iddo glywed sôn er pan oedd yn grwtyn am ei dad, yn arwerthwr ifanc di-hid, yn gwirfoddoli i helpu landlord o Dori i roi Benjamin Jones, tenant ffarm Cwmgeist, ger Llandysul, ar y clwt am bleidleisio dros ymgeisydd y Rhyddfrydwyr yn Etholiad Cyffredinol 1868. Ac y mae'n rhaid, hefyd, ei fod yn gwybod fod enw ei dad yn drewi fel y godinebwr honedig olaf ym mhlwyf Troedyraur i dalu pris ei warth yn gyhoeddus ar 'y ceffyl pren'. Fe all, yn wir, iddo weld â llygaid plentyn bach anfadwaith y gwylliaid a ddaeth yn y nos i gosbi ei dad ac i'r olygfa honno, wedi'i serio ar ei gof, wneud dialydd ohono. Fe all hynny fod, fel y mae'n ddigon posibl, hefyd, iddo argyhoeddi ei hun fod Joshua, brawd ei fam, wedi ei thlodi hi trwy wrthod ad-dalu benthyciad a gawsai ganddi ac yna fynd ati i sicrhau mai ef a 'gâi'r cyfan' yn ewyllys eu tad. Fe olygai hynny, wedyn, na fyddai gan ei fam mo'r modd i helpu Caradoc i wella'i stad, a dyna wneud ei ewythr, Joshua, yn garreg hogi hynod gyfleus i'w ddicter. Yn wir, fe 'gredai' Caradoc fod yr ewythr a adawodd £60,000 ar ei ôl pan fu farw yn 1917 wedi gwrthod ei helpu i gael addysg pan aeth ar ei ofyn – ac roedd hynny'n ddigon o reswm iddo'i ddifenwi.[25]

Pan ysgrifennodd David Jenkins[26] am gefndir teuluol 'Dai Caradog' ni chredai fod y 'ffeithiau', fel y gwyddai ef amdanynt, yn achos i Caradoc ysgrifennu fel y gwnaeth. Yr oedd yn ffaith fod 'yr hen Ddoctor Powell' wedi bod yn garedig wrth ei chwaer, Mari, fel wrth liaws o dlodion eraill. Yr oedd yn ffaith fod y Parchg. David Adams (1845-1923), gweinidog Hawen a Bryngwenith a ystumiwyd yn 'Respected Davydd Bern-Davydd' neu'n 'Respected Joshia Bryn-Bevan', yn ddiwinydd blaengar aml ei gyhoeddiadau, yn athronydd, yn brifardd coronog a thraethodwr arobryn, ac yn feirniad llenyddol a garai weld llenyddiaeth y Gymraeg yn gadael cwysi ei cheidwadaeth. Cydnabyddai'n barod fod i'r dychanwr swyddogaeth gymdeithasol bwysig cyn belled â'i fod yn gwybod y gwahaniaeth rhwng diwygio a gwenwyno, ac ar gyfrif hynny'n unig y mae'n anodd meddwl y cawsai *My People* groeso ganddo.

Beth yn y byd a wnaethai gŵr mor gymeradwy â David Adams (Hawen) i ennyn casineb diollwng Caradoc Evans nad oedd ond crwtyn deg oed pan symudodd Hawen i'r gogledd yn 1888? Beth bynnag ydoedd, roedd i'w sodro'n adyn o ffalsiwr yn nychymyg Caradoc tra byddai ac yn ofer y tystiai'r Parchg. J. Seymour Rees am Rydlewis fod 'mwyafrif y trigolion yn wŷr a gwragedd diwylliedig, ac yn "gynnyrch i weinidogion cryf"'. Aethai ef a Caradoc yn ffrindiau ac yn ôl Rees roedd Caradoc, blwyddyn cyn ei farw yn 1945, yn cyfeirio at Hawen fel un a wnaethai sgwlyn da i Hitler! Grym anfaddeugar iawn oedd dychymyg awdur *My People*.[27]

A thrachefn, yr oedd hefyd yn ffaith fod John Crowther, ysgolfeistr Rhydlewis a drowyd gan Caradoc, fel ei ddilynydd 'atgas' Thomas Elias, yn sgwlyn blin a diffaith, yn athro a berchid yn y gymdogaeth. Daethai o swydd Efrog, priododd ferch leol a dysgodd Gymraeg, ond nid osgôd ffrewyll dirmyg Caradoc. Ymhen blynyddoedd, pan oedd Crowther wedi ymddeol i Gaerdydd a Caradoc wedi danfon *My People* yn llatai melltith i Gymru o Lundain, amddiffynnodd y cyn-sgwlyn bobol Rhydlewis rhag ei ymosodiad arnynt. 'Magnifying a cesspool', meddai, oedd ysgrifennu o'r fath. Siaradodd Crowther dros ei gyn-bentrefwyr yn ystod darlith a draddododd yng Nghasnewydd ar 'The Welsh Novelist' – rhywogaeth nad oedd yn bod yn ôl Caradoc – a rhestrodd enwau nifer o ddaionusion i wrthbrofi'r haeriad mai rhagrithwyr, twyllwyr, lladron, llofruddion ac amryfal anfoesolion a drigai yno. Ni chafodd ateb parchus; carthbwll oedd carthbwll waeth beth oedd ei faint. Ystyriai Caradoc ei fod lawn mor ddaionus ei fuchedd â'r rhai a ddewisodd Crowther i'w canmol a chan ei fod wrth y gwaith o ryddhau'r werin o afael gormes Anghydffurfiaeth ni allai neb edliw iddo ei anwladgarwch. Onid aethai i Lundain i ddarparu balm i'w hiacháu? Yr oedd gan Caradoc ei 'ffeithiau' ei hun i'w gynnal.[28]

Awgrym cryf David Jenkins yw fod gan 'Dai Caradog' le i ganmol ei lwc iddo gael cystal magwraeth o ystyried cymaint gwaeth y gallasai fod arno petai ei fam wedi'i diarddel a'i gwarthruddo gan deulu a chymdogaeth. Beth bynnag, y pwynt, mae'n siŵr, yw fod *My People* wedi'i ysgrifennu gan ddyn a oedd 'wedi credu' ers tro byd fod ganddo hawl i ddisgwyl gwell gan fywyd – teimlad anesgor sydd wrth wraidd cryn swmp o ddychan yr oesoedd. Methodd Caradoc â dilyn gyrfa athro am iddo fethu â gwneud marc fel monitor, ond o gredu iddo golli'i gyfle o un bleidlais i Moelona, a honno'n bleidlais fwrw y gweinidog, aeth ei ddagrau'n fwyd iddo pan ddechreuodd ysgrifennu. Yn ôl y Parchg. J. Seymour Rees, y 'cam' hwnnw a wnaed ag ef a gynhyrfodd ei nwydau a'i suro am byth wedyn ac *os yw'n wir* mai Hawen oedd y gweinidog a ffafriodd Moelona, dyna esbonio casineb ysol Caradoc tuag ato. Wrth amddiffyn ei storïau yr oedd hi mor bwysig iddo sicrhau ei gynulleidfa ei fod yn siarad o brofiad am y camweddau a ddioddefai'r werin dlawd wrth law Anghydffurfiaeth: 'I know because I suffered under the awful rule of Nonconformity. I could tell you tales of far more diabolical happenings in West Wales than any of those in either of my books'. Fel petai'n debygol o'u cadw dan gêl![29]

Pan ystyriwn y 'stinking truth' am werin gwlad y talodd yn dda i Caradoc ei gyhoeddi, y mae'n wirionedd na fu erioed ddim dadl amdano fod agweddau digon egr ar fywyd y werin honno a throseddu achlysurol digon brwnt i frawychu ceidwaid moes. Y mae Russell Davies[30] yn *Secret Sins. Sex, Violence and Society in Carmarthenshire 1870–1920* (1996) yn air terfynol ar y pwnc hwnnw, er mor rhyfedd yw'r sôn am bechodau cyfrinachol pan yw trwch ei ymchwil yn tystio i'r sylw cyhoeddus iawn a gâi'r pechodau hynny gan y llysoedd, y wasg, y pulpud, y cyhoeddiadau enwadol a'r sesiynau eisteddfodol. Yn Gymraeg a Saesneg ymboenai trigolion 'Gwlad y Menig Gwynion' am eu henw da byth a hefyd, gan amddiffyn eu hunain yn hysterig ar brydiau rhag pob beirniadaeth, waeth pa mor ddifrifol, a chan wneud mynydd o dwmpath gwadd o drosedd fel petai'r byd ar ddod i ben.

Diau fod bagad o Gymry consýrnol yn poeni'n ddiffuant am gyflwr y wlad; diau, hefyd, fod cynulleidfa nid bechan a gâi flas ar glywed sôn a darllen am bechodau'r oes. Flynyddoedd lawer cyn i Dylan Thomas greu Polly Garter, yr oedd iddi gyn-neiniau yn dweud fel hithau, 'Isn't life a terrible thing, thank God!' O bryd i'w gilydd byddai achwyn yn y wasg am ddiddordeb afiach y cyhoedd yng nghynnwys y *Police News* a'r tyrru i'r llysoedd – y gwragedd cynddrwg â'r gwŷr – i glywed profi achosion anllad ac fe gafwyd yn *Y Genedl Gymreig*, yr wythnosolyn cyhyrog ei radicaliaeth a genhedlwyd yn 1877, ychydig cyn geni Caradoc Evans ar 31 Rhagfyr 1878, ymosodiad ar gnawdolrwydd y gogleddwyr y gallesid ei anelu lawn mor gymwys at werin y gorllewin a'r de.

Dan y pennawd 'Moesoldeb ynte Phariseaeth?' cyfeiriwyd at achosion Robert Davies, chwarelwr 21 oed a dreisiodd Hannah Griffiths, deuddeg oed, ar ddydd Sul, 20 Chwefror 1878, a John Prydderch, clerc rheilffordd ym Mangor a geisiodd dreisio Mrs Margaret Owen, 28 oed, ar y trên o Gaergybi ar 23 Chwefror.[31] Dedfrydwyd y ddau i ddwy flynedd o garchar a llafur caled, a phe cawsai gohebydd 'Y Genedl' ei ffordd fe fyddai gwrandawyr yr achosion wedi eu cosbi hefyd ar ôl iddo'u gwylio yn blasu manylion 'y troseddau mwyaf ffiaidd y gall y natur ddynol eu cyflawni'. Loes oedd gweld dau fachgen a fagwyd ar fronnau'r Ysgol Sul yn sefyll eu prawf,

> . . . ond pa beth a ddywedasai y Barnwr pe gwybuasai fod lluaws mawr o'r dyrfa yn bregethwyr a blaenoriaid crefydd oedd wedi dyfod yno, ac yn eistedd yno trwy gydol y dydd, nid am eu bod wedi eu gwysio ac anghenrhaid arnynt i fod yn bresennol, eithr am fod datguddiad corbyllau aflendid cymdeithasol yn meddu swyn ac atyniad iddynt. Yr oedd yno lawer o wyr ieuainc yn y llys, a gwyddom fod rhai ohonynt yn sylwi mai gwên oedd ar wynebau eu harweinwyr crefyddol ar adegau pan y dylasai fod gwrid, a chanfyddent fanylion cywilyddus yn cael eu derbyn gyda difrawder neu awch dyddorol oedd yn arddangos yr archwaeth foesol fwyaf dirywiedig.[32]

Ni fuasai'r gohebydd, meddai, wedi rhoi sylw i'r mater 'onibai fod pob lle i feddwl nad yw llechres ddu brawdlys Arfon ond adlewyrchiad o agwedd foesol y Dywysogaeth yn gyffredinol'. Roedd yn bryd i'r Cymry ddechrau cywilyddio: 'Tybed nad yw ein moesoldeb yr ymffrostiwn ynddo amgen na phared wedi ei wyngalchu, ac nad yw ein proffesiadau o foesoldeb yn ddim ond phylacterau sydd yn dynodi Phariseaeth?' Fel arfer gellid dibynnu ar ymosodiad o'r fath i ennyn gwrthymosodiad ffyrnig ond nis gwelwyd yn 'Y Genedl' ac yr oedd yn rhy gynnar i Caradoc ddechrau cicio eto, hyd yn oed yn y groth, heb sôn am ategu collfarn 'Sylwebydd' a ddywedodd yn *Y Faner* yn 1878 fod Ceredigion yn sir ganoloesol ei chyflwr, yn nythle 'pobl o gredo feddwol' a'i ffermwyr 'yn debycach i gaethion nag i bobl rydd'.[33]

A Russell Davies wedi canolbwyntio ar y dystiolaeth yn 'sir Gâr' y gallasai Caradoc ei dyfynnu o'i blaid, ystyrier am ychydig y dystiolaeth yng Ngheredigion a hynny'n unig, am y tro, yn ystod y degawd a welodd ei eni ef yn 1878. Y ffynhonnell yw'r *Cambrian News*, yr wythnosolyn y cymerodd John Gibson ato yn Hydref, 1873, a'i berchenogi yn 1880. Yn Awst, 1875, taranai yn erbyn y defnydd a wnaed o'r 'ceffyl pren' yn Lledrod ar 30 Gorffennaf pan gariwyd ffermwr ddwy filltir o'i gartref gan ddeg ar hugain o ddynion a oedd wedi duo eu hwynebau, a'i adael wrtho'i hun am ddau o'r gloch y bore. Roedd wedi ceisio'n ofer i'w bygwth â bilwg a ffieiddiai Gibson at y driniaeth farbaraidd a gawsai. Roedd yn weithred warthus 'which would disgrace any place with a character to lose. . . Occurrences of this kind are calculated to foster a lawlessness which is supposed to flourish only in the wilds of Australia and the backwoods of America'. Duw a ŵyr beth fyddai ganddo i'w ddweud pe clywsai am Mrs Job Jenkins, mor ddiweddar ag 1893, yn cael ei chario trwy bentref Clunderwen ar y 'ceffyl pren' am odinebu â gŵr priod![34]

Ymhen mis gresynai fod pum achos o fastardiaeth o flaen y llys yn Nhregaron a'r dystiolaeth yn rhy anllad i'w dyfynnu: 'but it points to moral turpitude of the most serious kind . . . There must be something radically wrong in the social relations of the people or these cases would not be so frequent'.[35] O leiaf roeddent mewn llys mewn tref deilwng o'u drewdod: 'The filth at Tregaron is as plentiful as ever, and some of these days there will be a fever that will carry off a large number of the inhabitants into the already overcrowded grave-yard'.[36] A gwynt teg ar eu hôl mae'n siŵr!

Yn Ionawr, 1877, rhoddwyd hanes Margaret Evans, 25 oed, yn tyngu plentyn (merch a aned 30 Hydref 1876) ar y Parchg. William Henry Powell, Pantycelyn, Llanpumsaint. Roedd ef yn bedwar ugain, wedi'i ordeinio yn 1821 ac yn un o'r gweinidogion hynaf yn ne Cymru. Bu'n rhaid gohirio'r achos yng Nghaerfyrddin ar 6 Ionawr iddo gael gwella ar ôl pwl o'r broncitis, chwarae teg iddo. Buasai Margaret Evans yn forwyn iddo am ryw saith mlynedd a'i hunig dystion yn y llys oedd Duw – a'r diffynnydd. Beth na wnaethai Caradoc o'r fath sefyllfa![37]

Ac ar 16 Awst 1878, yn dilyn ymholiad yng ngorsaf yr heddlu yn Aberystwyth, adroddwyd ffeithiau arswydus am drueni rhai'n dioddef o salwch meddwl yng Ngheredigion.[38] Datgelwyd fod Margaret Lewis, mam 28 oed i ddau o blant a gwraig i Edward Lewis, ffermwr Nantarthur ger Llanfihangel-y-Creuddyn, wedi colli ei phwyll a'i chadwyno â chadwyn tair troedfedd a hanner wrth bost gwely ei gŵr am ryw ddwy flynedd. Yn ôl yr Arolygydd Lloyd roedd perthynas iddi a oedd hefyd wedi colli ei phwyll wedi ei thrin yr un modd. Tystiodd Mr Hughes, y llawfeddyg, iddo gael Margaret Lewis mewn cyflwr athrist, ei gwely yn fochaidd a'i mania yn waeth oherwydd ei chaethiwo. Yr oedd ei chyflwr heb os yn beryglus. Mynnai Edward Lewis nad oedd modd ei rheoli heb ei chadwyno. Byddai'n ei rhyddhau pan fyddai gartref ond anfynych y byddai hynny. Barnai'r tloty nad oedd yn ddigon drwg ei chyflwr i'w derbyn ac felly nid oedd dim amdani ond ei chadwyno. Penderfynwyd anfon y druanes i Gaerfyrddin a dwyn achos yn erbyn ei gŵr ciaidd – ac y mae'n amhosibl darllen yr hanes heb feddwl am driniaeth Achsah yn stori gyntaf *My People*, 'A Father in Sion'.

Yna adroddodd yr Arolygydd Lloyd a'r Sarsiant Evans am y sefyllfa a oedd yn eu disgwyl pan aethant i ffermdy'r Cloddie, rhyw filltir a hanner o Bontrhydfendigaid. Yno y trigai'r weddw, Elizabeth Jones, gyda'i mab a'i merch, pedwar o wyrion, gwas bach a morwyn fach. I fyny'r llofft, mewn ystafell ddiddodrefn wedi'i chloi, cawsant Thomas Jones yn gorwedd yn noethlymun yn y cornel ger ffenestr agored. Roedd baw yn gymysg â gwellt ar hyd-ddo ac roedd ffrâm gwely drylliog wedi'i osod i'w rwystro rhag symud. Fe'i cawsant yn bwyta gwellt. Roedd yn 44 oed ac yn ynfytyn caeth ers rhyw bum mlynedd. Danfonwyd yntau'r truan i Gaerfyrddin a phenderfynu dwyn achos yn erbyn Elisabeth Jones. Nid oedd ond pum mlynedd er pan synnodd Mr W. Alderson ei wrandawyr yn Aberystwyth wrth adrodd am Gnwch-coch, lle'r oedd hen wraig bedwar ugain oed yn rhannu gwely â pherthynas gwryw a oedd yn ynfytyn hanner cant oed. Roedd bythynnod Cnwch-coch mewn cyflwr enbyd a theyrnasai anfoesoldeb 'to an almost inconceivable extent'.[39]

Na, ni raid amau fod y drygau a'r creulonderau, y trais a'r ffalster a'r trythyllwch sydd yn storïau Caradoc am fywyd ym 'Manteg' yn ffeithiau. Roedd pethau hagr ac erch yn digwydd yn y wlad o bryd i'w gilydd fel y gwyddai'r Parchg. Jacob Davies – yntau'n hanu o wlad Caradoc – yn dda.[40] Y gwir yw fod pethau o'r fath wedi digwydd ers cyn cof mewn cymdeithasau caeedig ar draws y gwledydd. Ond i ateb ei bwrpas yn *My People* yr oedd rhaid i Caradoc greu 'Manteg' yn bentref lle nad oedd dim ond sictodau yn bod. Nid oes y fath beth â pherthynas iach rhwng neb na dim yno. Nid oes na chymhelliad na bwriad na theimlad nad yw'n sâl, yn salw ac yn wyrdroëdig. Nododd David Jenkins i Caradoc a D.J. Williams ill dau gael cnewyllyn rhai o'u storïau gan Dan Pwllgwair, y dewin a arferai'i ddawn ar aelwyd Brynhawen, aelwyd y Parchg. Dan Evans, tad yng nghyfraith 'D.J.' – storïau megis 'Yr Eunuch', 'Pwll yr Onnen' a'r enwog 'Be This Her Memorial' – gan bwysleisio'n awgrymog mai 'digwyddiadau cefn gwlad' oedd wrth wraidd y rheini, 'nid digwyddiadau arferol bywyd beunyddiol ond nid rhai anhygoel chwaith'.[41]

Yn storïau 'D.J.' digwyddiadau anarferol ydynt mewn cymdeithas wledig a oedd iddo ef wrth reol yn iach a chrwn. Ond yn storïau *My People* yr anarferol afiach a salw yw'r norm. Ynddynt mae gweinidog yr efengyl wrth natur yn ormesol, hunangeisiol a barus; mae blaenoriaid yn farw i'r ysbryd ac yn fyw iawn i'r cnawd; mae ffermwyr yn ddall i degwch dyn a daear, gwraig a morwyn; ac mae anffodusion yn fodau i gymryd mantais arnynt a'u hanifeileiddio yn ôl eu cyflwr. Dyna fel y mae bywyd ym 'Manteg', medd Caradoc; mae'r bobol wedi tyfu'n gam dan iau Anghydffurfiaeth wancus a Rhyddfrydiaeth hunanfodlon. Hylltod piau hi ar bob llaw.

I fynd yn ôl at ddegawd geni Caradoc, y mae'n werth sylwi ar agweddau'r Parchg. David Griffith (1823–1913) a John Gibson y *Cambrian News* at y Gymru grefyddol, oherwydd o'u hystyried ynghyd fe welir y cyd-destun sy'n goleuo 'Cymru Lân' yn *Enoc Huws* Daniel Owen a dramâu cynnar yr ugeinfed ganrif, lawn cymaint â 'Manteg' Caradoc. Yn ei ddadl â John Crowther, gyda llaw, roedd Caradoc wedi dibrisio dawn Daniel Owen gan farnu fod *Rhys Lewis* yn 'extremely dull', yn waith y gallai unrhyw weinidog stoc o Gymro ei ysgrifennu ac o ddiddordeb yn unig fel enghraifft o 'Welsh mediocrity'.[42] Fel mater o ffaith roedd yn dibrisio nofelydd a welsai drwy'r Gymru grefyddgar yn ddyfnach a mwy deallus nag a wnâi ef fyth. Nid oes yn storïau Caradoc ddim o dreiddgarwch ymenyddol Daniel Owen. Lle mae Caradoc yn sioclyd mae Daniel Owen yn farwol. Llanwodd geg Capten Trefor â iaith waredigol y seiet a'i ben a'i galon â dichellion a dihidrwydd lleidr. Nid oes gan Caradoc ddim tebyg iddo. Ond at David Griffith a John Gibson.

Yr oedd i Griffith enw fel traethodwr eisteddfodol llwyddiannus cyn Eisteddfod Genedlaethol Caernarfon yn 1877 pan wobrwywyd ei draethawd ar 'Nodwedd Presenol Cymdeithas yn Nghymru gydag awgrymiadau at Ddiwygiad'. Ar y pryd roedd yn weinidog gyda'r Annibynwyr yn Nolgellau ac fe fyddai yn ei draethawd, a gyhoeddwyd yn *Y Genedl Cymreig* rhwng Mawrth ac Awst 1878, am geisio codi eto'n uwch wlad a oedd eisoes yn ddyrchafedig yn ei olwg ef. Bwriad John Gibson, ar y llaw arall, fyddai dangos yn ei gyfres ef ar 'Religion in Wales' a redodd trwy gydol y flwyddyn 1879 yn y *Cambrian News*, y dylai'r Cymry ymbwyllo cyn seilio'u hymffrost cenedlaethol ar ansawdd eu crefydda. Roeddent ar dir sigledig iawn.

Gan drin ei destun dan dri phen – y gymdeithas genedlaethol fel yr oedd, y drygau y dylid eu gwrthsefyll, a'r diwygiad a oedd i ddod yn ei

Y Parchg. David Griffith (1823–1913).   Syr John Gibson (1841–1915).

ysblander – dechreuodd David Griffith trwy ddatgan, eto fyth, nad oedd Cymru 'yr hyn a ddylai fod'. Roedd 'cyfran lled helaeth' o'r boblogaeth ar gyfeiliorn: 'Maent yn isel eu moesau, yn anianol yn eu dull o fyw, ac yn dra dieithr i ddylanwadau achubol yr efengyl'. Roedd yn bryd disgyblu a difrifoli'r ifanc; roedd 'niferi dirfawr' o'r dosbarth gweithiol yn aros i'w diwygio, a thlodion lawer heb swcwr. Mewn gair, er gwaethaf yr holl bregethu ac addysgu roedd 'pechodau cryfion' yn lluosog yn y tir fel na ellid peidio â gofyn onid oedd '"diwygiad moesol ar raddfa eang" yn beth i'w fawr ddymuno ar hyn o bryd?' Gellid tybio fod pethau'n ddrwg yng Nghymru David Griffith yn 1877, ac eto, nid oeddent gynddrwg na fedrai ymgysuro o'i gweld hi yng ngolau'r gorffennol a'i chymharu â gwledydd cyfagos. Er gwaetha'r drygau amlwg roedd 'nodwedd bresenol cymdeithas yn Nghymru yn dra dyrchafedig a gobeithiol', ac er gwaethaf helyntion Merched Beca a'r Siartwyr 'Ni fedd Victoria (hir oes iddi!) o fewn cylch ei Hymerodraeth eang, ddeiliaid ffyddlonach i'w gorsedd na phreswylwyr "Gwyllt Walia"'. Yn syml, bwriad David Griffith yn ei draethawd oedd gwella golwg gwlad a oedd eisoes ar bedestal.[43]

Fe'i gwelai yn ei thegwch yn wlad Y Beibl a'r Ysgol Sul. Dim ond llyfrau â llewyrch Y Beibl arnynt a gylchredai ymhlith y Cymry

Cymraeg. Ofer fyddai i neb chwilio am lyfrau Cymraeg anfoesol. Ac fe'i gwelai 'o ran dysg, talent, deallgarwch, medr, a chyfoeth' yn sefyll yn uwch nag erioed o'r blaen. Roedd ei chynnydd seciwlar yn ddigamsyniol. Ond ar yr un pryd 'dylid cofio os na chynydda cymdeithas mewn modd cyfartal, "yn yr ystyriaethau uwchaf a phenaf", y bydd y canlyniadau cyn hir yn alaethus a gwir ddifrifol'.[44]

Ac felly, gan gredu mai 'Rhinwedd yw dyrchafiad ac urddas mwyaf cenedl', ymosododd David Griffith ar ddrygau'r Gymru gyfoes, y pennaf o ba rai ym myd yr ysbryd oedd anghrediniaeth, ac ym myd y cnawd, anghymedroldeb. Meddwdod, a barai ostwng safonau moesol ym mhob man, oedd 'Goliath pechodau yr oes', ond yr oedd ariangarwch hefyd yn hyll o ffasiynol, yn ogystal â 'gorhoffder o ddifyrrwch', 'hoffder at ymddangosiadau rhwysgfawr' (ymhlith menywod roedd 'y trachwant at wisgoedd addurnol wedi dyfod yn fath o "mania" er's talm'), 'penboethni gwleidyddol' a yrrai'r meistr a'r llafurwr i yddfau'i gilydd, a 'chwerwedd beirniadol' y wasg ('Y mae tymer cymdeithas yn Nghymru mewn anghen cael ei melysu'.) Yr oedd y catalog hwn o ddrygau yn her i'r weinidogaeth yn ddiddadl gan mai cyfrifoldeb 'gwŷr Duw' yn bennaf oedd sobri gwlad a'i hargyhoeddi o bechod. Ond, unwaith eto, dylent hwy ddiolch eu bod cystal arnynt:

> Er gwaethaf hanfodiad rhai drygau amlwg, yr ydym eto yn rhydd i honi fod Cymru yn un o'r gwledydd uwchaf o ran crefydd, a thecaf o ran moesau yn yr holl fyd. Yn yr olwg ar ei "chynydd" mewn blynyddoedd diweddar, y mae genym achos diolch i Dduw a chymeryd cysur'.[45]

I sicrhau teilyngdod Cymru a'i chodi'n uwch yr oedd yn rhaid diogelu'r Sabath a hybu'r Ysgol Sul. Ofer sôn am ddiwygiad heb hynny. Ond gwaetha'r modd, rhwng y trên tyrfus a ddôi â'i lu estroniaid i'r wlad, y tafarnau a sychedai am elw, yr awydd cynyddol gyfandirol ymhlith y Cymry i dreulio'r Sul 'yn gwbl mewn oferedd a phleser', a'r ffolineb o fynychu cyngherddau, cyfarfodydd llenyddol a mân eisteddfodau cecrus cyn treulio'r bregeth yn iawn, roedd holl ethos y Sabath mewn perygl o'i ddifetha'n llwyr.[46]

Ac os oedd y Sabath i'w ddiogelu roedd yn rhaid moesoli teuluoedd, coethi arferion a gwella anheddau'r bobol gyffredin. Y teulu Cristnogol oedd cynsail daioni'r wlad; roedd llawer ohonynt eisoes i'w cael yng Nghymru ond roedd angen mwy o deuluoedd lle'r oedd mamau duwiolfrydig yn bileri aelwydydd rhinweddol. Ac yn bendifaddau roedd angen anheddau glân ac iach ar gyfer magu teuluoedd Cristnogol. Roedd rhinwedd yn llawer tebycach o flodeuo ar aelwyd glyd, ac anfoesoldeb yn llawr tebycach o ymbriodi ag anhwylderau mewn hofel: 'Yn lle tynerwch, gerwindeb; ac yn lle coethder, anifeileiddiwch câs! Prin y gellir galw y fath leoedd yn gartrefi o gwbl'.[47] Edryched landlordiaid at eu cydwybodau a'u cyfrifoldebau.

Wrth ddwyn ei draethawd i ben ymosododd y Parchg. David Griffith unwaith yn rhagor ar anghymedroldeb. Meddwdod oedd y drwg ffieiddiaf: 'Priodol yr edrychir arno fel rhiant erchyllaf llygredigaeth, a throsedd y troseddau'. Ac yr oedd yn nod amgen oes a oedd yn ysu am gyffroadau. Roedd yn rhaid ymgyrchu yn erbyn y fasnach feddwol, cau'r tafarnau ar y Sul ac ymroi 'i godi a meithrin teimlad cyhoeddus Cristionogol, a fyddo yn gryf a chyffredinol, yn erbyn ffoledd gwastraff, a bwystfileiddiwch anghymedroldeb'. A byddai'n rhaid dechrau gyda'r plant.[48]

Roedd dyrchafu Cymru yn waith i bawb da eu proffes – pawb o bob oed a gradd – gan fod cymaint i'w wneud 'yn mhlith pobl y trefydd, a'r chwarelwyr, a'r glowyr, a'r mwnwyr, a'r llafurwyr amaethyddol, a'r morwyr, ac ereill ddosbarthiadau a allem eu henwi . . .' Nid oedd y wlad erioed wedi bod 'yn fwy goludog o elfenau dylanwad moesol' a gellid gwneud mawr bethau pe dôi 'anadl bywyd heibio er eu cynhyrfu oll i weithgarwch hyfryd'. Dylai fod yn ddyletswydd i'r da ddwyn perswâd ar y drwg, i'r llednais 'ddysgu moesgarwch cyffredin' i'r to ifanc amrwd a rheglyd, ac yn anad dim byddai 'ymroddiad mwy pendant a chryf o du y dosbeirth goreu, i "grefyddoli" y dosbeirth is-law iddynt' yn rhwym o hwyluso diwygiad. Oedd, yr oedd arwyddion cynnydd i'w gweld ar bob llaw yn y Gymru fodern, ond 'cynnydd mewn gras ac yn ngwybodaeth ein Harglwydd Iesu Grist' oedd fwyaf ei angen arni o hyd.[49]

Yn ei berorasiwn gwelai David Griffith wlad a oedd gynt yn ddiffeithwch eisoes wedi blodeuo 'fel gardd yr Arglwydd' a dim ond i'w phobol ymfyddino dros wir grefydd – Anghydffurfiaeth wrth reswm – fe fyddai'n destun edmygedd y gwledydd a'i dyfodol yn ddisglair. Roedd yn iawn, fel yr oedd pethau, i ofyn eto gyda Chaledfryn pa wlad oedd 'Mor lân â Chymru lonydd' ond gallai fod iddi enw mwy llachar fyth pes mynnai:

> Bydded Cymru yn hynod yn Mhrydain, fel Gosen gynt yn yr Aifft, –
> ein meibion oll fyddo wedi eu dysgu gan yr Arglwydd, a phob teulu
> wrth ei hun fyddo yn ei addoli Ef, yr Hwn a bwysodd y mynyddau hyn

mewn pwysau, a'r bryniau mewn clorianau; uwch uwch mewn anrhydedd yr elo y Dywysogaeth hon yn barhaus, nes y canfydder yn glir ac o bell ei bod yn ogoniant y Tywysogaethau.[50]

Waeth beth am y beiau a'i blinai yn 1877, roedd y Parchg. David Griffith yn argyhoeddedig o ragoriaeth Cymru fel gwlad grefyddol a moesol. Byddai'r bobol yn rhwym o ragori fwyfwy ond iddynt fod yn driw i'w gwerthoedd traddodiadol a gwrthsefyll y dylanwadau estron a fygythiai eu hintegriti. Gweld gwlad glodfawr yn teilyngu mwy o glod oedd y nod ac nid yw'n syndod i David Griffith yntau, yn ei dro, ysgrifennu ar gyfer *Cymru* O.M. Edwards gan gymaint yr oedd ei ddyheadau mewn cytgord â'r cylchgrawn hwnnw. Yn eironig ddigon, fel Caradoc Evans ar ei ôl, mynnai ei fod yn edliw beiau ei gydwladwyr er mwyn eu diwygio, ond tra oedd ef yn sicr mai ymlyniad cryfach wrth eu crefydd a'u dyrchafai roedd Caradoc lawn mor sicr mai ymryddhau o'i gafael a'u gwnâi'n well pobol. Roeddent o ran gweledigaeth yn frodorion dwy Gymru bur wahanol i'w gilydd.

Am John Gibson, ymroes ef i danseilio gorfalchder cenedl gyffredin ei chyflawniadau a brith ei buchedd. Fe'i gwnaeth yn glir o'r cychwyn mai gwlad a rôi bwys anghyffredin ar allanolion crefydd oedd Cymru – ar gadw'r Sul, ar fynychu capel ac eglwys, ar barchu (gorbarchu) pregethwyr, ar fawrhau'r Beibl: 'The odium that rests upon the people in Wales who do not regularly attend public places of worship is great', a diolch i'r Methodistiaid Calfinaidd yn bennaf, peth aflawen iawn oedd 'dydd yr Arglwydd' yng Nghymru, 'a day of gloom and repression'. Roedd lle i ofni fod awduron Cymraeg yn chwyddo mawl y Gymru grefyddol am fod cymaint o ergydio wedi bod ar anfoesoldeb ac anneallusrwydd y bobl. Roeddent yn euog o ormodiaith wrth wrthymosod – tra oedd Gibson, wrth reswm, yn batrwm o wrthrychedd:

> It is very seldom indeed, when Wales is called a religious country, that the claim set up is to deeper spirituality, to higher morality, to nobler ideals of life, or to purer worship than is found in England; but what is meant is that religion in Wales is more widely known, more generally respected, and outwardly, at any rate, more carefully observed.[51]

Waeth beth am y sioe gyhoeddus ni chredai Gibson fod gronyn mwy o sylwedd i grefydd Cymru nag oedd i grefydd Lloegr – yn wir, barnai fod llai o 'ysbryd y peth byw' gan y Cymry. Roedd dweud hynny, wrth gwrs, yn tanseilio un o'u honiadau pennaf yn y frwydr i brofi eu gwerth gerbron y byd, a Lloegr Victoria bryd hynny oedd ysblander y byd crwn cyfan.

Gan gadw mewn golwg storïau *My People* ac amddiffyniad Caradoc o'i 'wirionedd', y mae nifer o sylwadau Gibson megis cerrig hogi iddo. Ac y maent yn dra awgrymog o safbwynt nofelau Daniel Owen a dramâu deffroad dechrau'r ugeinfed ganrif hefyd. Casâi Gibson 'histrionics' pregethwyr Cymru ond poenai fwy am eu cenadwri:

> Modern preachers very often seem to have nothing whatever to do with the sorrows, troubles, sins, and difficulties of the congregations who sit and listen, or fail to listen, to dry essays long drawn out on disputed questions of faith . . . Sermons contain a good deal about the grace of God, the Redemption of the Saviour, the Sacrifice of the Cross, the Hope of Glory, but the life that has to be lived day by day in an atmosphere saturated with doubt, perhaps, seems to be something which religion does not recognize.[52]

Gresynai fod y gweinidog a'r pregethwr yn wrthrychau cymaint o foliant cyson anfeirniadol, fod rhagfarn yn erbyn rheswm mor araf i ildio a bod cyn lleied o bwysleisio glendid corff yn ogystal â phurdeb ysbryd – pwynt a wnaethai David Griffith flwyddyn ynghynt:

> Vivid spiritual life and dirt cannot go together . . . The chief work of a good minister is found in leading his people to higher, purer, cleaner, holier, nobler life than they would reach if left to themselves. As yet, unfortunately, it must be admitted with sadness, ministers of the Gospel frequently fail to see New Testament religion in cleanness of mind and body.[53]

Meddylier am weinidogion Caradoc, Davydd Bern-Davydd, Josiah Bryn-Bevan, a Ben Watkin yng ngoleuni'r gollfarn hon.

A oedd rhaid i'r Sul Cymreig osod wyneb callestr yn erbyn pob difyrrwch diniwed? Fel yr oedd pethau, 'That man, minister or layman, would be deemed desperately wicked and dangerous, who ventured to satirize the grim misery of a well kept Welsh Sunday'. (A wyddai fod Caradoc ar y ffordd?) Paham na châi gweinidogion, fel offeiriaid, chwarae criced a phêl-droed? 'Perhaps the time may come when Welsh

Nonconformist ministers will make belts of their white chokers, and take their places in elevens and teams, and when deacons will excel as longstops and goal-keepers'. A'r Parchg. David Griffith newydd ei wobrwyo ym Mhrifwyl 1877 am daranu yn erbyn y 'meddwi' ar ddifyrrwch, ymhlith drygau eraill! Ond roedd Gibson yn bendant fod troi difyrion y bobol yn bechodau – yn ei eiriau ef 'the manufacture of wickedness' – yn ganlyniad gorseddu rhinwedd ffals ei safonau, a heb os roedd hynny wedi tlodi bywyd cymdeithasol yng Nghymru ac esgor ar forbidrwydd.[54]

Tra'n cydnabod pwysigrwydd digwestiwn gwaith yr Ysgol Sul, roedd y gorofal am gadwraeth y Gymraeg yn golygu fod y pwyslais o hyd ar ddysgu darllen y Beibl. Roedd gallu darllen y gair yn ddigon ynddo'i hun: 'Far more time is spent in studying the letter of the book and trying to gather up the dogmas it is supposed to teach, than in inculcating its pure life – enobling principles of justice and mercy, truth and righteousness'. Dysgu'r egwyddorion hynny, wrth gwrs, a gâi'r flaenoriaeth yn yr Ysgol Sul yn Lloegr: 'A clean moral life is enforced, and truthfulness – undeviating, unshrinking truthfulness – is taught. An English Sunday School scholar may be untruthful, but he is taught that all falsehood is shameful and without excuse'. Yr ensyniad yn y cyswllt hwn yw fod y Gymraeg yn rhwystro addysg foesol ac o gofio fel yr oedd Llyfrau Gleision 1847 wedi hwyluso enllibio'r Gymraeg fel iaith twyll a dichell, gallwn fod yn sicr ei fod yn ensyniad a fyddai'n tynnu gwaed.[55]

Ar fater aelodaeth eglwysig, mater mawr ei bwys i Daniel Owen a Caradoc Evans fel ei gilydd, y mae sylwadau Gibson yn drawiadol. Barnai mai prif ofyn aelod gyda'r Anghydffurfwyr oedd bod yn ffyddlon i'r achos. Ni phoenid fawr am ran crefydd aelodau capel yn eu bywyd bob dydd. Er fod 'holi profiad' yn digwydd o hyd, nid oedd fawr mwy nag arferiad bellach:

> The effort made to work out the Christian principle of universal love is very slight if made at all. Religion does not enter into the warp and woof of social and business life. It has to do with death, and the future beyond the grave, but does not trouble itself much about the bodies and minds of men, and their daily working experience. The dreary mud hovels of the poor, the hard conditions of ignorant life, commercial practices that will not bear scrutiny and spiritual hardness and indolence, are not matters of primary importance, and only obtain casual notice. The moral and social life of the people is not the serious concern of churches in Wales.[56]

Agwedd gafalîr oedd gan y capeli at y tlodion, heb ddangos fawr awydd i newid eu hamgylchiadau byw:

> The careful cultivation of a clean, healthy, moral and social life is not accepted by Nonconformist churches as an integral part of their ordinary work.[57]

Roedd fel petaent wedi derbyn nad oedd i dlodion fawr o ddefnyddioldeb Cristionogol a'r peth gorau y gallai'r capeli ei wneud oedd canolbwyntio ar faterion ysbrydol oddi mewn i'w muriau:

> The religious bodies of these days have 'improved' upon the religion of CHRIST until they have nearly improved all the humanity out of it which it was the labour of His gracious life to infuse into it.[58]

Yn amheus o wreiddioldeb ac annibyniaeth barn, yn eiddigeddus o'u hawdurdod a'r hen ffordd o wneud pethau, prin y gadawai'r capeli i fywyd yr unigolyn flodeuo: 'The disheartening feature about Church membership in Wales is, that it tends to fossilize men instead of inspiring them with noble purposes'. Gwgent ar wyddoniaeth ('which is the modern name for knowledge of God') ac ar ysbryd ymholiad. Gwnaent dduw o'r Beibl a'i addoli'n gibddall anwybodus, gan ystyried amheuwr y gair yn waeth pechadur na pherson anfoesol. Ond gwrthodent ymyrryd â moesoldeb byd busnes; pawb at y peth y bo a phob dim yn ei le a'i bryd oedd y ddoethineb weithredol yn y byd hwnnw. Meddylier am Gapten Trefor Daniel Owen a chribddeilwyr Caradoc yn nhermau'r dyfyniad hwn:

> George Eliot in Theophrastus Such shows how in England the word immoral does not, for instance, include manipulators with mines, manipulations which ruined innocent people. The manipulator was considered to be a highly moral man because he did not infringe the Seventh Commandment. This is the case in Wales. Morality means far less that it ought to mean. Religion affects conduct, but not the whole of conduct. A member of the Church may not get drunk, but he may sell a cow or a horse as smartly as any dealer in the United Kingdom. He may not doubt the Trinity or the Miracles, but he may allow his household to be so arranged that gross immorality is the natural outcome. He may not walk for pleasure or work on the Sabbath, but on

week days he may give percentages to get custom, may neglect to pay his way, and may do and say things which a man with a high view of his life could not do. His religion is in a book, and is confined chiefly to one day in the week.[59]

Yn wahanol i Loegr, lle'r oedd meithrin bywyd sanctaidd a bywyd cyffredin nobl yn fater o wir bwys, nid oedd crefydd yng Nghymru yn poeni rhyw lawer am ofynion byw bywyd da. Yng Ngwalia lân nid oedd dinasyddiaeth dda yn cyfrif gymaint â hynny – hyd yn oed yn Aberystwyth lle'r oedd Gibson yn cyhoeddi'r 'gwirioneddau' hyn yn ddigerydd trwy gydol 1879! Paratoi credinwyr ar gyfer marwolaeth oedd gofal cyntaf y capeli. Marwolaeth oedd 'the great event before which life sinks into comparative insignificance'.

Daliodd ati i nodi gwendidau tan ddiwedd y gyfres. Byddai'n rhaid i grefydd yng Nghymru wynebu her sgeptigiaeth, derbyn nad oedd ymholi yn gyfystyr â gwadu ffydd, neu farw yn yr hen rigolau. Byddai'n rhaid rhoi i'r merched le teilwng o'u talentau ac arddel syniad Crist o'u gwerth yn hytrach na syniad Paul. Siawns petai mwy ohonynt yn ysgrifennu yn Gymraeg na fyddai bywyd y Cymry yn llai cwrs nag ydoedd. Unwaith eto, yr oedd Cymru ymhell ar ôl Lloegr o ran parodrwydd i roi llwyfan i'r ferch. Ac am wneud y Sul yn ddydd i ddathlu bywyd o lawenydd yng Nghrist – byddai llawn cystal i Gymru fod ar blaned arall. Yr oedd pruddglwyf y Sul Cymreig yn fwrn ar y wlad.

A'r ddrama newydd, Ibsenaidd ei thraw, yn dynesu, roedd sylwadau Gibson ar ddrwgdybiaeth yr Anghydffurfwyr o ddigrifwch a'u hanallu i weld fod comedi a thristwch yn blant yr un groth, yn arwyddocaol: 'The fact that bitter tears run down the creases caused by laughter is not recognized. Fun, tricked out in a fool's cap and bells, lilts along the highways of the world arm in arm with Sorrow in solemn garb, but is not allowed to find a resting place in the religious homes of the Principality'[60] Nid, wrth gwrs, nad oedd synnwyr digrifwch gan y Cymry; roedd ynddynt yn gryf – o dan yr wyneb. Gwyddai Gibson am weinidogion a fwynhâi gwmni diddan a storïau ysgafnfryd – yn y dirgel. Dyna a wnâi fywyd yn afreal yng Nghymru, bod yn rhaid condemnio'n gyhoeddus yr hyn a fwynheid yn y dirgel: 'The minister may smoke, or take a glass of beer perhaps, or even go to the theatre in London, but he must not do these things openly, lest his example should have injurious effects upon the young'.[61]

Ie, truan o beth yn wir oedd y gweinidog Anghydffurfiol o Gymro o'i gymharu â'r 'model English Nonconformist minister' a oedd yn ŵr bonheddig addysgedig a fwynhâi bob math o ddifyrion: 'He can run, jump, row, dance, play at billiards, cards or draughts and is good at cricket or football'. Roedd yn gydymaith i'w bobol, yn gyfaill arbennig i ddynion ac yn gynghorwr i'r gwragedd: 'He will even joke on Sunday, and would not hesitate to lend a poor member of his congregation a pair of skates for use in hard weather, or a novel when the weather is open. His religion is not a system of negatives, but a nurturing of true life'. Dychmyger ymateb y Dr Lewis Edwards yn Y Bala![62]

Yn ôl Gibson roedd y model cyfatebol o Gymro mor annhebyg i ddyn cyffredin ag oedd bosibl. Sul, gŵyl a gwaith fe wynebai'r byd yn ddigyfnewid ddifrifol: 'Nobody would think of joking with him, and young men seldom make a companion of him. He would as soon think of kicking a baby as a football and would no more handle a bat than a rattlesnake'.[63] Er yn garedig a glân ei fuchedd yr oedd wedi'i grebachu gan ofn gwneud dim a allai demtio'i braidd i garu'r byd: 'The world, he fears, is too much in the power of the wicked one, and he is profoundly grieved at the torrents of sin he cannot stem'.[64] Bellach, yr oedd arwyddion fod ei orseddfainc yn llai sicr nag y bu ond tra byddai'n teyrnasu fe fyddai cysgod drygioni dyn, a'i ganlyniadau tragwyddol, dros aelwydydd y wlad a'r bywyd cenedlaethol yn gaeth i'r gorchymyn –'Paid!'

Y mae'n ddi-os y byddai Caradoc wedi cael John Gibson 'Religion in Wales' yn dyst ardderchog o'i blaid yn y sgarmesi y cafodd ei hun ynddynt wedi cyhoeddi My People. Ar lawer pwynt siaradent yr un iaith er nad oedd Gibson mor awyddus â Charadoc i gigyddio'i gaseion. Y mae'n amlwg, fodd bynnag, ei fod ef yn 1879 yn cael rhai agweddau ar Anghydffurfiaeth Gymraeg yn wrthgymdeithasol ar y gorau ac yn wrthfywydol ar y gwaethaf. Troesai grefydd yn sefydliad a oedd yn llethu ysbryd y bobol â'i negyddiaeth ac yn yr ystyr hwnnw roedd iddo ef yn ddylanwad gormesol. Bu Gibson farw yng Ngorffennaf 1915, ychydig fisoedd cyn cyhoeddi My People ac y mae'n deg casglu y buasai cloriannydd crefydd Cymru yn 1879 wedi arddel Caradoc yn berthynas iddo er gwaethaf ei dafod cwrs.

Ond yn ddiweddarach wele John Gibson a gawsai fath o dröedigaeth yn ymddangos yn y Cambrian News, rhwng Gorffennaf 1897 ac Ionawr

1898, fel awdur y stori gyfres 'Gorwen'. Ynddi adroddir helyntion rhai o drigolion pentref glan môr ger Aberystwyth – Llangorwen ydyw wrth gwrs – ac o'i darllen gallasai Caradoc gredu iddo gael ei fradychu. Lle bach tlawd yw 'Gorwen' a lle bach afiach hefyd yn aml, ond o'i gymharu â 'Manteg' y mae'n lle bach dedwydd ddigon.

Treialon bywyd tri o blant y pentref sy'n cynnal y stori – Mary Ellwood, merch y potsiar James Ellwood, James Brynton a David Morgan. Mae Mary yn tyfu i fod yn gantores enwog, megis Edith Wynne (1842–97) neu Mary Davies(1855–1930); mae James yn dilyn gyrfa newyddiadurwr ac yn dod yn olygydd y 'Principality', papur Rhyddfrydol yn 'Ystwyth' sy'n gadarn ei radicaliaeth ac yn ddigymrodedd wrth-eglwysig (ni raid gofyn ar bwy y mae James wedi'i seilio); ac mae David Morgan yn troi'n eglwyswr, yn dringo i safle Deon ac yn ymenwogi fel erlidiwr Anghydffurfiaeth. Ar ôl gwrthod cariad James Brynton droeon am ei bod wedi ymserchu'n ifanc yn David Morgan, y mae Mary o'r diwedd yn gweld trwy ei uchelgais bydol, yn deall nad yw'n ei hystyried yn deilwng ohono ac yn priodi James. Penderfyna ddefnyddio'i chyfoeth i foderneiddio hen fwthyn ei thad a'i wneud yn gartref arhosol iddynt yn 'Gorwen'. Y pentref glan môr distadl hwnnw fydd noddfa'r teulu.

Yr hyn sy'n arwyddocaol o safbwynt y bennod hon yw fod 'Gorwen' yn dal gafael yn serchiadau a theyrngarwch James a Mary, y ddau radical, tra mae David Morgan, o'r foment y mae'n mynd i Goleg Dewi Sant yn Llanbedr, yn ymroi i ymbellhau oddi wrtho trwy fynnu dysgu siarad Saesneg fel Sais a cheisio poblogrwydd ei gydfyfyrwyr trwy ddynwared pregethwyr a saint capel Nebo er mawr hwyl iddynt. Mewn gair, y mae'n troi yn fradwr i'w bobol ei hun a chyn diwedd y stori mae'n wrthodedig ganddynt ac yn brae i'w hunanamheuon. Barn derfynol Mary arno yw ei fod yn 'humbug' ac ni raid ond cofio defnydd Daniel Owen o'r anair hwnnw i sylweddoli pa mor bell yr oedd wedi syrthio oddi wrth ras yn ei golwg hi.

Plant capel Nebo, capel o ran yr olwg arno mor hyll ei du mewn â'i du allan, ydyw Mary, James a David Morgan. Ynddo y teyrnasai'r Parchg. Ivor Evans a blaenoriaid solet eu cred megis John Jones y sgwlyn a Robert Roberts y siop. Sgwlyn a siopwr duwiolfrydig, noder. O gofio'i sylwadau yn 1879 y mae John Gibson, yn rhyfedd iawn, yn caniatáu i'r Calfiniaid defodol hyn fod yn bersonau cydymdeimladus, caredig eu

97

cynghorion, parod i faddau bai a pharod, yn achos Ivor Evans, i gydnabod ei amheuon ei hun. Y mae'n weinidog ystyriol, 'a large hearted, sympathetic human being' sy'n barod i wrando a chydymddwyn.[65]

Fe fyddai David Owen (Brutus) wedi rhoi Ivor Evans ymhlith y 'Jacks' a byddai Caradoc Evans wedi'i wneud ar y gorau yn destun dirmyg. Wedi'r cyfan, roedd yn ddi-ddysg, buasai'n siopwr cyn troi'n weinidog a buasai yng ngharchar am flwyddyn ar ôl ei dwyllo gan gyfaill yr aethai'n feichiau drosto. Tra bu'n garcharor bu farw ei rieni a phriododd ei ddyweddi â gŵr arall. Beth na wnaethai awdur *My People* o bicil gweinidog capel salw Nebo a oedd yn byw 'a hard, barren sort of life' fel y mwyafrif o'i braidd di-fref. Yn sicr, ni fyddai wedi'i fendithio â'r rhinwedd fawr honno – maddeugarwch – a rhoi iddo'n hoff destun pregeth siars y Crist – 'Cerwch eich gilydd'. A chofio model Gibson o'r gweinidog Anghydffurfiol yn 1879, mor wahanol yw'r Ivor Evans hwn, 'a lonely, silent, patient man with a history' yn gwneud daioni mewn pentref di-nod ar lan y môr yng Ngheredigion.[66]

Pan gaiff Margaret Davies ei 'thorri mas' o Nebo am genhedlu plentyn siawns a gwrthod datgelu enw'r tad, y mae'n dosturiol wrthi ac yn ddig at y tad bradwrus. Pan edliw Mary Ellwood i 'Dduw cariad' ei greulondeb at ferched a gwragedd nid yw'n gwylltio. Di-ddysg ai peidio y mae'n gallu cyd-drafod â hi yn bwyllog a doeth, er fod Mary a Margaret yn amlwg yn arddel syniadau 'Y Fenyw Newydd' ac yn greadigaethau'r John Gibson a gyhoeddodd ei lyfr grymus ar *The Emancipation of Women* yn 1891. Mae Mary, yn arbennig, yn coledd syniadau herfeiddiol am le'r ferch mewn cymdeithas ac am natur priodas, ac mae Margaret ar ôl ei 'thorri mas' yn gwrthod cadw draw o Nebo, yn ôl y disgwyl, am ei bod am i'w phlentyn, Maggie, sy'n tyfu i fod yn blentyn cymod, gael magwraeth Gristnogol. Nid yw'r rhain yn byw yn yr un byd, chwaethach yr un sir, â merched a gwragedd darostyngedig, dibris Caradoc.

Y maent yn fawr eu gwerth yng ngolwg y Parchg. Ivor Evans, mor fawr eu gwerth â James Brynton. Pan yw ef mewn gwewyr am fod David Morgan yn ei gondemnio fel anghredadun ar ôl clywed ei fod yn synio'n anuniongred am Dduw, Ifor Evans sy'n rhoi clust i'w gŵyn a'i gynghori'n addfwyn i beidio â bod yn orbarod i ddefnyddio'i newyddiadur i danseilio gwirioneddau traddodiadol. Dylai gofio un peth: 'God is more patient than we are, and perhaps it is because God knows'.

Y mae'n ddigon sicr o ddaioni cynhenid James i rwystro David Morgan rhag ei garcharu ar fai fel terfysgwr yn dilyn protest yn erbyn y degwm.[67]

Yn 1879 rhoesai John Gibson gryn bwys ar Gristnogaeth ymarferol, ddi-lol ac yn 1897 creodd Ivor Evans yn ymgorfforiad ohoni. Ar ôl marw'r hen weinidog parhâi ei ddylanwad i ddwyn ffrwyth. Y mae Margaret Davies yn maddau i Peter Trefriew, tad ei phlentyn siawns a'i gadawodd i ddwyn ei baich ar ei phen ei hun am ei fod yn llwfrgi o ŵr priod, parchus ac y maent yn priodi, ar ôl i'w wraig farw, yr un diwrnod â Mary a James sy'n penderfynu magu teulu yn eu pentref genedigol wedi'r holl dreialon. Yn unol â hoff ddymuniad Ivor Evans y maent wedi dysgu caru ei gilydd.

Fel y dywedwyd, David Morgan yw'r unig un o'r tri phrif gymeriad i ddiarddel 'Gorwen'. Trwy lygaid ei uchelgais ni allai'r darpar Ddeon weld dim ond 'the cottage life of Gorwen and all its sordidness', dim ond hagrwch – hagrwch afon wedi'i llygru gan weithfeydd mwyn y bryniau cyfagos, hagrwch bywydau tlawd a meddyliau caeth: 'How dwarfed everything was at Gorwen'.[68] Ond pan ddychwel James Brynton i 'Ystwyth' wedi cyfnod yn Birmingham lle bu'r ddiod bron â'i drechu, y mae'n mynd adref i 'Gorwen' ac i oedfa yn Nebo. Caiff ei hun wedi'i ddal o'r newydd:

> The sunlight came in through the windows, and the service was altogether pleasant and full of pathetic suggestion. The sermon was simple and contained much wise counsel. When the last hymn had been sung and the benediction had been pronounced James lingered as if he feared that the 'beauty of holiness' would not follow and surround him outside.[69]

Ac yn America bell lle'r aethai Mary i chwilio am ei thad a oedd, gyda help y gymdogaeth, wedi llwyddo i ffoi ar ôl saethu un o giperiaid stad yr Arglwydd Greymoor, ac sy'n marw ar ôl ei chlywed hi'n canu'r hen alawon iddo am y tro olaf, y mae Mary yn ei hiraeth yn cofio 'Gorwen':

> She would go back to Gorwen. She would see as quickly as possible the winding Clarwen, the woods of Cwm, and the background of mountains. In imagination she could hear the familiar sound of the sea breaking on the shelving beach. She would go home again – home – home.[70]

Llangorwen ar ddechrau'r ugeinfed ganrif.

Ac y mae'n dychwelyd i ddechrau byw eto yn y pentref yr oedd wedi hen ddysgu edrych arno yn ddisentiment. Gwyddai beth fyddai'n ei disgwyl yn 'Gorwen' ac fe'i chwenychai waeth beth a ddôi i'w rhan:

> Gorwen was a small place, but the hardest problems of life were there. The inhabitants of Gorwen were not learned nor famous, and yet so to speak they soared up to heaven in their greatness and reached down to hell in their littleness, and touched the awful fringes of life at every side. There was nothing that was supreme in joy or pain that they did not feel, and if a new world had required to be peopled all that there was in human life and human experience could have been found between the two hills which enclosed the beautiful, narrow Gorwen valley.[71]

Ym 'Manteg' Caradoc Evans nid oes gan neb lygaid i ganfod harddwch gwlad fwy na glendid pobol, ond y mae Mary Ellwood a James Brynton yn effro iddo er gwaethaf tlodi 'Gorwen'. Fe fyddai eu priodas hwy, pan selid hi, yn briodas dwy galon serchus a dau feddwl ymholgar heb ofni cwestiynu eu daliadau a'u hamheuon ynglŷn â threfn Duw a dyn. Roedd 'Gorwen' yn bentref a fagai bobol wâr, Gibsonaidd. Ar daith i fyny i waith mwyn Bryn Mawr – sy'n rhoi cyfle i Gibson draethu fel rhyw ail Ddaniel Owen am ddichellion a thwyll siawnsfentrwyr y diwydiant hwnnw – sylwa Mary ar ogoniannau gogledd Ceredigion ac yn llathru ar wastadedd cwm Rheidol, bentref gwyn:

> A little village with its white cottages, its bowery gardens and fruit trees, its green fields, and the blue smoke from its chimneys had attracted her attention. 'Could anything be more beautiful and peaceful,' she exclaimed. 'Look at the houses how tiny they are, just like dolls' houses, and the men and the horses. They are for all the world like toy horses. I am sure that we who have always lived in Wales do not know how very beautiful our country is . . .'[72]

Gallwn weld Caradoc Evans yn ysgyrnygu wrth glustnodi'r lle ar gyfer ei gasgliad o bentrefi caeedig, 'little villages hidden in valleys and reeking with malice'.

Daw stori 'Gorwen' i ben mewn molawd i'r Gymru newydd – 'Cymru Fydd' er gwaethaf chwalfa 1896 – y byddai'i phobol yn falch o'i harddwch, 'with its blue mountains, its secluded lakes, its swift rivers, its old-world villages . . .' ac yn falch o'u hiaith, eu barddoniaeth a'u nodweddion cenedlaethol. Ac y mae lle anrhydeddus yn y folawd i'r gweinidogion Anghydffurfiol gonest, huawdl a phur fel y dur i achos y bobol a wrthsafodd ormes Anglicaniaeth. Ni fuasai'r Parchg. Ivor Evans erioed yn weinidog milwriaethus, 'but he had been trusted by his people and he could no more have betrayed them or have been unfaithful to them than he could have forgotten his native language'. Rhyfedd o dröedigaeth er 1879! A'r dref yn gadarnle Anghydffurfiaeth, 'Ystwyth could be small, narrow, hard, and unjust, but it could be large, wide, tender, and generous, and it was always beautiful'. Roedd 'Gorwen' yn ddiogel wrth ymyl 'Ystwyth', lle'r oedd James Brynton anuniongred yntau'n gymeradwy a mawr ei ddylanwad fel golygydd y 'Principality'. Perchid ef am ei fod yn egwyddorol a di-dderbyn-wyneb: 'He had only one life and he wanted to know what that life would be if it were lived truly and bravely, without pandering to superstition, or truckling to power, or belauding the unworthy'.[73]

Disgyn y llen ar 'Gorwen' wrth i James a Mary gerdded y traeth. Y maent yn disgwyl eu plentyn cyntaf:

> It was a beautiful night in July. The hills were blue in the direction of Plynlimon. The sun was still above the horizon. The air was fragrant and almost motionless. They walked slowly towards the sea, touching hands now and then. They could hear the great waves break on the shore at long intervals as they had heard them breaking ever since they could remember anything. The Clarwen was gurgling on quite unconscious how near it was to the all-engulfing sea. A little blue smoke from the cottages hung among the trees, whose shadows were quickly lengthening. The west was rich in promise of a gorgeous sunset. Already the colours were deepening . . . They went towards home again and so one beautiful day out of many closed, full of peace and bright with glad promise of future joy.[74]

Y mae'r modd y troes John Gibson 'Religion in Wales' yn John Gibson 'Gorwen' yn drawiadol. Cawsai hwnnw ras storïol nid yn unig i weld rhinweddau Anghydffurfiaeth ond i gydnabod gwerth y Gymraeg. O fod yn 1879 yn rhwystr ar ffordd cynnydd ac yn llen rhwng y bobol a'r goleuni, yr oedd yr heniaith i'w choledd yn 'Gorwen', fel yr oedd yr eisteddfod, llwyfan dawn Mary Ellwood, i fod yn sefydliad cenedlaethol i'w drysori. Do, fe bwysleisiodd Gibson yn ei stori, hefyd, fod rhaid i

James Brynton feistroli'r Saesneg cyn y gallai ddylanwadu ymhell ac agos trwy'r 'Principality', ond cywilydd i David Morgan oedd ei meistroli er mwyn ymbellhau oddi wrth 'Gorwen'. Gwedd lafar iawn ar ei frad oedd hynny.

Y mae un peth yn glir; y John Gibson a ysgrifennodd 'Gorwen' yw'r gŵr a ddyrchafwyd yn farchog yn Ionawr 1915. Rhyddfrydwr digymrodedd oedd hwnnw, yn solet ei wrth-Anglicaniaeth a'i wrth-landlordiaeth. Gallai golygydd y *Cambrian News* a oedd droeon yn y gorffennol wedi condemnio herwhela yn hallt ochri gyda James Ellwood yn 'Gorwen' er ei fod wedi saethu cipar yr Arglwydd Greymoor. Aethai'n brae i'r deddfau hela anghyfiawn ac fel tad i Mary haeddai gydymdeimlad. Ac nid ymddengys fod dim o'i le ar y ffordd y rhoes arian heibio ar gyfer ei gyrfa hi trwy werthu gwaith mwyn diffaith i Sais ariangar hawdd ei dwyllo. Yn boliticaidd a chrefyddol roedd John Gibson 'Gorwen' o du'r goleuni a gellir dychmygu Caradoc yn dal ei drwyn sosialaidd wrth ddarllen ei stori ac yn closio at David Morgan y Tori.

Heb oedi i ddyfalu mwy am esblygiad John Gibson, y mae'n glir i ble roedd wedi anturio yn 1897. Roedd y newyddiadurwr fforiol wedi ffeindio'i ffordd i Geredigion nofelau rhamantaidd Allen Raine, er, fel y nodwyd eisoes, fod i'w ferched ef, Mary a Margaret, anian feiddgar, Ibsenaidd na fuasai hi yn ei chymeradwyo o gwbwl. Mae cryn dipyn o Nora, *Tŷ Dol*, yn Mary Ellwood a Margaret Davies ac yn gyffredinol fwy o drafod syniadau am grefydd, gwleidyddiaeth a lle'r ferch yn nhrefn pethau nag y byddai Allen Raine yn caniatáu yn ei Cheredigion hi. Nid oedd ganddi fawr o feddwl o'r 'Fenyw Newydd'; i'r gwrthwyneb 'yr oedd o'r farn mai'r aelwyd yw cylch priodol merch'. Ond wedi dweud hynny nid oes gwadu fod ei chysgod yn drwm dros 'Gorwen'.

Yn 1897, wedi cyhoeddi *A Welsh Singer*, y dechreuodd gyrfa hynod lwyddiannus Allen Raine, sef Anne Adalisa Puddicombe (1836–1908), er ei bod wedi rhannu'r wobr o £25 yn Eisteddfod Genedlaethol Caernarfon, 1894, am stori gyfres Gymreig ei chefndir. Ni chyhoeddwyd mohoni'n llyfr tan ar ôl ei marw, pan ymddangosodd dan y teitl *Where Billows Roll* yn 1909, ond roedd y stori wedi'i chyhoeddi'n gyfresol yn y *North Wales Observer* dan y teitl 'Ynysoer' a gall mai ei darllen yn y newyddiadur hwnnw a ysgogodd John Gibson i ysgrifennu 'Gorwen'. Y mae'n ddiddorol fod helyntion dwy gantores o fri, sef Mifanwy yn

A Welsh Singer a Mary Ellwood yn 'Gorwen' yn ganolog i'r ddwy stori, ffaith sy'n peri meddwl fod y ddau awdur yn elwa ar enwogrwydd Edith Wynne (Eos Cymru) a Mary Davies. A oedd Gibson wedi sylweddoli fod Allen Raine wedi taro ar fformiwla a oedd i ennill iddi gynulleidfa fawr, broffidiol ac y byddai ceisio'i hefelychu yn rhwym o gryfhau apêl y *Cambrian News*, ni ellir ond gofyn. Yr hyn sy'n ddiamau yw fod 'Gorwen' yn nawsio'n gryf o ethos ei rhamantau hi.[75]

Erbyn ei marw yn 1908 roedd Allen Raine yn ffefryn gwlad yn rhinwedd y portread o'r Cymry gwerinol a roesai i gynulleidfaoedd ym Mhrydain ac America. Yn fwy na'r un awdur arall hi a ddangosodd fod modd gwneud dros Gymru yr hyn a wnaethai awduron y 'Kailyard School' dros yr Alban. Hi oedd yr awdur tebycaf i J.M. Barrie i godi yng Nghymru ac roedd ei hedmygwyr yn lleng. Ffolodd O.M. Edwards arni gan ysgrifennu i ddiolch 'for the keen delight which each of your books has given me'.[76] Fel yntau, roedd ganddi feddwl y byd o Ceiriog – cyfieithodd ddarnau o'i 'Alun Mabon' ar gyfer *Wales* yn 1897 – a bu farw yn 1908, blwyddyn cadeirio J.J. Williams yn Llangollen am ei awdl foliant i'r telynegwr o gysurwr cenedlaethol, a blwyddyn cyn i Anthropos, un arall o'r Ceiriog-garwyr dirwymedi, gyhoeddi *Y Pentre Gwyn*.

O ran ei thras roedd yn ddisgynnydd ar ochor ei thad i Dafydd Dafis Castell Hywel ar ac ochor ei mam i Daniel Rowland, Llangeitho. Roedd fel petai wedi'i harfaethu i fod yn achubwraig i'w gwlad, a thystiodd un a fuasai'n 'gyfeilles' iddi am flynyddoedd lawer iddi adeiladu ei buchedd ar sail ei hetifeddiaeth loyw:

> Yr oedd yn ddynes o deimlad crefyddol dwfn; dechreuai bob dydd drwy gadw dyledswydd deuluaidd, ac enillodd serch yn ogystal a pharch ei theulu. Yr oedd yn hollol gyfiawn yn yr hyn a wnai a'r hyn a dd'wedai – bywyd ac nid credo oedd o bwys yn ei golwg hi . . . Yr oedd yn llawn cydymdeimlad at bawb, ac yn barod i faddeu ffaeleddau eraill; yr oedd yn ddynes hynod o fwyn a thyner ei chymeriad – y fwynaf a'r dyneraf a gyfarfyddais erioed. Yr oedd o anian heddychlon a didwrf; nis gadawai i ddim dori ar ei thawelwch; nis caniatai i bethau bychain ei chythryblu, a phriodolai barhad ei hieuenctyd i'r ffaith hon.[77]

Sôn am rodd o'r nef i 'Walia lân'! Fe'i cynysgaeddwyd i fod yn eicon ym mlynyddoedd olaf teyrnasiad Victoria.

Yn dynn ar sodlau *A Welsh Singer* fe ddaeth *Torn Sails: A Tale of a Welsh Village* (1898), *By Berwyn Banks* (1899), *Garthowen* (1900), *A*

Welsh Witch (1902), *On the Wings of the Wind* (1903), *Hearts of Wales* (1905) a *Queen of the Rushes* (1906). Yna, ar ôl ei marw cyhoeddwyd *Neither Store-house nor Barn* (1908), *All in a Month* (1908), *Where Billows Roll* (1909) ac *Under the Thatch* (1910) – y cyfan ynghyd yn dwysged o ffuglen ramantaidd na chawsai'r Cymry ddim tebyg i'w fwynhau o'r blaen. Yr oedd i sicrhau iddi luoedd o ddarllenwyr.[78]

Cofiaf yn dda am y casgliad trysoredig o'i nofelau clawr-papur, cynnyrch yr 'Hutchinson's Sixpenny Library', yn ein cartref ni yn Llanddewi Aber-arth. Merch o gyffiniau Castellnewydd Emlyn oedd mam-gu ar ochr mam, ac roedd Allen Raine, wrth gwrs, yn ferch o'r union bentref hwnnw. Roedd pentrefi glan môr Tre-saith a Llangrannog, a'r wlad amaethyddol o'r tu cefn iddynt – hynny yw, 'milieu' y storïau nad oedd blino arnynt – yn gyfarwydd ddigon i mam-gu, ond roedd eu gweld wedi eu hudoli gan ddychymyg Allen Raine yn bleser dibaid. Ni raid imi yn y cyswllt hwn ddyfalu pa mor hir y parhaodd ei gallu i swyno darllenwyr ar ôl ei marw. Yn yr 1940au dolurus, gwn o brofiad ei bod yn para'n bresenoldeb cyfareddol i un teulu mewn pentref glan môr ar lan Bae Ceredigion.

Ond am Caradoc Evans ni chlywais air. Fe fyddai gweld am y clawdd â thir dedwydd Allen Raine ei 'Fanteg' ef siŵr o fod fel edrych yn nrych diawlineb. Eto i gyd, y mae Sally Jones wedi dangos yn effeithiol fod Allen Raine mor ymwybodol â Caradoc o'r tlodi, y gerwinder, yr afiechydon a'r creulonderau a greithiai fywyd gwerin gwlad. Ni wadai le i blant siawns a gwallgofiaid yn ei nofelau, nid oedd yn ddall na byddar i dwyll a malais a thrueni. Onid oedd y llygoden rost a ddarganfu'r 'Respected Joshia Bryn-Bevan' yn llaw farw Nanny ar ddiwedd stori egr Caradoc, 'Be This Her Memorial', eisoes wedi ymddangos yn *Torn Sails* yn hanes Gwen yn bwydo'r baban? Fe wyddai Allen Raine yn iawn am wydiau a dioddefiadau'r werin: 'she had as few illusions [as Caradoc] about her neighbours, but rather more charity.'[79]

Yng ngolwg Caradoc nid oedd hi ddim amgenach na sentimentalydd, ond y gwahaniaeth hanfodol rhyngddynt oedd ei bod hi'n arddel y ffeithiau caled a oedd yn hysbys iddi oddi mewn i weledigaeth o fywyd a oedd yn gynnes gan gydymdeimlad at bobol a chariad at harddwch y byd y treulient eu horiau cwta ynddo. Iddi hi, nid oedd bywydau wedi'u byw yn syml rhwng terfynau clòs yn rhwym o fod yn hyll a darostyngedig. Credai nad oes i ddychymyg a gobeithion ac uchelgais

105

ffiniau. Y mae'r llais dynol yn canu'n fynych yn nofelau Allen Raine i gyfeiliant sŵn y gwynt a'r tonnau'n torri ar y traeth. Ydyw, y mae'n sentimentaleiddio, wrth gwrs ei bod hi; wedi'r cyfan, cyfrinach ei phoblogrwydd oedd ei bod yn deall grym melodrama a'i bod yn argyhoeddedig fod bywyd, waeth pa mor flin ei dreialon, yn ei hanfod yn drysor o beth. Roedd yn rhaid i'w chywair llywodraethol hi fod yn un anogaethol.

Er ei fod yn barod i gyflwyno Allen Raine i ddarllenwyr *Ideas* yn un o ddau nofelydd arwyddocaol Cymru – Daniel Owen oedd y llall! – fel awdur 'nice false novels' y syniai Caradoc amdani mewn difrif. Hwyrach ei fod yn cenfigennu wrth ei llwyddiant masnachol gan ei fod byth a beunydd yn meddwl am arian ac o'r herwydd wedi dyrchafu ariangarwch yn un o'r arch-bechodau. Gallai argyhoeddi ei hun, wrth gwrs, mai'r artist cywir ynddo a gâi 'stwff' Allen Raine yn ffals. Fel y broliodd: 'If I fashioned nice false novels about Wales I might gather enough wealth in three years to enable me to retire'.[80] Ond nid oedd ef yn chwennych cyfoeth, meddai. Fodd bynnag, pan ofynnodd perthynas iddo beth a'i cymhellai i ysgrifennu mor gignoeth am ei gyd-Gymry roedd ei ateb yn ddi-lol, – 'Arian'.[81]

O'r holl rai ar ôl marw Allen Raine a ganodd ei chlodydd fel cymwynasreg i'w gwlad a'i chenedl, nid oes un sy'n ateb gofyn y bennod hon yn well na Niclas y Glais – y Parchg. Thomas Evan Nicholas (1878–1971) a oedd yn weinidog yn Y Glais, yng nghwm Tawe, pan enillodd gadair Eisteddfod Castellnewydd Emlyn yn 1910 am bryddest foliant iddi. Fe'i ganwyd ef yn Llanfyrnach, sir Benfro, yr un flwyddyn â Caradoc Evans ac yn ystod ei gyfnod yn Y Glais roedd yn bwrw gwreiddiau'r sosialaeth a'i gwelodd yn tyfu'n gyflym yn gomiwnydd disigl. Pa faint bynnag o sosialydd oedd Caradoc – priododd ail wraig o Dori gyfoethog a ysgrifennai'n llifeiriol lwyddiannus yr un math o ffuglen ag Allen Raine, a hi'r 'sentimentalydd' a fu'n cadw Caradoc trwy flynyddoedd ei ddiffrwythder ar ôl iddo adael Llundain – go brin fod sosialaeth yn cyfrif mwy iddo ef nag a wnâi i Niclas y Glais. Ac ni ddaeth i ben hwnnw fod eisiau iddo ddarnladd gwerin gwlad i brofi cymaint y doluriai o weld ei thrueni. Yn hytrach, canodd ei salmau i'w dyrchafu a chân o fawl i gyd-ddyrchafwr yw'r bryddest a ganodd i Allen Raine yn 1910. Y mae'r dyfyniad sy'n dilyn mor ddadlennol â dim o'r teimlad iddi roi ei chenedl yn ddwfn yn ei dyled:

Daeth Allen Raine hyotled a mellt y daran,
I siarad bywyd Cymru wrth deyrnas gyfan.
Rhoi iaith i'r 'gorau' a wnaeth, ac anghofio beiau, –
Rhoi iaith i'r blodau heirdd, ac anghofio'r pigau . . .
Anfarwol awdures! awdures y Llyfrau Gwynion,
Yn dangos goreu ei chenedl i lygaid estron.
Nid lluchio llaid y llechweddau i dònau'r Deifi,
I'w gario i'r eigion eang, a heibio pentrefi,
Ond taflu blodau'r dyffryn i wyneb y dyfroedd,
A serch y Cymro yn gofion at gyfandiroedd.[82]

Yn 1910 canai Niclas y Glais glodydd un a wrthweithiodd wenwyn Brad y Llyfrau Gleision ac fel un a ragwelsai frad *My People* yn 1915:

Mae beiau cenedl yn lleng; ac O! mor amlwg;
Ond medr cariad godi'r daioni i'r golwg.
Llawn ydyw bywyd fy ngwlad o swynion di-lychwin, –
Llawn o ramantau yw bywyd di-dwrw'r Werin, –
Llawn o gynghanedd, llawn o gerdd, a hyawdledd, –
Llawn o ddelfrydau, a llawn o serch at wirionedd.
Gwynion ei menyg ar waethaf gorthrwm yr oesau, –
Llawnion ei themlau ar waethaf amheuon ac ofnau, –
Gardd ydyw Cymru, â'i drysau yng nghau fel Eden,
A'r iaith yn cadw ei phyrth fel cerub fflam-aden.[83]

Ac fe ddaethai Allen Raine i agor llygaid y byd i ffrwythlonder yr ardd honno mewn nofelau y bwriadai iddynt roi i'r estron syniad dyrchafol 'Am geinder bywyd y genedl garodd ei chalon'.

A bod yn deg â Caradoc, nid ef fyddai'r unig Gymro yn 1910 i gael pryddest o'r fath yn drioglyd. Rhwng cyfnod 'Cymru Fydd' a'r Rhyfel Mawr fe fyddai papurau a chylchgronau'r Gymraeg yn rhoi digon o le i brotestio yn erbyn goreuro Cymru. R.H. Jones, Upper Brighton a ganodd yn *Y Brython* yn 1909:

Mewn breuddwyd gwelais Walia hoff
   Yn wen fel eira mân.
Ond gyda'r wawr goleuni ddaeth,
A'r breuddwyd tlws diflannu wnaeth –
   'Doedd Cymru ddim yn lân.[84]

107

Yn ei atgofion am y blynyddoedd rhwng ei eni yn 1878 a'i ben-blwydd yn 21 oed yn 1895, gallai Islan, 'Cardi' a aned ym mhentref Cribyn, sôn am Dafis Bach y sgwlyn, mab i weinidog, a âi'n fynych ar y sbri; am yr 'athrawiaethau dychrynfeydd ac arswyd' a oedd 'yn rhy gyffredin yn yr ardal' ac yn gwbwl groes i ddaliadau ei Undodwr o dad a fynnai ei ddysgu 'i fod yn onest, yn eirwir, yn weithgar, yn gyfeillgar a chymwynasgar ac yn anrhydeddus mewn gair a gweithred'; ac am ddynion 'a ymddangosai yn onest a pharchus yng ngolau dydd' ond a oedd yn lladron mileinig yn y nos. Pe digwyddai i ryw garwr truan ddod wyneb yn wyneb ag un o'r rhain fe gâi ei orfodi, 'a chyllell ar ei wddf', i dyngu na ddywedai fyth air wrth neb am yr hyn a welsai:

> Dyna'r rhan ddieflig o'r fusnes. Adwaenwn ddau neu dri o fechgyn a frawychwyd i'r fath raddau gan brofiad o'r fath, fel na welsant ddydd iach byth ar ôl hynny. Nid dynion tlotach na'r cyffredin oedd y lladron chwaith, ond dynion o anian wael.[85]

Yng Nghribyn!

Ac er i Hattie Glyn Davies anwylo'i hatgofion am dyfu lan ym mhentref Gilfachreda ar lan Bae Ceredigion, ni chelod mo'r ffaith ei fod yn lle bach hierarchaidd a gadwai fwlch go bendant rhwng y tlawd a'r cysurus eu byd – yn enwedig gwragedd capteiniaid llong. Yr oedd yr hen ffordd Gymreig o fyw yn galed a thlodi yn bechod o fath, ac os am weld 'parchu' y gwahaniaethau dosbarth mewn difrif nid oedd eisiau ond sylwi ar ddefodau parti blynyddol yr Ysgol Sul. Ac am yr ysgol, beth bynnag arall ydoedd, yr oedd yn lle i borthi ofn: 'Ystyriem Mistir fel Duw, a llawer mwy o'i ofn arnom nag o ofn Duw . . . "Slab" yn yr ysgol, a "clatsien" gan mam, oedd y ddau gwmwl du oedd yn hongian dros ein pennau o ddydd i ddydd'. Gresynai Islan am na allai ddweud fod Cribyn 'yn ganolfan diwylliant'; ni allai Hattie Glyn Davies, chwaith, gofio iddi weld yng Ngilfachreda yr un llyfr Cymraeg ar wahân i'r Beibl a *Taith y Pererin*. Pa obaith oedd i blant ymroi i ymddiwyllio yn hwyrach mewn bywyd a'u haddysg fore mor boenus ei chynodiadau.[86]

Fel Allen Raine, fe wyddai Niclas y Glais, Islan a Hattie Glyn Davies am wyrni'r natur ddynol yn eu rhan hwy o'r byd ond ni chredent eu bod yn byw ynghanol ffieidd-dra. I'r gwrthwyneb, ymfalchïent yn eu perthynas â'u cyd-bentrefwyr a'u cyd-blwyfolion. Roeddent ar delerau da – rhy dda yn aml er lles eu llenydda – â'u cynefin. Ac y mae un arall sy'n rhaid ei ychwanegu atynt, un a faged lled cae, fel petai, oddi wrth Caradoc Evans ac a ddaliodd tan ei farw i goleddu'r cof am y bobol y prifiodd yn eu plith ac i ogoneddu'r wlad a feddwodd ei synhwyrau pan oedd yn blentyn. Y gŵr hwnnw yw Sarnicol (Thomas Jacob Thomas, 1873–1945), bardd a llenor sy'n peri bod cieidd-dra Caradoc hyd yn oed yn fwy ciaidd o'i weld yn nrych ei atgofion hardd ef pan ddychwelai 'Ar Adenydd Hiraeth' at ganolbwynt ei fyd 'Yn symledd teios y moelydd tawel'. Ar Fanc Siôn Cwilt roedd Sarnicol 'yn nes i hanfod pethau nag yn unman arall'.[87]

Maged Sarnicol yng Nghapel Cynon ac fe fu Banc Siôn Cwilt ei fachgendod yn brif wythïen ei lenydda ar hyd ei oes. Ar ôl iddo ymddeol o'i waith yn brifathro Ysgol Uwchradd Mynwent y Crynwyr (1922–31) wedi blynyddoedd o ddysgu cemeg yn Southampton, Abergele, Abertileri a Merthyr, ymgartrefodd yn Aberystwyth lle'r arferai gwmnïa â Caradoc tua diwedd oes y ddau ohonynt. Buont farw yn 1945, Caradoc yn Ionawr a Sarnicol ym mis Rhagfyr. Cawsai Sarnicol addysg dda a gradd BSc. wedi cyfnod yng Ngholeg Prifysgol Aberystwyth. Yn ddiweddarach enillodd radd BA trwy arholiad allanol ym Mhrifysgol Llundain. Roedd yn ddiwylliedig, mor rhugl ei Saesneg â'i Gymraeg, yn medru rhyw gymaint o Ladin a Ffrangeg, yn finiog ei feddwl ac yn ddychanwr sicr ei ergydion epigramatig – ond nid ar draul teilyngdod gwerin Banc Siôn Cwilt. Gofalodd fod i Gapel Cynon le ymhlith ardaloedd gwynfydedig *Cymru* 'O.M.'[88]

Sarnicol (1873–1945).

109

Waeth beth am brofiadau Caradoc yn Stryd y Fflyd, ni allai edrych i lawr ei drwyn ar Sarnicol fel gwladwr cul ei gwys. Ond y mae'n siŵr fod y modd y daliodd ati i ailgylchu ei atgofion pêr am fro ei febyd yn dipyn o dreth ar amynedd Caradoc. Siawns nad cytuno i beidio â siarad gormod am eu canfyddiadau o'u cynefinoedd a'i gwnâi'n bosibl iddynt gwmnïa o gwbwl. Pan ysgrifennodd Sarnicol adolygiad byr ar nofel Caradoc, *Wasps*, yn 1933, fe'i gwnaeth hi'n glir na dderbyniai mo'r gwaith fel portread 'cywir' o'i Gymru ef: 'No, no, Caradoc Evans; no part of Wales, or any other country under the sun, is anything as bad as this. And I believe you will honestly admit the fact . . . You have had in mind not Wales but the world; not the Welshman but Everyman . . . You have collected your game in many parts, cooked it most cunningly and dubbed it – Welsh Rabbit. And Saxon and Celt have consumed both with unholy relish!' Dylid efeillio 'Manteg' â 'Lilliput' Swift a derbyn eu bod yr un mor greulon o wir 'o'u darllen yn iawn'. Dyna'r gamp. Gwaetha'r modd, meddai Sarnicol, 'From many conversations I have had with the author of "Wasps" I have come to the conclusion that he has allowed himself to be profoundly misunderstood'. Yn nwfn ei galon roedd yn caru Cymru a'i phobol ond talai'n well iddo daflunio'i hun fel casäwr didrugaredd. A Sarnicol wedi'i gadeirio yn Eisteddfod Genedlaethol Y Fenni yn 1913 am ei awdl fwyngu ar 'Aelwyd y Cymro', prin y gallai o ran cywair a golygwedd fod yn fwy gwahanol i awdur *My People*.[89]

Rhwng 1905 ac 1909 fe fu Sarnicol yn atgofioni ar dudalennau'r *Ymofynydd* Undodaidd, gan ysgrifennu'n enillgar ac mor hudolus ar brydiau â Laurie Lee i'm tyb i, yn y gyfres 'O Fôr i Deifi', am y modd yr oedd y wlad a'i phobol o Geinewydd, trwy ddyffrynnoedd Cletwr a Cherdin, hyd at Landysul, wedi hawlio'i serchiadau yn llwyr. Ar y pryd, yn 30 oed, roedd yn llawn aiddgarwch 'Cymru Fydd' a dygyfor Diwygiad 1904–05. Syniai'n uchel, heb gau ei lygaid ar ddiffygion, am bosibiliadau ei gydwladwyr ac yn ei ddisgrifiadau o ysblanderau tirwedd a morwedd roedd yn fynych yn naturgarwr ysbrydoledig. Bro hanfodol iach a oedd yn drigle pobol hanfodol ddaionus oedd gwlad Sarnicol rhwng môr a Theifi.

Yn ddyn yn ei oed roedd dychwelyd i bentref Talgarreg, lle'r aethai i'r ysgol gynt, yn siomiant iddo pan gyrhaeddai a'i gael yn llai o le iddo ymhob ystyr nag ydoedd pan oedd yn grwtyn, ond nid hir y byddai'r 'hen bentref bach' cyn ei adennill:

Talgarreg.

111

Mor Gymreig yw'r pentref, a chartrefol yw ei drigolion; gwŷr ac arogl hyfryd pridd dihalog y ddaear arnynt; gwragedd a serch agored, digêl; natur yn byrlymu o'u calonau i'w llygaid; plant yn chwareu o gylch y lle; yn siarad iaith agos mor hen ag iaith ŵyn Shôn Cwilt a dedwyddwch anymwybodol yr ŵyn yn eu bronau ieuainc.[90]

'Pridd dihalog y ddaear' – lled cae oddi wrth 'Manteg'! I Sarnicol roedd cewri wedi'u magu yn Nhalgarreg a phe gellid perswadio'r bechgyn 'fod ugain punt y flwyddyn ar un o feysydd iachus Ceredigion yn well na chanpunt yn mhyllau glo afiach Sir Forganwg' câi cewri eu magu yno eto. Dychmyger ymateb Caradoc, y sosialydd. Ond ni faliai Sarnicol:

Nis gall aur y cread braidd guddio hagrwch bywyd y dref, a'r llwch a'r glo – a gwaeth fyth hagrwch egr ei hanfoesoldeb a'i meddwdod. Bywyd prydferth, syml, gonest – bywyd Cymreig ar lanau Cletwr – bywyd iach, diofidiau, di-dwrw, pwy wyr ei werth cyn ei golli am byth?[91]

Pa ryfedd fod i Sarnicol, hefyd, groeso ar aelwyd *Cymru* O.M. Edwards. Gellid tyngu mai 'O.M' a ysgrifennodd y geiriau hyn ond Sarnicol a'u piau:

Ie, gwladwr yw'r Cymro yng ngwaelod ei enaid; dyn y meysydd, a'r adar, a'r anifeiliaid, a'r afonydd ydyw; afonydd ei hen ddyffrynnoedd; a chymoedd ei febyd, ac nid afonydd Babilon. Ar eu glannau estron hwy crogir y telynau ar yr helyg'.[92]

A dyna'i farn yn 1935, deng mlynedd cyn ei farw yn 72 oed.

Yn ei flaen yr aeth yn 1907 trwy'r 'dyddiau heulog diddolur', o gwm i gwm, o ddyffryn i ddyffryn, gan gywain hen gydnabod a chyfoedion i ydlan ei ddiolchgarwch. Ni ddilynai ond trywydd rhinwedd; roedd yn barod wrth fynd heibio i weld brychni a sylwi ar eisiau, ond roedd ei fryd ar dlysni bro a dynoliaeth braf. Enoc yr Esger, Dafydd Jones a T.G., Dafy Boe y torrwr cerrig a Joseph Gilfach-Ddafydd, Siân Dyffryn Cletwr a Nani Pantbach yn ei gardd (yn syfrdanol wahanol i 'Nanny' Caradoc â'i llygoden rost yn ei llaw farw) – roedd Sarnicol yn ei afiaith yn eu consurio tra byddai Caradoc yn ei elfen yn eu digroeni. A phentrefi Ceinewydd, Tregroes, Capel Cynon, Talgarreg, Pontshan a Llandysul – i gyd i Sarnicol yn nawsio o gymdeithas dda ac i Caradoc fawr mwy, gellid mentro, na phyllau gwyd i bysgota ynddynt am straeon.

Mor agored oedd Sarnicol i swynion pentrefi Ceredigion. Llan-non a'r hen forwyr yn geidwaid 'gwir hanes a rhamant' y pentref tawel. Gellid tybio yn yr haf 'fod pawb o'r trigolion yn mwynhau eu siesta, fel un o drefydd deheudir Sbaen'. Ac wrth edrych yn ôl o ben Morfa Mawr a gweld y pentref gyda'r hwyr yng nghysgod yr hen eglwys a'r tawelwch yn ddyfnach nag ar ganol dydd cysglyd, sut na ellid dychmygu clywed clychau Cantre'r Gwaelod 'yn canu draw ymhell rhwng traeth a gorwel'? Ac wele Aber-arth 'sy'n cysgu ar lan ei afonig, dan gysgod ei goed afalau; a'r hen gapteniaid yn breuddwydio am eu hwyl a'u helynt ar seithfor y byd'. Y mae'r geiriau hynny wedi fy nghyfareddu ers blynyddoedd lawer. Tybed a oedd rhyw Gapten Cat yn eu plith?[93]

Nid oes gwadu tegwch Llan-non ac Aber-arth ar lan Bae Ceredigion. Rwyf wedi eu gweld droeon ar ddiwrnodau ysblander haf a gaeaf yn ddwyn-anadl o hardd, fel y gwelai Sarnicol y Cei bob amser. Yn grwt ysgol arwraddolai forwyr Ceinewydd gan ffroeni mwg eu baco o bell fel 'Bisto kid', a bu hud y pentref arno ar hyd ei oes. Yno y dechreuodd farddoni ar ôl 'meddwi' ar faco shag a gafodd gan ddau gyd-letywr â'u bryd ar y weinidogaeth – ffaith y byddai Dylan Thomas wedi'i gwerthfawrogi fel y mae'n siŵr y byddai wedi dotio at yr olwg hon ar y Cei a gafodd Sarnicol yn Awst, 1935:

Draw, a rhyw wyth neu naw milltir o fôr rhyngom ag ef, a phentir, a basddwr, a chwmwl ac awel yn creu ar y dyfroedd bob gwawr o wyrdd a glas a melyn, wele bentref Ceinewydd yn wynebu'r Bae, fel clystwr o berlau ar fron yr hen dywyn serth acw. Ac o'r fan lle y safwn yn awr, nid yw ymddangosiad y lle wedi cyfnewid dim ers can mlynedd; mae'r tair stryd acw yn ymyl yr hen gwarre yn eu gwynder cynhenid fel yr oeddynt ar fore o haf nad erys yng nghof neb sydd heddiw'n fyw. Ac nid yw'r Ceinewydd, fel llawer i bentref, yn gwaethygu wrth ddynesu ato. Yn wir, o un gongl o'r heol newydd sy'n arwain i'r Cei o Gefn Cargi, mae'r olwg ar yr hen bentref annwyl yn un na ellir ei anghofio. Drwy fframwaith o goed a blodau gwylltion, gwelir y pentref a'i dai mewn afreoleidd-dra prydferth, a gerddi gwyrddion o'u cylch, yn wynion ar fin y traeth, ac yn wawrgoch yma a thraw hyd ochr y llechweddau – ond, i dynnu pictiwr teilwng o'r Ceinewydd, rhaid wrth artist a'i frws a'i baent, yn hytrach na phin ysgrifennydd buan.[93a]

Y mae sawr *Under Milk Wood* ar ddarn fel yna.

113

Ond roedd gan Sarnicol lygad hefyd i weled gogoniant pentrefi gwledig a fyddai'n ddi-nod, onid yn ddiolwg, i'r mwyafrif mawr ohonom. Nid gweld yn gymaint â darganfod pentref Gors-goch a wnaeth, a chredu iddo gael ei eni yno tua dechrau'r oesoedd canol. Meddylier am y budreddi y gallai Caradoc ei bentyrru mewn lle o'r fath. Rhyfeddu at ei ddarganfyddiad wnaeth Sarnicol a rhoi'i enaid ar les iddo:

> Mae ei dawelwch dihidio yn aros o hyd ar fy enaid, ac y mae arogl ei danau mawn i'w glywed yn gryf ar bob meddwl o'r eiddof. Syrthiais mewn cariad â'r hen waun fawr lydan a orwedd rhyngddo â Dyffryn Cletwr, ar y bryniau pell, mudan a'i cylchyna, a mwy na dim ar wynebau brawdol pobl y lle. Gwn fy mod yn perthyn yn agos i bawb yn y pentref.[94]

Dyna iaith na fuasai awdur *My People* a *Capel Sion* am ei deall, heb sôn am ei harfer. Yn ei brofiad ef, 'In the Welsh village everybody hates his neighbour and nobody knows God . . .'

Mewn anerchiad a baratôdd ar gyfer un o gyfarfodydd Gorsedd y Beirdd yn Eisteddfod Genedlaethol Aberystwyth yn 1916, canodd Sarnicol glodydd 'Llenorion fy Mro' gan roi lle anrhydeddus i Syr John Rhŷs, y Dr Lewis Edwards a'r Canon Silvan Evans. Ac meddai: 'Y mae llusern dysgeidiaeth wedi ei chadw yn olau yn amaethdai Ceredigion er ys cenedlaethau lawer: myn traddodiad godi nifer o offeiriaid, pregethwyr, ac ysgolfeistri ymhob ardal; ac nid oes bentref yn y sir heb fachgen, neu ferch wedi graddio . . .' Ni fyddai gan Geredigion achos i ymffrostio yn ei hysgolheigion, ei beirdd a'i llenorion oni bai am 'awyrgylch draddodiadol lleoedd gwledig' ac y mae'n anodd peidio â meddwl mai at Caradoc yr anelodd Sarnicol saeth ei englyn clo:

> Caer yw y deg Geredigion – heddyw
> I addysg; gelynion
> A lorir yn falurion
> Gan arf Dysg yn nhwrf y don.[95]

Prin fod Caradoc i lawer 'Cardi' yn ail ei ddiawlineb i'r Kaiser yn 1916.

Waeth beth am hynny, os trodd John Gibson 'Religion in Wales' yn John Gibson 'Gorwen', ni fyddai troi ar Caradoc. Yn 1937 soniodd Jack Jones, y nofelydd, iddo alw heibio iddo yn Aberystwyth a'i gael o hyd yn gaeth i'w gŵyn yn erbyn ei bobol ei hun. Gofynnodd iddo 'roi taw ar ei lol a bwrw ati i weithio', ond i ddim pwrpas. Roedd Caradoc yn benderfynol o ddal ati 'â'i ddifrïo ofer ar ei bobl ei hun'.[96] Fel awdur a chanddo ddoniau diamheuol, fe'i llethwyd gan lwyddiant *My People* yn Llundain ac o 1915 ymlaen fe'i tynghedodd ei hun i fod yn seinfwrdd i'r llwyddiant hwnnw. Y mae'n sicr ei fod yn mwynhau chwarae rhan yr erlidiedig cyfiawn tra'n swagro ar hyd Stryd y Fflyd, a phan ddaeth nifer o Gymry Llundain i darfu ar berfformiad o'i ddrama, *Taffy*, yn 1923, gallai frolio ei fod yn cael yr un driniaeth ag a gafodd J.M. Synge pan berfformiwyd *The Playboy of the Western World* yn Nulyn yn 1907. Hynny yw, gallai gredu fod iddo statws cyhoeddwr gwirioneddau anhepgor, un a fyddai'n siŵr o ennill cefnogaeth ei bobol unwaith y byddent wedi gorffen ei gasáu am fod mor eofn.

Y mae'n wir i nifer o'r awduron Eingl-Gymreig a'i dilynodd ei eiconeiddio – neb yn fwy felly na'r Athro Gwyn Jones a'r Dylan Thomas ifanc a ddôi i eistedd wrth ei draed yn Aberystwyth – ond yn y Gymru Gymraeg rhyw bresenoldeb bwci-bo fyddai iddo er gwaethaf galw rhai fel W.J. Gruffydd a D.T. Davies am ystyriaeth deg iddo. I'w gaseion, wrth gwrs, fe fyddai'n bresennol yn y cysgodion fel burgyn y dôi ei ddrycsawr i lenwi eu ffroenau ac roedd hwnnw'n para yn ddigon cryf i flino T. Llew Jones yn y flwyddyn 2002 a hynny'n bennaf oherwydd y cam a wnaethai â'r Gymraeg.[97] I 'T. Llew' trosedd salaf Caradoc oedd gwyrdroi iaith rywiog pobol Rhydlewis yn aflafaredd Saesneg yng ngeneuau'r anafusion o ran corff, meddwl a moes sy'n poblogi ei storïau, a phan gofiwn pa mor aml yn ystod y ganrif cyn 1915 y bu'n rhaid i'r Cymry ddioddef gwatwar eu hiaith fel 'gibberish' yn Nhŷ'r Cyffredin, yn y llysoedd barn, yn yr ysgolion a'r colegau, heb sôn am y wasg, nid oes amau ei fod yn rhoi'i fys ar ddolur llidus. Credai'r Parchg. J. Seymour Rees fod Caradoc wedi datgelu mwy nag y dymunai'r Cymry ei weld er 'nad ydym mor ddrwg ag y mynn ef gredu ein bod', ond ymgroesai yntau rhag ei droseddau 'echrydus' yn erbyn y Gymraeg. Wedi'r cyfan, pa ffordd futrach sydd i iselu pobol na gwadu rhuglder parabl dynol i'w mamiaith. Ychwaneger y ffaith i'r Cymry wneud y Gymraeg yn warant eu crefydd a'u rhinwedd, ac i Caradoc honni iddo gael help Llyfr Genesis (yn Saesneg wrth gwrs) yn ogystal â Marie Lloyd i genhedlu ei arddull ddiraddiol, ac fe welir sut y gallai fod yna ddimensiwn ieithyddol anfaddeuol i'w 'frad' yng ngolwg lliaws o'i gaseion.[98]

Wrth feddwl am gynddeiriogrwydd ymosodiad Caradoc, ymhle y mae dyn i edrych am ei wreiddyn? Ai yn sêl y diwygiwr cymdeithasol, ai yn nelfrydiaeth y sosialydd a fynnai sylweddoli daear newydd waeth beth am nefoedd newydd, ai yn nicter cyfiawn gwladgarwr o'r iawn ryw? Cyn terfynu ei ysgrif fachog ar dair cyfrol gyntaf Caradoc – y pethau gorau a ysgrifennodd o ddigon – barnai D.T. Davies mai'r cwestiwn y byddai beirniaid y dyfodol yn ceisio'i ateb fyddai beth a wnaeth iddo weld bywyd fel y gwnâi yn ei weithiau cynnar: 'And their finding will amount, in part, to an indictment of certain aspects of social and religious life in nineteenth century Wales. It is these aspects that have goaded him to a point of madness'. Ac yn ôl D.T. Davies, am nad oedd Caradoc wedi ymroi i ddeall yr agweddau hynny ar fywyd cymdeithasol a chrefyddol y wlad y ganed ef iddi yr oedd wedi ymateb iddynt mor ffrwydrol, gan ymollwng i or-ddweud a gwyrdroi. Ei ddiffyg creiddiol fel ysgrifennwr oedd 'faulty vision'. Roedd y byd a welai ar slant: 'Read "My People", "Capel Seion", and "My Neighbours", and you will find what may be termed a constant co-efficient of distortion in them all'. Ni ddangosai dim hynny'n gliriach na'r ffaith ei fod yn dirmygu a chasáu ei greadigaethau ei hun: 'His contempt for them is obvious and the creative artist damns himself utterly the moment he despises his own creations'.[99]

I D.T. Davies yr oedd mwy i'w ddweud o blaid rhinweddau Anghydffurfiaeth nag a oedd i'w ddweud am ei ffaeleddau ond nid oedd gwadu'r ffaith fod y foeseg Anghydffurfiol yn euog o wywo'r gynneddf esthetig ym mhrofiad llu o Gymry creadigol eu hanian. A'r hyn a wnaethai Caradoc yn rebel diymatal yn erbyn yr oruchwyliaeth oedd grym cynhenid ei synnwyr esthetig ef. Roedd yn rhaid iddo wrthryfela:

> It was the régime, admirable in many ways, but servile and arid as the Sahara in other respects, which he had found oppressive. His retort has been irrelevant and unseemly, but we should not condemn him without trying to understand what the stimulus was and how he came to respond to it.

I D.T. Davies, felly, nid ysgrifennu i ddiwygio cymdeithas a wnâi Caradoc; barnai ei fod yn awdur storïau 'un-moral', nad oedd ganddo yn y bôn fawr o gonsýrn am wydiau cymdeithasol. Ysgrifennai, yn hytrach, i fynnu hawl i'r artist ynddo gael byw ac oherwydd hynny fe dalai i'r

Cymry ei drafod yn feunyddiol am flwyddyn pe gellid canolbwyntio ar graidd y drafodaeth – sef perthynas Celfyddyd â Bywyd. Dadl ofer oedd honno ynglŷn â difenwi Rhydlewis a rhwystr ar ffordd beirniadaeth olau oedd dicter. Camp lenyddol ddiamheuol Caradoc a'i ddatblygiad tebygol yn awdur o'r radd flaenaf pan fyddai twf y synnwyr digrifwch a frigodd i'r wyneb yn ei ddrama *Taffy* wedi rhoi iddo 'a truer view of life' – dyna'r pwnc proffidiol i'w drafod ym marn D.T. Davies.[100]

Ni wireddodd Caradoc mo'r gobeithion hynny. Ni chafwyd ganddo mo'r hiwmor sy'n ffynhonni o ymwybod doeth a dwys â'r gomedi ddynol. Heb gasáu, dirmygu a dilorni nid oedd ganddo ddim i'w ddweud. Dyna oedd tair rhes ei delyn ddig ef. Barnai D.T. Davies fod eisiau symud pwyslais y trafod ar storïau Caradoc o'r patholegol i'r seicolegol ond ni wnâi neb fwy i atal datblygiad o'r fath na Caradoc ei hun. Mynnai ei fod yn ysgrifennu yn unol â'r modd y gwnaethai Duw ef, 'the nastiest thing that has been said about the Creator for some time' meddai D.T. Davies, a'i hanogodd i edrych i mewn iddo'i hun i ganfod nad oedd, fwy nag undyn arall, o gwbwl fel y gwnaethai Duw ef. Roedd byw ynghanol pobol yn ystumio pawb, rhai yn waeth na'i gilydd; roedd hefyd yn eu gwneud, chwedl y salmydd, yn fwy rhyfedd ac ofnadwy nag y bwriadodd Duw iddynt fod. Yn sicr, nid oedd Caradoc yn eithriad:

> Caradoc Evans, unconsciously, and as revealed in his books, is more interesting than the books themselves. He has great natural gifts for creative work (the part of him that God made), but these are so steeped in and hampered by unpleasant obsessions that they emerge in print covered with a slime for which Heaven, at any rate, is not responsible.[101]

Go brin, mi gredaf, fod eisiau amau mai ym mhridd hunanddirmyg y gwreiddiodd cynddeiriogrwydd Caradoc. I'w fordd ef o weld pethau roedd hwnnw'n gyflwr anorfod i rai wedi'u tynghedu i fyw dan iau Anghydffurfiaeth. Ni hoffai Caradoc mo'r hyn ydoedd; prifiodd dan faich ymdeimlad o israddolder a'r ymdeimlad hwnnw fu'n ffyrnigo'r gwrthymosodiadau yn erbyn ei gollfarnwyr. Y mae'n rhaid i hunanddirmyg wrth ebyrth gwaed a chafodd Caradoc hwy ymhlith gwerin gwlad Rhydlewis a'r fro lle barnai i'w rieni ddioddef camwedd y bu'n rhaid iddo ef dalu ei bris yn ei fywyd ei hun. Fel mab eu sarhad hwy yr ysgrifennodd *My People* a phopeth a ddilynodd – creadigaethau a oedd yn ymwared i'w hawdur waeth faint o swcwr oeddent i'r werin y carai gredu ei fod yn cynnig gwaredigaeth iddi.

Er gwaethaf siars D.T. Davies y mae'n amhosibl anwybyddu'r wedd batholegol ar ysgrifennu Caradoc. Yn ôl ei ail wraig, Oliver Sandys, roedd iddo ochor go dywyll ar brydiau pan fyddai tymer y gormeswr ynddo mor gryf ag ydoedd yn rhai o'r creaduriaid cam a wampiodd yn ei storïau. A phan fyddai mewn hwyliau drwg ar ôl diota roedd yn ddyn i'w osgoi.[102] Yn wir, yn ôl y Parchg. J. Seymour Rees, roedd Caradoc yn golbiwr pan anelai at fod yn fonitor a gwyddai am dad 'a fu'n ei wylio lawer tro wrth ddod o'r ysgol i dalu'r pwyth yn ôl am ei driniaeth o'i blant'.[103] 'Lawer tro', noder. Ac yntau'i hun wedi dioddef gymaint dan ddwylo ysgolfeistri cas! Tyfodd y colbiwr plant gydag amser yn storïwr a gâi bleser o greu poblach i'w colbo, am mai creadigaethau ei hunanddirmyg oeddent. Wele'r meddyg yn ceisio ei iacháu ei hun. Nid rhyfedd fod ei gollfarnwyr yn ei yrru i eithafieithu oherwydd roeddent yn bygwth dod rhyngddo a'i hunanymwared. A benthyg syniad Gwenallt, gellir dweud i Caradoc ysgrifennu mor ddiarbed am ei fod yn teimlo yn ei ben wres y clefyd y mynnai iachad ohono i'w drueiniaid ym 'Manteg'.

Dywedodd J. Seymour Rees iddo'i annog i ysgrifennu llyfr yn dangos 'yr ochr orau i fywyd Cymru' ac i Caradoc ddweud na fedrai, nad oedd ganddo mo'r ddawn: '"Welwch chi, y mae yna bryfedyn nad yw'n hoffi dŵr glân ar wyneb llyn. Gwell ganddo dreiddio i lawr at y bryntni sydd yn y gwaelod. Felly finne. 'I love to wollow in the mud.'"' Wedi peth dadlau addawodd ysgrifennu nofel dan y teitl 'The New Jerusalem' ond ni ddaeth dim o hynny.[104] Fe wyddai Caradoc hyd a lled ei allu, mai cyfyng ydoedd mewn gwirionedd. Yng ngeiriau Anthony Conran, 'He failed to grow beyond the re-enactment of his anger'. Dychmyger Gerald Scarfe yn llunio'r un cartŵn drosodd a throsodd. Tiwn gron o awdur oedd Caradoc; syfrdanodd amherseinedd y diwn honno wrandawyr esmwyth 'Gwalia lân' yn 1915 ond fel y nododd John Harris, ymhen deng mlynedd nid oedd marchnad i'w lyfrau.[105] Heb fedru adnewyddu ei ddawn nac ymosod o wahanol onglau, aethai'n ddiflas o 'Siôn 'run shwt'. John Harris a'i cododd i'r amlwg drachefn pan oedd tymer yr oes yn yr 1980au yn gydnaws â'i gieidd-dra, ond er mor gampus yr ailgyflwynwyd ef i gynulleidfa newydd ni adawodd *My People* a *Capel Sion* grych ar wyneb y dŵr y tro hwn. I gynulleidfa Gymraeg a gawsai ugain mlynedd o gwmni aflaweniaid 'Cwmderi', prin fod anafusion 'Manteg' yn mynd i fennu arnynt.

Aeth llenyddiaeth Gymraeg yn ei blaen ar ôl 1915 fel pe na bai dim wedi digwydd. Ni ellir dweud i Caradoc berswadio, chwaethach orfodi, ei hysgrifenwyr i newid tac o ran nac arddull na gweledigaeth. Os rhywbeth, dwysáu wnaeth yr awydd i goledd a chadw. Yr oedd Caradoc rhwng Diwygiad 1904–05 a'r Rhyfel Mawr wedi dewis dull o ymosod a oedd yn rhwym o elyniaethu trwch mawr ei gydwladwyr. Y mae popeth a ysgrifennodd W. Llewelyn Williams a D.J. Williams, er enghraifft, fel pe'n gweiddi 'Celwydd!' yn wyneb Caradoc.[106]

Yn arwyddocaol iawn yn y cyswllt hwn fe ofalodd O.M. Edwards, nawddsant y coleddwyr, na châi awdur *My People* ei grybwyll yn *Cymru*. Fel Lefiaid yr ymddug *Y Beirniad*, *Y Traethodydd* a'r *Geninen* ato hefyd. Y mae'n siŵr na fyddai yng ngolwg 'O.M.' ddim amgenach na'r bodach na chliriai'r geudy o'r naill flwyddyn i'r llall! Ac nid ymddengys i Caradoc wneud sylw ohono yntau, fwy nag a wnaeth o awduron Cymraeg eraill petai'n dod i hynny. Fel y mae'n digwydd yr un oedd cryfder llenyddol y ddau, sef gallu i argyhoeddi darllenwyr fod eu darlun rhannol hwy o fywyd yn ddarlun cyfan. Fodd bynnag, nid oedd fawr o obaith iddynt argyhoeddi ei gilydd o wirionedd eu gweledigaethau ac fe wyddai 'O.M.' y ffordd orau, fel y credai, i drin difrïwr. Mewn ysgrif fer ar 'Difenwi Cenedl' a ysgrifennodd yn 1913 pan oedd *Taffy was a Welshman* (1912) yn destun siarad, cynghorai 'O.M.' ei ddarllenwyr i ymddistewi a gadael i bob 'celwydd athrodus' farw. Roedd rhagorach ffordd i ymateb: 'Ai cyngor dyn llwfr wyf yn ei roddi? Sut y gall cenedl falch, o dymer boethlyd, oddef yn ddistaw pan ddifenwir hi? Sut y medr ffrwyno ei hegni? Ni raid iddi wneud hynny. Bydded ei holl egni ar wneud daioni, a sieryd ei bywyd drosto ei hun'.[107]

Yn achos Tyssilio Johnson a Crosland, fel heddiw yn achos Ann Robinson, Janet Street-Porter, A.A. Gill 'et al.', y mae'n siŵr nad oedd dim i'w golli o'u hanwybyddu. Yn achos Caradoc Evans roedd y sefyllfa yn wahanol oherwydd 'fel ysgrifennwr', o ran ei 'mechanical equipment', chwedl D.T. Davies, gallai awduron y Gymraeg ddysgu gwersi ganddo. Nid oedd dim i'w ennill o ddilyn esiampl 'Eynon' a benderfynodd na wnâi gymaint ag enwi Caradoc na *My People* wrth ladd arnynt yn ei golofn 'Hyn a'r Llall o Babilon Fawr' yn *Y Tyst*. Creu 'sensation' er mwyn budrelwa trwy 'gablu yr hen Gardi yn ddiarbed' a'i

119

ddarlunio 'fel anwar ofergoelus heb fan glân na chyfan' oedd bwriad Caradoc. A dyna i gyd, yn ôl 'Eynon', a allai alw ar y Dr Joshua Powell a'r cyfreithiwr, J.H. Evans, brawd Allen Raine, i wrthdystio 'yn erbyn yr anfri hwn ar hen sir y Cardi, ac, o ran hynny, ar Gymru gyfan'.[108]

Yr oedd yn bod yn gibddall. Er gwaethaf gwrthnawsedd Caradoc a thrahauster ei hunanamddiffyniad, y mae lle i ddadlau y buasai llenyddiaeth Gymraeg wedi elwa petai nifer o'i hysgrifenwyr wedi gweld yn dda i drafod crefft a chelfyddyd ei storïau yn bwyllog. Dylasai'r Eisteddfod Genedlaethol ei gael i'r Babell Lên i'w esbonio'i hun ac i 'gyfiawnhau' ei ddibristod o awduron Cymraeg. Cam gwag oedd ei wrthod fel beirniad mor ddiweddar ag 1937. Ymhen dim ar ôl cyhoeddi *My People* fe fyddai'r Rhyfel Mawr yn disodli llawer traddodiad ac yn lluosogi amheuon ledled y gwledydd, a byddai llenyddiaethau'r gwledydd hynny yn esblygu wyneb yn wyneb ag amryfal argyfyngau. I lwyddo, byddai'n rhaid dysgu sut i ysgrifennu ar gyfer cymdeithasau toredig ac yng Nghymru yn benodol ar gyfer cymdeithas yr oedd ei mamiaith yn troi'n lastwr mewn sawl ardal. Roedd dyddiau 'amlder Cymraeg' drosodd ac yn y cyfwng hwnnw roedd gan arddull gywasgedig, awchus Caradoc fwy i'w gynnig nag arddull foethus-fwythus 'D.J.'

Gwaetha'r modd, wrth ymwrthod ag ef fel diawl mewn croen anghofiwyd mai cynnyrch diawliaid mewn croen yw cyfran fawr o lenyddiaeth y byd – diawliaid y mae craffu'n feirniadol effro ar eu dyfeisgarwch yn fwy buddiol i ysgrifennwr nag amenio neu felltithio'u golwg ar fywyd. Os nad yw 'Manteg' yn bentref i'w gymryd o ddifrif fel trigle cymuned o bobol gredadwy, y mae'r arddull a'i chwydodd i'r amlwg, fel y chwydwyd 'San Lorenzo' Parry-Williams, yn sicr yn ddyfais lenyddol i'w chymryd o ddifrif. Siawns na fuasai llenyddiaeth rhyfel a chyni yn Gymraeg yn fwy ergydiol gofiadwy petai hynny wedi digwydd.

1 T. Llew Jones, *Fy Mhobol I* (Llandysul, 2002), 136–40.

2 D. Parry-Jones, *Welsh Country Upbringing* (London, 1948), Foreword.

3 T. Llew Jones, *Fy Mhobol I*, 139-40.

4 Lisa Pennant, *Tai Bach a Thai Mas. Y Cardi ar ei Waethaf.* (Cymdeithas Lyfrau Ceredigion, 2000), 124–6.

5 Gw. John Harris, *A Bibliographical Guide to Twenty-four Modern Anglo-Welsh Writers* (Cardiff, University of Wales Press, 1994), 75–8.

6 Aneirin Talfan Davies, . . . *Astudio Byd* (Llandybïe, 1967), 9–10.

7 David Jenkins, 'Dai Caradog', *Taliesin*, 20 (1970), 79–86.

8 Gerwyn Wiliams, 'Gwerin Dau Garadog' yn M. Wynn Thomas, gol., *DiFFinio Dwy Lenyddiaeth Cymru* (Caerdydd, Gwasg Prifysgol Cymru, 1995), 42–79.

9 Alan Llwyd, 'Tri Bedd mewn un Diwrnod, Mai 24, 2000', *Barddas*, 258 (Meh., Gorff., Awst, 2000), 14–15; David Jenkins, 'Dai Caradog', 82.

10 D. Tecwyn Lloyd, *Llên Cymru a Rhyfel a Thrafodion Eraill* (Llandysul, 1987), 192–216.

11 Hywel Teifi Edwards, *Codi'r Hen Wlad yn ei Hôl 1850–1914* (Llandysul, 1989), 287–90.

12 *Y Llenor*, V (1926), 106.

13 ibid., VIII (1929), 188.

14 *T.P.'s Weekly*, 17 Oct. 1925, 815.

15 Hywel Teifi Edwards, *Codi'r Hen Wlad . . .*, 311.

16 ibid., 312.

17 *The Western Mail*, 30 Aug 1924, 5.

18 Gw. T.L. Williams, *Caradoc Evans* 'Writers of Wales' Series (Cardiff, University of Wales Press, 1970).

19 D. Gwenallt Jones, 'Y Ffwlbart', *Ysgubau'r Awen* (Llandysul, 1938), 19.

20 *Young Wales*, 2 (1896), 230.

21 *South Wales Daily News*, 18 Sept. 1912, 4.

22 Hywel Teifi Edwards, *Codi'r Hen Wlad . . .*, 297. Rwy'n ddiolchgar iawn i Mr Stephen Lyons, Media Services, am wybodaeth am *The Joneses*.

23 Hywel Teifi Edwards, *Codi'r Hen Wlad. . .*, 297. Ceir lluniau o rai cwmnïau a fu'n perfformio *Aelwyd Angharad* yn idem., *Codi'r Llen* (Llandysul, 1998), 13; *Cymru*, XXXVII (1909), 100.

24 Hywel Teifi Edwards, *Codi'r Hen Wlad . . .*, 285–315.

24a John Morris-Jones, gol., *Gwlad fy Nhadau. Rhodd Cymru i'w Byddin* (Llundain, 1915), v.

25 Glyn Jones, *The Dragon Has Two Tongues* (London, 1968), 69.

26 David Jenkins, 'Dai Caradog', 79–86.

27 J. Seymour Rees, 'Caradoc Evans', *Yr Ymofynnydd*, 52 (1952), 204–9.

28 Gw. Rhagymadrodd John Harris, gol., i *Fury Never Leaves Us. A Miscellany of Caradoc Evans* (Southampton, 1985), 9–45; Trevor Williams, 'The birth of a reputation: early Welsh reaction to the work of Caradoc Evans', *The Anglo-Welsh Review*, 19, 44 (1971), 147–71.

29 J. Seymour Rees, 'Caradoc Evans', 204–5; Trevor Williams, 'The birth of a reputation . . .', 161.

30 Russell Davies, *Secret Sins. Sex, Violence and Society in Carmarthenshire 1870–1920* (Cardiff, University of Wales Press, 1996); y Parchg. R.S. Rogers, 'Pethau ynglŷn â Chymru', *Y Beirniad*, v (1915), 16-24. Hyd yn oed yn *Y Beirniad* syber dan olygyddiaeth John Morris-Jones nid oedd dianc rhag ymofidio'r Cymry. Barnai R.S.Rogers yn 1915 fod 'rhyw ysbryd annelwig' yn symud rhwng bryniau'r wlad 'gan anesmwytho cryn dipyn ar ei meddwl os nad ei dychryn.' Ofnai fod materoliaeth am lyncu'r genedl. Gwaredai rhag ei phechodau – anniweirdeb, 'Teflir ffeithiau i'w hwyneb a bair iddi wrido', a meddwdod, 'Y mae Cymru wledig cyn ddyfned os nad yw'n ddyfnach yn y camwedd.' Byddai'n rhaid i'r Cymry gyfathrachu mwy â chenhedloedd eraill a dysgu'r wers mai 'Y genedl a feithrin y dymer wyddonol sy'n tyfu.'.

31 *Y Genedl Gymreig*, 21 Chwef. 1878, 8; 14 Mawrth 1878, 3.

32 ibid., 28 Mawrth 1878, 4.

33 *Y Faner*, 6 Chwef. 1878, 13.

34 *The Cambrian News*, 16 Aug. 1875, 4. Adroddwyd hanes Mrs Job Jenkins yn y *Caernarvon and Denbigh Herald*, 22 Jan. 1893, 7. Daeth haid o ddynion yn gwisgo mygydau at ei bwthyn ganol nos 'and after violently knocking the door off its hinges pinioned the husband to the ground and then seized Mrs Jenkins, who was partially dressed, and carried her through the villages, accompanied by a torchlight procession and a band composed of whistles, tin kettles, and such like things. The entire community was roused, and scenes of the wildest excitement followed, until the police arrived, and rescued the poor woman from her perilous position'.

35 *The Cambrian News*, 3 Sept. 1875, 5.

36 ibid.

37 ibid., 12 Jan. 1877, 6.

38 ibid., 16 Aug. 1878, 5.

39 ibid.

40 Jacob Davies, 'Family Feuds', *Planet*, 1 (Aug./Sept. 1970), 71–4. Ysgrif adolygol ar gyfrol Trevor Williams yn y gyfres 'Writers of Wales'.

41 David Jenkins, 'Dai Caradog', 85–6.

42 Trevor Williams, 'The birth of a reputation . . .', 165.

43 *Y Genedl Gymreig*, 14 Mawrth 1878, 3.

44 ibid., 4 Ebrill 1878, 3.

45 ibid., 25 Ebrill 1878, 7; 2 Mai 1878, 6; 9 Mai 1878, 6.

46 ibid., 30 Mai 1878, 6.

47 ibid., 13 Meh. 1878, 7.

48 ibid., 11 Gorff. 1878, 3; 15 Awst 1878, 3.

49 ibid., 22 Awst 1878, 6.

50 ibid., 29 Awst 1878, 7.

51 *The Cambrian News*, 10 Jan. 1879, 4.

52 ibid., 28 March, 1879, 4.

53 ibid., 25 April 1879, 4.

54 ibid., 27 June 1879, 5; 4 July 1879, 4.

55 ibid., 5 Sept.1879, 4.

56 ibid., 19 Sept. 1879, 4.

57 ibid.

58 ibid.

59 ibid., 3 Oct. 1879, 4.

60 ibid., 12 Dec. 1879, 4.

61 ibid.

62 ibid.

63 ibid.

64 ibid.

65 ibid., 24 Sept. 1897, 8; 24 Dec. 1897, 8.

66 ibid., 24 Sept. 1897, 8.

67 ibid., 5 Nov. 1897, 8.

68 ibid., 27 Aug.1897, 8.

69 ibid., 1 Oct. 1897, 8.

70 ibid., 17 Dec. 1897, 8.

71 ibid., 10 Sept. 1897, 8.

72 ibid., 26 Nov. 1897, 8.

73 ibid., 24 Dec. 1897, 8; 14 Jan. 1898, 8.

74 ibid.

75 Gw. Sally Jones, *Allen Raine 1836–1908*, cyfres 'Writers of Wales' (Cardiff, University of Wales Press, 1979) am ymdriniaeth dda â'i bywyd a'i gwaith. Hefyd John Harris, 'Queen of the Rushes', *Planet*, 97 (February–March 1993), 64–72.

76 John Harris, 'Queen of the Rushes', 69.

77 K. Jones, Gellifaharen, 'Allen Raine', *Yr Ymofynydd*, 1908, 196–7.

78 Gw. Sally Jones, *Allen Raine 1836–1908*.

79 ibid., 50, 84-6.

80 John Harris, 'Queen of the Rushes', 71; Trevor Williams, 'The birth of a reputation . . .', 166. Am y nofelydd 'manque', Beriah Gwynfe Evans, tystiodd ef y byddai cyn hawsed i'w berswadio i 'dderbyn "condensed Swiss Milk" fel llaeth ffres o dêth y fuwch' â'i gael i farnu rhamantau Allen Raine yn deilwng o'u cymharu â storïau Winnie Parry fel darluniau o fywyd cartrefi Cymru. Gw. T. Stephens, gol., *Cymru: Heddyw ac Yfory* (Caerdydd, 1908), 341.

81 J. Seymour Rees, 'Caradoc Evans', 206.

82 *Y Geninen Eisteddfodol*, XXX (1912), 26.

83 ibid.

84 *Y Brython*, 18 Tach. 1909, 3.

85 J. Islan Jones, *Yr Hen Amser Gynt* (Aberystwyth, 1958), 12, 24–5, 94.

86 Hattie Glyn Davies, *Edrych yn Ôl. Hen Atgofion am Geredigion* (Lerpwl, 1958), 17, 30, 40, 100–105.

87 Sarnicol, 'Ar Adenydd Hiraeth', *Y Geninen*, XXXII (1914), 36–9.

88 J. Tysul Jones, gol., *Ar Fanc Siôn Cwilt. Detholiad o Ysgrifau Sarnicol* (Llandysul, 1972); *Cymru*, XLIII (1912), 181.

89 *The Western Mail*, 20 July 1933, 11.

90 *Yr Ymofynydd*, 1905, 182.

91 ibid., 183.

92 *The Welsh Gazette*, 10 Oct. 1935.

93 ibid., 1 Aug. 1935.

93a ibid.

94 ibid., 25 June 1936.

95 *Y Geninen*, 34 (1916), 276–7. Cymharer ei ysgrif 'Ym Mro fy Mebyd', *Y Geninen*, xxx (1913), 217-20 sy'n wlithog ei mawl i'r cynefin a'i lluniodd: 'Nid ym mwg y trefydd y mae gweled wyneb yr Anweledig ... nid yn nhwrw dinasoedd mae clywed curiad calon y greadigaeth. Tyred i unigedd y wlad, ti ymchwiliwr am y gwirionedd!'

96 Jack Jones, 'Nofelau'r Cymry Seisnig', *Tir Newydd*, 8 (Mai, 1937), 5–9.

97 *Fy Mhobol I*, 138.

98 J. Seymour Rees, 'Caradoc Evans', 207.

99 *The Western Mail*, 30 Aug. 1924, 5.

100 ibid.

101 ibid.

102 Liz Jones, 'Never Be Dependent on a Man', *Planet*, 157 (Feb.–March, 2003), 61.

103 J. Seymour Rees, 'Caradoc Evans', 204.

104 ibid., 206.

105 Anthony Conran, *The Cost of Strangeness* (Llandysul, 1982), 161; John Harris, 'Queen of the Rushes', 72.

106 John Gwyn Griffiths, gol., *D.J. Williams, Abergwaun. Cyfrol Deyrnged* (Llandysul, 1965); Bobi Jones, 'Hen Wyneb D.J.', *Taliesin*, 54 (Nadolig 1985), 56–76.

107 O.M. Edwards, 'Difenwi Cenedl', yn idem, *Er Mwyn Cymru* (Wrecsam, 1922), 91–2.

108 *Y Tyst*, 17 Tach. 1915, 4; 24 Tach. 1915, 5; 1 Rhag. 1915, 5.

YMLAEN I 'LLAREGGUB'

Os oedd Caradoc Evans wedi gobeithio y byddai *My People* a *Capel Sion* yn chwalu pentrefi gwyn y Gymraeg mor llwyr ag y chwalwyd pentrefi Picardi gan ynnau mawr Rhyfel 1914–18, fe'i siomwyd. Saesneg 'safonol' oedd cyfrwng teyrnged Syr Henry Jones (1852–1922) yn *Old Memories* (c.1923) i bentref Llangernyw yn sir Ddinbych a'r un oedd cyfrwng molawd y Parchg. David Davies i bentref Rhydargaeau yn 'sir Gâr' yn *Reminiscences of My Country and People* (1925). Bu bron iddo ef yn saith oed dorri'i galon pan symudodd ei rieni i fyw yn Nhrefforest ac er gwaethaf degawdau o alltudiaeth daliodd Rhydargaeau ei afael arno. Yn ôl yno yr âi'n ddi-ffael i ymhoywi yn harddwch y wlad ac ymborthi ar bentregarwch – fel pe na chlywsai erioed sôn am gyd-frodor o'r enw Caradoc Evans.[1]

Na, roedd delweddau'r pentrefi gwyn i bara'n feini cynnal yng nghaer 'Gwalia lân' tan y byddai'r Ail Ryfel Byd wedi tynnu at ddiwedd ei enbydrwydd ac fe fyddai'r hiraeth amdanynt yn sicrhau na chaent ddiflannu o gof wrth i'r Cymry groesi ffin mileniwm arall. A degau o bentrefi ar feysydd cad y Somme yn sarn wedi'r bombardio didostur, roedd y 'pentre gwyn' yng Nghymru, er gwaethaf cyrchoedd Caradoc, i bara'n rhith anniflan. I bob golwg roedd yn rhaid bod iddo le ymhlith drychfeddyliau gwarchodol y Cymry.

Un wedd ar y rheidrwydd hwnnw, fel y nodwyd yn y bennod gyntaf, oedd y trafod eisteddfodol ar ddiogelu tegwch cefn gwlad a meithrin ymwybod mwy effro a soffistigedig â breuder harddwch. Wedi uffern 1914–18 roedd ar ysbryd dyn fwy o angen cymuno â phrydferthwch nag erioed, ac ymroes amryw o unigolion ac ambell gymdeithas ddelfrydgar i ddangos nad mater o hap a damwain ddylai fod rhoi i harddwch gyfle i rinio bywyd. Roedd yn fater o ysgogi dychymyg, cydwybod ac ewyllys i'w hyrwyddo trwy ddyfais a chynllun. Dyna oedd cenadwri gyson ymgyrchwyr o ansawdd Clough Williams-Ellis ac A.T. Lloyd.

Yn ystod yr 1920au roedd dyfodol pentrefolrwydd yn fater o ofid cynyddol wrth i'r dirwasgiad economaidd achosi diweithdra dreng a

Llanwddyn.

dwysáu'r allfudo o'r parthau gwledig. Yn 1929, mewn ysgrif ar 'The Deserted Village – New Style', crisialodd Frederic Evans y gofid mewn brawddeg: 'The Welsh village is an unstable social unit in time of distress'. Yn enghraifft ddiffiniol o'r alanas nododd hen bentref rhamantaidd Llangynwyd yng nghwm Llynfi, pentref o ryw ddeg ar hugain o dai yn cartrefu rhyw gant o bobol. Pan ysgrifennai roedd chwarter y boblogaeth eisoes wedi gadael i chwilio am waith.[1a]

Daethai cynadleddwyr o bob rhan o'r wlad i gynhadledd yn Llandrindod, 19–27 Awst 1922, i drafod ymhlith pynciau eraill 'New Village Communities in Wales' dan arweiniad Ysgol Gwasanaeth Cymdeithasol Cymru[2] ac yn *The Welsh Outlook* y flwyddyn honno trafodwyd adnewyddiad y bywyd pentrefol fel pwnc hollbwysig. Oni ellid sefydlu diwydiannau cydnaws â'r bywyd hwnnw pa obaith oedd i'r pentref gwledig ddal gafael yn y bobol:

> The sombre gloom of the country village and its social meanness and poverty, inevitably produce the passion for the artificial glare of the big city; the low wages and the hard life of the agricultural labourer have made him risk all the uncertainty and relentlessness of the great industrial centres.[3]

Yn ei ysgrif ef ar 'New Life for our Villages' traethodd y bardd, Alfred Perceval Graves, ei brofiad yn darlithio i filwyr Prydain yn Iwerddon yn 1919. Nid oedd pwnc mwy poblogaidd na bywyd y pentref na dim yn gliriach nag amharodrwydd y milwyr i oddef mwy yr hen drefn dlodaidd. Ymunodd Graves â Chymdeithasfa'r Clybiau Pentref yn y gobaith y gellid bodloni eu disgwyliadau er gwaetha'r anawsterau a oedd wedi gwreiddio'n ddwfn ers cenedlaethau. Buasai'n arolygwr ysgolion am ugain mlynedd a daethai i'r casgliad ar ôl sylwi ar bentrefi mewn pum sir 'that too many of them were dying of inanition from want of concerted social life'. Gwnaeth y Rhyfel Mawr bethau'n waeth a byddai'r bechgyn a'r merched ar ôl dod adref o'r meysydd cad yn sicr o wrthryfela yn erbyn dihidrwydd y tadau. Roedd yn rhaid cydymdeimlo â'u hanghenion.[4]

Yn sir Fôn roedd Undeb Clybiau a Chymdeithasau'r pentref dan lywyddiaeth neb llai na Syr John Morris-Jones wrthi'n ddiwyd yn ceisio megino bywyd i'r diwylliant pentrefol. Roedd pum cymdeithas wedi dechrau tymor gaeaf 1921–2 trwy wahodd y Parchg. J. Puleston Jones,

MA i draddodi ei ddarlith ar y diweddar O.M. Edwards – dewis na ellid rhagori arno yng nghyd-destun yr argyfwng a oedd ohoni – ac yn sir Drefaldwyn roedd clystyrau o selogion wrthi'n trefnu gweithgareddau cymunedol rhag i'r ymdeimlad ymledol o anobaith lethu'r cefn gwlad.[5] Beth fyddai tynged y 'pentre gwyn' a fu trwy gydol y Rhyfel Mawr yn ddelwedd rymus i'r bechgyn a'r merched o'r hyn yr ymladdent drosto? A oedd dadrith yr heddwch i'w sathru dan draed megis celain mewn ffos yn Fflandrys? I rwystro hynny rhag digwydd byddai gofyn ail-loywi'r ddelwedd a'i gyrru i ryfel drachefn dros 'Gymru lân, Cymru lonydd'. Ymhle y câi ryfel i'w ymladd?

Fe'i cafodd, diolch i draha Corfforaeth Warrington, yn nyffryn Ceiriog. Yn 1922 roedd ym mryd y Gorfforaeth honno foddi blaenau'r dyffryn a chodi dwy gronfa – cronfa Llanarmon a chronfa'r Hendre islaw. Fe olygai foddi Llanarmon, Tregeiriog a Phentre Bach. Diflannai un eglwys, pum capel, dwy fynwent, dwy ysgol elfennol, dwy swyddfa bost, dwy dafarn, pum siop, un efail ac 82 o anheddau eraill – 45 ohonynt yn ffermdai. Fe gâi poblogaeth amaethyddol egnïol a dedwydd o ryw bedwar cant o eneidiau ei chwalu a'i gwasgar, Duw yn unig a wyddai i ble. Roedd yn rhaid gwrthwynebu, a gwrthwynebu'n llwyddiannus y tro hwn. Roedd gofyn elwa ar apêl y 'pentre gwyn' a thapio'r grym emosiynol yn nyfnder y cysyniad rhag ailadrodd tynged Llanwddyn yn nyffryn Ceiriog.[6]

Dinistr Llanwddyn.

Boddwyd Llanwddyn yn 1888 i ddiwallu anghenion dinas Lerpwl. Aethai Isfryn a dau gyfaill iddo am gip olaf ar y pentref ym Mehefin y flwyddyn honno a chael fod nifer o'r trigolion yn dal i fethu credu'r hyn a oedd ar fin digwydd iddynt: 'Ond heddyw dyma eu bythynod yn cael eu tynnu i lawr, a hwythau yn gorfod ffoi. Fel y cynddiluwiaid gynt, ni chredent hyd nes y'u gorfodwyd. Cyfaddefent mai anhawdd ydoedd ymadael â lle eu genedigaeth'. Pan ddychwelodd y tri ymhen ychydig fisoedd nid oedd i'w weld ond 'tua chwe milldir o ddwfr o'r mur i enau y Fyrnwy'. Dywedid fod arwynebedd y llyn yn 1,115 o erwau – sef pymtheg erw yn fwy na Llyn Tegid. I ateb angen y 'Scouser' bu'n rhaid rhagori ar waith y Crëwr.[7]

Nid ysgrifennodd Isfryn fel un wedi'i gythruddo gan foddi Llanwddyn. Aethai'r Cymry a'r Saeson yn frodyr bellach a phwy na ryfeddai at wyrthiau'r dyn modern. Roedd deddf i Gynnydd hefyd ac fel Isfryn a'i gyfeillion cegrythu yn wyneb ei gweithrediad aruthrol hi wnaeth Powyson a'i gyfeillion yntau ar ôl beisiglo bob cam o Gaernarfon i olwg yr argae, 'un o brif ryfeddodau y byd' a ddangosai 'y gallu ofnadwy sydd gan ddyn i ddeall, meddwl, a chynllunio'. Ni fyddai T.H. Parry-Williams uwchlaw'r Grand Canyon ac islaw'r Niagra yn fwy ei bensyfrdandod na Powyson gerbron trosgynoldeb diwydiannol Llyn Efyrnwy yn 1893. Trist oedd meddwl am ddiflaniad yr hyfrydwch a fu ond trech na thristwch oedd rhyfeddod Powyson at ddyfeisgarwch anorthrech ei oes ei hun.[8]

Sais ifanc o fyfyriwr yng Nghaergrawnt oedd Thomas Darlington pan ymwelsai â'r 'pentref collfarnedig' yn haf 1885. Profodd drosto'i hun fod mwy na thir mewn perygl o'i foddi dan Lyn Efyrnwy. Tra'n ceisio lletty yn y Powys Arms fe'i blagardiwyd gan nafi o Sais meddw a'i camgymerodd am Gymro ar ôl ei glywed yn siarad Cymraeg ac fe fyddai hwnnw, a dau bartner iddo yr un mor feddw flagardus, wedi'i ddarn ladd y noson honno oni bai fod 'Gipsy Wester' wedi'i amddiffyn. Romani oedd Wester a bocsiwr o fri, ac yr oedd Darlington, gan ei fod yn medru eu hiaith yn rhugl, wedi cael croeso gan rai o deulu Abram Wood a ddigwyddai fod yn Llanwddyn ar ddiwrnod ei ymweliad ef â'r lle.

Roedd Llanwddyn, a'r Gymru Gymraeg a gynrychiolai, yn wynebu dau ddiluw a'r gwaethaf o'r ddau oedd yr unieithrwydd Saesneg, brwnt ei ddirmyg, a lifodd drwy Lanwddyn o bentref dros-dro nafis swydd

Dyffryn Ceiriog.

Gaerhirfryn a chanolbarth Lloegr yn ystod degawd codi'r argae. Ac fel pe na bai eu dylanwad hwy'n ddigon drwg, darganfu Darlington mai Saesnes ronc, yn ceisio 'dysgu' plant heb ond y nesaf peth i ddim Saesneg ganddynt, oedd ysgolfeistres Llanwddyn yn haf 1885. Bu'n rhaid iddo wrando arni'n cwyno 'oherwydd yr anfantais o orfod dysgu plant anghyfiaith, a dywedodd y byddai'n dda ganddi ped ysgubid y Gymraeg oddiar wyneb y ddaear'.[9]

Penderfynwyd na châi dyffryn Ceiriog a'i bentrefi mo'i foddi gan na dŵr na dirmyg. Yn 1923 dan nawdd y Cymmrodorion, cyhoeddodd Syr Alfred T. Davies, AS, llywydd Neuadd Goffa Ceiriog yng Nglynceiriog, bamffledyn Saesneg (costiai un dwyieithog ormod) dan y teitl *Evicting a Community. The Case for the Preservation of the Historical and Beautiful Valley of the Ceiriog in North Wales*.[10] Roedd gwerthiant y pamffledyn swllt hwn i fynd at y gronfa amddiffyn ac roedd felly o'r pwys mwyaf ei fod yn cael sylw eang. Yn Lloegr rhoes y *Manchester Guardian* ofod i ddadleuon yr amddiffynwyr a gofalodd Syr Alfred fod pigion pwrpasol ohonynt yn ymddangos yn *Evicting a Community*.

Yn fwy na dim manteisiwyd ar fformiwla 'Ardaloedd Cymru' O.M. Edwards. Cydiwyd tirwedd, hanes a diwylliant ynghyd i bwysleisio cymaint anfadwaith fyddai boddi dyffryn nad oedd ei ragorach yn y wlad o ran tegwch natur a thiriondeb cymdeithas, a dyrchafwyd yn ymgorfforiadau o athrylith gynhenid y fro ei dau fardd eiconig – Huw

Morys (Eos Ceiriog, 1622–1709) a John Ceiriog Hughes (1832–87). Onid ohoni hi y daethai Ceiriog, yr arch-delynegwr, i 'godi'r hen wlad yn ei hôl' wedi brad Llyfrau Gleision 1847? A oedd ei etifeddiaeth ef i'w bradychu yn 1923? Na ato Duw, meddai'r Athro Robert Richards: 'Ceiriog is our Grasmere, and Penybryn our Royal Mount and in Pantymeibion we have a more than Greta Hall'. Y fath anfri ar y Cymry fyddai caniatáu boddi'r dyffryn a ysbrydolodd Eos Ceiriog yr union adeg pan ddylid fod yn paratoi i ddathlu ei drichanmlwyddiant. Ac am 'the prince of all Welsh lyricists . . . one's passion for Ceiriog Hughes ought to make every Welshman blush with shame at the thought of the suggested desecration'.[11]

Yn syml, dylid disgwyl i'r Cymry amddiffyn dyffryn Ceiriog mor daer ag yr amddiffynnai'r Saeson Stratford a Shakespeare. Ceiriog, ym marn y Parchg. E.G. Turner, Tregeiriog, oedd y bardd cenedlaethol 'whose works go a long way in forming the character of the Welsh nation' a thystiodd Ernest Rhys yntau i'w afael ar galon y genedl. Gwyddai petai Ceiriog ac Eos Ceiriog wedi barddoni yn Saesneg y byddai mwy o gydymdeimlad yn Lloegr ag amddiffynwyr eu dyffryn, ond yr ystyriaeth bwysicaf o ddigon oedd bod awen Ceiriog a dyffryn ei fagwraeth wedi cydymdreiddio mor llwyr nes gwneud holl filoedd ei ddarllenwyr yn gydetifeddion ag ef yn rhamant a rhin y fro. Meddai Rhys:

> Through his genius, and his love for the valley that lent him his finest impulse, and suggested his sweetest rhymes, its name has grown proverbial in Welsh song and become part of the national birthright. Such cherished corners of earth should be held inviolable to the end.[12]

Petai'n fyw yn 1922–3 ni raid gofyn pa mor uchel yng ngolwg O.M. Edwards fyddai gwerth amddiffynnol y ddau fardd. Roedd Llanarmon yn bentref gwynnach na'r rhelyw am iddo roi i'r genedl y bardd parotaf ei ymwybod â'i disgwyliadau yn oes Victoria. Harddwch gwlad a daioni gwerin dyffryn ei eni a wnaeth Ceiriog, yn ôl y syniad poblogaidd o'i werth, y bardd ydoedd ac fe ofalod Syr Alfred bwysleisio y byddai boddi'r dyffryn yn difa cymdeithas wâr, yn chwalu cymuned lle buasai gwladwyr dros y canrifoedd yn byw bywyd cytûn – yr union fath o fywyd a rôi ystyr i'r ymffrost yng Nghymru lân a llonydd. Onid oedd *The Amateur Photographer and Photographic News* wedi dotio at groeso ac awydd plesio y brodorion: 'If you want to photograph a field, and cattle are in the way, the owner will drive them out for you'. Ac wrth feddwl am yr eisteddfod flynyddol roedd yn amheus 'if in any part of the King's dominions – whether in the United Kingdom or in the far-flung British Empire – a rural community can be found which gives better evidence, than do the simple folk of Dyffryn Ceiriog, of caring for "the things that really matter" in life'. Arcadia yn wir.[13]

Dyfynnodd Syr Alfred o ysgrif, 'Sunday in the Glyn', a gyhoeddwyd yn y *Christian World* yn 1906. Ynddi disgrifiwyd 'holi'r Ysgolion Sul' yng nghapel mynyddig Llywarch a barnai Syr Alfred fod popeth a ddisgrifiwyd 'in accord with the eternal order of things, for "Hath not God chosen the weak things of this world to confound the things which are mighty?"' Ond pe dôi cannoedd o labrwyr o Lerpwl a Phenbedw (byddai nifer fawr ohonynt yn Wyddyl Catholig) i godi argae yn y dyffryn, dyna fyddai diwedd 'y gwyn Sabathau' a dechrau dinistr yr hen burdeb. Gwelsai Syr Alfred ystaen y 'rough navvies' ar ddyffrynnoedd eraill: 'I could say a good deal on this aspect of the matter if the subject were not almost too unsavoury for public discussion'. Gwyddai o brofiad beth a ddigwyddasai pan aed ati i godi argae Llyn Efyrnwy cyn i'r contractor sicrhau anheddau i'r gweithlu: 'Some of the ill results which remain to this day may be better imagined than described'. Pa iawndal a fyddai'n iawn digonol wedi'r fath halogiad? Faint oedd gwerth ymlyniad wrth wlad a chartref a thraddodiad? Yr oedd yn ddiamau fod y cyfan y tu hwnt i bris. (Rhaid casglu mai poeni yr oedd Syr Alfred am y plant siawns a ddôi gyda'r llif pe digwyddai i ambell Fyfanwy a Menna fod yn orgroesawgar. Wedi'r cyfan, ni allai hyd yn oed Gatholigion o Wyddyl genhedlu plant siawns heb help.)[14]

Arbedwyd y dyffryn. Erbyn Mai, 1923, roedd Corfforaeth Warrington wedi penderfynu na fedrai gario cost o £1.35 miliwn ar ei phen ei hun ac felly ni phrofwyd nerth ewyllys y Cymry i wrthsefyll. Ofnai'r Athro Richard Morris o Goleg Diwinyddol Aberystwyth y gallai aberthu'r naill bentref gwledig ar ôl y llall arwain yn anorfod at ddileu cenedligrwydd Cymreig 'which has always derived its leaders and its ideals largely from the rural districts'. Serch hynny, pwysleisiodd mai dymuniad y Cymry oedd byw yn gytûn â'r Saeson heb orfod teimlo'n israddol iddynt.[15]

Wrth ddathlu 'Curo'r Estron' ni chredai'r *Herald Cymraeg* i'r gwleidyddion, gan gynnwys Lloyd George, ddangos fawr o awydd i

Llyn Efyrnwy.

arwain gwrthwynebiad. Y mae'n wir i Saunders Lewis mewn cinio Gŵyl Ddewi yn Aberdâr alw ar y Cymry i amddiffyn eu tir a'u hiaith – yr oedd tynged honno eto fyth yn 1923 yn 'bwnc y dydd' – ond nid iaith cenedlaetholdeb politicaidd oedd iaith 'brwydr' dyffryn Ceiriog. Honno'n sicr fyddai fwyaf hyglyw yn yr ymgyrchoedd diweddarach yn erbyn Ysgol Fomio Penyberth a boddi cwm Tryweryn, ond iaith *Evicting a Community*, iaith cysyniad y 'pentre gwyn' waeth beth mai Saesneg ydoedd, oedd iaith amddiffyn dyffryn Ceiriog. Nid iaith newid trefn llywodraeth mohoni (ni fyddai gan O.M. Edwards fawr i'w ddweud wrth honno); ei swyddogaeth hi oedd apelio at wladgarwch emosiynol, ennyn cydymdeimlad â hawliau lleiafrifoedd a galw am chwarae teg. Gwnaed ei diniweidrwydd yn greulon amlwg yng Ngorffennaf, 1922, pan ddaeth Arglwydd Faer Lerpwl i Lanwddyn i ddadorchuddio'r gofeb i'r brodorion a syrthiodd yn y Rhyfel Mawr. Rhaid oedd ei gael ef am mai 'trefedigaeth dan arolygiaeth yr "ymherodraeth" yn Lerpwl' oedd Llanwddyn bellach a bwriwyd ati i ddechrau cofio trwy ganu 'O! God our help in ages past'. Hyfryd o briodol oedd pyncio am 'our eternal home' yn Saesneg ar lan Llyn Efyrnwy.[15a]

Yng Ngorffennaf 1924 gyrrodd y *Western Mail*[16] un o fyfyrwyr ifanc Rhydychen i Rydlewis i weld pa achos a gawsai Caradoc Evans yno i gigyddio'i bobol ei hun. J.T. Jones o sir Fôn, a oedd i'w adnabod yn ddiweddarach fel John Eilian y bardd a'r golygydd, oedd y myfyriwr hwnnw, a phan ddatgelodd ar ôl wythnos o ymholi fod Caradoc yn bendant yn euog o bardduo un o bentrefi digamsyniol wyn Ceredigion, fe fu llawenhau. Ymateb greddfol Caradoc oedd claddu'r Monwysyn hunandybiol dan domen o ddirmyg ond ni thawodd John Eilian. Rhwng 1930 ac 1935 bu'n golygu *Y Ford Gron*, gyda'r mwyaf difyr a graenus o gylchgronau poblogaidd yr ugeinfed ganrif, ac ynddo dangosodd fod cysyniad y 'pentre gwyn' mor fyw ag erioed iddo ef trwy gynnwys cyfres o 36 o ysgrifau gan wahanol gyfranwyr ar 'Pentrefi Cymru'. Atgyfododd nifer o 'Ardaloedd Cymru' O.M. Edwards ar eu newydd wedd.[17]

I ddangos i Caradoc cyn lleied o goel a rôi ar ei storïau dewisodd ddechrau'r gyfres â phortread o 'Pobl Hamddenol Rhydlewis' a'i ddilyn â phortreadau o Aberdaron, Ystalyfera, Gwernogle, Llanbedr (Meirionnydd), Carno, Ponterwyd, Rhiwbeina, Tre-fin, Felin-fach, Dolwyddelan, Llandderfel, Llanrhaeadr-yng-Nghinmeirch, Porth-y-gest, Corris, Llangadfan, Caerwedros, Llanrhaeadr-ym-Mochnant, Llangwyryfon, Clynnog, Lledrod, Rhosllannerchrugog, Llangurig, Porthaethwy, Llangower, Rhymni, Cenarth, Waunysgor, Dylife, Llanafan Fawr ac Ardal y Beirdd. Unwaith eto y mae'r pwyslais yn drwm ar y Gymru wledig a'r un fformiwla sy'n cynnal y portreadau – tegwch natur, hen hanes a chymuned wâr sy'n cynhyrchu cymwynaswyr a chyfoethogwyr bro a chenedl. Tros y cyfan ymdaena gwawl gwrogaeth a hawddgaredd; y mae dyledion serch yn cael eu talu'n llawn a hiraeth am a fu yn bloesgeirio aml i baragraff. Ni ddaw'r un awel groes na'r un ysbryd drwg i darfu ar eu hedd.

Awdur yr ysgrif ar Rydlewis oedd S.M. Powell (1878–1949), perthynas i Caradoc Evans a aned ger Aber-porth yr un flwyddyn ag ef ond a fagwyd yn Rhydlewis. Bu'n brifathro Ysgol Sir Tregaron, yn flaenllaw ym myd y ddrama ac roedd 'Sam Powell Tregaron' i fynd i'w fedd yn fawr ei barch. Nid Rhydlewis Caradoc oedd ei Rydlewis ef. Lle yn yr haul oedd hwnnw, canolbwynt cymdogaeth dda. Cofiai Sam Powell wrth gloi ei ysgrif i rywun ar bwyllgor eisteddfod leol awgrymu 'Rhestr o enwogion a gododd o unrhyw bentref yn Sir Aberteifi' yn destun cystadleuaeth ac i rywun gynnig yn welliant 'Rhestr o rai a aeth i'r jêl o unrhyw bentref'. Ac meddai:

> Mae'r byd yn 'round' iawn, ys dywedir yn Nhregaron, ac oddi yno, chwi gofiwch, y daeth nid yn unig Henry Richard ond Twm Shôn Cati hefyd. Wrth sôn am waedoliaeth, aeth y Deon Swift ymhellach. 'My great-grandfather', meddai, 'disappeared about the time of the assizes'.

Fel yna, gan mai un o blant Rhydlewis ydwyf innau, mi fodlonwn ar beidio â rhoi'r siop yn y ffenestr.[18]

Gallwn glywed Caradoc yn gweiddi 'cachgi!' yn ddigon uchel i ansadio Henry Richard ar sgwâr Tregaron. A gallwn glywed Sam Powell yn chwerthin am ei ben.

Yng Nghaerwedros, yn ôl y Parchg. E. Myfyr Evans a adawodd gapel Bethel yn Llanddewi Aber-arth wedi storom, yr oedd y trigolion 'wedi dysgu gwers ddrutaf byw, – bod yn llonydd'. Roedd gweld 'gwŷr disyml y parth' yn araf gyrchu Bethelau'r fro ac o dan bob cesail lyfr emynau neu esboniad, megis cael cip ar 'y wlad sydd well'. A'r un oedd tystiolaeth y Parchg. J. Trefor Lloyd am bentref Lledrod (pentre'r 'ceffyl pren' gynt) a gofiai 'yn fro dawel, lonydd, pawb yn fodlon ar ei fyd a phawb yn feistr arno'i hun. Nid oedd dim i dorri ar dawelwch y dyffryn ond musig yr afon'. Dyma'r union lefydd yn ôl Caradoc i bydru byw, i lochesu diymadferthedd pendew a thlodi, ac unwaith eto y mae'n hawdd ei ddychmygu yn poeri ei anghrediniaeth wrth glywed Trefor Lloyd yn honni nad cynnyrch y tir oedd allforion gwerthfawrocaf Lledrod: 'Enfyn Lledrod bethau llawer pwysicach i'r byd – meibion a merched i arwain ac i ddiwyllio'r byd'.[19]

Waeth beth am hynny, y mae cyfres 'Pentrefi Cymru' yn *Y Ford Gron*, heb fanylu mwy, yn profi cyn lleied yr oedd ymgyrch barhaus Caradoc

'Pobol Hamddenol Rhydlewis' yn yr 1930au.

135

Evans yn erbyn ei 'ffalster' wedi oeri serch y Gymraeg at y 'pentre gwyn'. A'r Gymru wledig, lawn cymaint â'r Gymru ddiwydiannol, yng ngafael dirwasgiad llethol, parhâi'r cysyniad yn foddion cysur dihangfa i'r 'dyddiau difyr gynt'. Aethai dros bymtheng mlynedd heibio er cyhoeddi *My People*, daliai Caradoc i noethi ei ddannedd, a pharhâi'r 'pentre gwyn' i wenu yn ei wyneb fel sampler a frodiwyd mewn hawddfyd. A phan adolygodd Percy Ogwen Jones, ac yntau'n sosialydd pybyr, lyfr David Evans ar *Y Wlad: Ei Bywyd, Ei Haddysg A'i Chrefydd* (1933) yn *Y Ford Gron*, ni allai fod yn fwy brwd ei gefnogaeth nac i'r llyfr na'r cylchgrawn.[20]

A'r gyfres yn *Y Ford Gron* yn tynnu at ei diwedd, dewisodd pwyllgor llên Eisteddfod Genedlaethol Machynlleth, 1937, 'Y Pentref' yn un o dri thestun ar gyfer cystadleuaeth y Goron. 'Cyni' a 'Powys' oedd y ddau destun arall ac o gofio'r cyfnod gellid disgwyl i 'Cyni' ysgogi'r beirdd. Fodd bynnag, o'r pedwar ar ddeg a gystadlodd, 'Y Pentref' oedd dewis wyth ohonynt a 'Cyni' oedd dewis y chwech arall. O'r pedair cerdd orau yn ôl y beirniaid, T. Gwynn Jones a'r Parchg. Simon B. Jones, un a ganwyd ar y testun 'Cyni'. Yr oedd 'Y Pentref' cymaint cynhesach testun ac mor ddiogel â chanllaw pompren.

Diogel ai peidio, digon diafael oedd y pryddestau. Yn 1910 enillasai H. Parry Williams o Ryd-ddu bum gini am delynegion ar 'Bywyd Pentrefol' mewn cystadleuaeth wan yn Eisteddfod Genedlaethol Bae Colwyn, a'r gwir yw i J.M. Edwards ennill Coron mewn cystadleuaeth siomedig yn 1937 ar ôl dyfarnu ei bryddest yn y mesur moel yn orau gan y beirniaid heb fawr frwdfrydedd. Roedd y bardd buddugol wedi ailddweud hen stori ar fesur anenillgar; roedd ei iaith yn lân a'i bryddest yn glir a dealladwy a chytunai'r beirniaid 'mai hon yw'r gerdd lawnaf o feddwl . . . a hyd y gallwn ni benderfynu y mae hi'n teilyngu'r wobr'. Sôn am 'déjà-vu'![21]

Llanrhystud, fel y gwyddom, oedd pentref J.M. Edwards. Yn 1936 symudasai i'r Barri lle byddai byw am weddill ei ddyddiau. Am beth y canai? Dyma eiriau Simon B. Jones:

> Ei gynllun yw; gwrthryfel yr ifanc yn erbyn ei etifeddiaeth, anturio i'r byd mewn ymchwil am ryddid a bywyd, ei ddadrithio a gweld gogoniant ei gartref, dychwelyd yn ôl i fyw a marw yn yr hen fro. Y mae'r stori mor hen â llenyddiaeth gyntaf y byd, ac mor ddiweddar â phryddestau 'Bro Mebyd' a'r 'Gorwel' (nid y rhai buddugol!)

'Bro fy Mebyd' a'r 'Gorwel' oedd testunau cystadleuaeth y Goron yn Eisteddfodau Cenedlaethol 1925 ac 1934, a holl bwynt y sylwadau a ddyfynnwyd oedd tanlinellu annewydd-deb pryddest fuddugol 1937. Roedd hynny o nerth a oedd ynddi i'w gael yn 'Ffyddlondeb y bardd i'w ddawn ei hun, a'i ganfyddiad o'r pethau arhosol a thragywydd y sydd tu cefn i bob cyfnewid ar yr wyneb. Y mae'r athroniaeth hon o fywyd yn rhedeg drwy ei gân'. Hen fater a hwnnw'n gwegian dan 'drymder ardull' ac 'ergydion fflat'. Stwff, yn wir, i fwydo dirmyg Caradoc Evans o'r cynnyrch eisteddfodol 'arferol' a rhodd o'r nef iddo yn 1937 a'r brifwyl wedi ei sarhau trwy omedd iddo feirniadu.[22]

Yn ei bryddest disgrifiodd J.M. Edwards ryw Garadoc o lanc yn syrffedu ar fywyd caeedig ei bentref gan farnu mai

> Ofer troi yn hwy
> Ymysg y rhai na fedrant weld y byd
> Yn lletach na'u diddordeb bach a'u greddf
> Gymdogol hwy.

Y mae'n dianc rhag y 'lleddf gaethiwed' a fu'n 'dal yn rhwym/ Flynyddoedd nwydus bywyd' ac yn

> Ffoi rhag haint
> Cyngor a rhagfarn gwŷr a gwragedd oer
> Eu gwaed, a noddwyr moesau'r wyneb hir.

Clywsai gan 'gymheiriaid hoff' am onestach, llawnach ffordd o fyw,

> Am fyw synhwyrus eu penrhyddid llwyr
> A chwim anturiaeth y dinasoedd llawn.

Ac fe'u credodd. Dilynodd hwy ac fe'i dadrithiwyd. Yn angharadocaidd iawn, yn y dorf aliwn dôi atgofion am ei gynefin i gynnau

> . . . awydd am ei fyd
> A'r strydoedd bach, di-balmant, a phob drws
> Gan mor gyfarwydd pawb, o led y pen . . .

A gyda'r nos meddyliai am y gwmnïaeth yng ngweithdy Dai'r Crydd, a Dafydd y Saer yn ei weithdy yntau yn darogan tranc crefftau'r wlad

Bridge and Village Llanrhystyd

Llanrhystud.

Oni ddeffrown i herio'r estron drais
A yrr ei gancr i hamdden maith y pridd
A'i ddeifiol haint dros henaint teg y wlad . . .

a Morgan y Go' yn ei efail yn diolch am 'fedyddiadau'r tân a losgodd fflam "1904" i'w enaid'. Meddyliai am y seiet a'r gweddïo dwys am 'dirion nawdd a diogel hynt' i blant yr eglwys. Ac wrth feddwl y mae'n gweld ffolineb ei ymdrech i ymwadu ag ef ei hun. Y pentref a'i piau:

Ni chaf
Gysur ym mreichiau henaint onid hyn
Ac aros eilwaith wrth ffynhonnau rhin
Unigrwydd mawr y galon, yna troi
I orffwys yn fy ngweryd diwahardd
A thirion law yr henfro i ddal fy llwch!
'Rwy' fyth ynghlwm wrth bentref dinod mwy
Gan hiraeth llawn y fron a'm dagrau tost![23]

Ni wn a roes Caradoc Evans ei farn ar bryddest fuddugol J.M. Edwards. Y mae'n sicr na fyddai ganddo ddim da i'w ddweud amdani. Ond a derbyn ei bod yn bryddest lafurus nid oes amau diffuantrwydd cred y bardd yn rhinwedd y bywyd pentrefol. Profi wna'r bryddest nad yw diffuantrwydd yn ddigon i greu celfyddyd. Nid ffalsiwr mo J.M. Edwards a mynegiad pellach, a chryfach, o'i ddiffuantrwydd yw'r folawd i 'Pentrefi Cymru' a ganodd pan fygythiai'r Natsïaid fyd cyfan. Iddo ef roedd parhad y pentrefolrwydd a'i moldiodd ef yn Llanrhystud yn warant gwarineb. Gwnâi bob sôn am hil tra-arglwyddiaethus yn ffolineb. A phetai byw heddiw, yn enw'r un pentrefolrwydd, mi dybiaf, y canai J.M. Edwards i atal pla globaleiddio heb hidio'r un ffeuen am anialwch o Garadociaid. Wedi'r cyfan, roedd ganddo ddigon o ffydd yng ngrym fformiwla'r 'pentre gwyn' i fynd ag ef i Ryfel Byd.

Cwyd un mater diddorol o feirniadaeth 1937. O ran mydr a geirfa fe fyddai'r bryddest fuddugol ar ei hennill o fod yn nes at dymer yr oes ond y mae'n gwestiwn wedyn a fuasai purydd o natur T. Gwynn Jones yn ffafriol iddi. Nid da ganddo oedd fod 'yn y gystadleuaeth gnwd helaeth o'r termau benthyg a gyfrifir bellach yn addurn ar iaith', geiriau megis 'bae', 'bocsis', 'brawl', 'bracio', 'bracso', 'carnifal', 'canâl', 'drifft', 'economeg', 'ecstasi', 'hitio', 'hiwmor', 'hwter', 'lagwn', 'modern', 'pasiwn', 'piti', 'poster', 'prae', 'sgwrs', 'sialens', 'slei', 'slags', 'trasiedi' a 'trasig' – y math o eiriau yr oedd ei gydweithwyr yn Adran y Gymraeg yn Aberystwyth, neb llai na T.H. Parry-Williams a Gwenallt, eisoes wedi'u defnyddio'n effeithlon yn eu llên.[24]

Wele enghraifft arall o amharodrwydd (neu anallu) T. Gwynn Jones i dderbyn fod medru ariselu mor bwysig i fardd ag aruchelu, ac y mae ei gŵyn yn od o gibddall pan yw'n canmol y 'cameo' hwn ym mhryddest 'O'r Tŵr' (a Gwyndaf oedd hwnnw):

> Dim ond Rebecca Puw yn cyrchu dŵr o'r pistyll,
> A chleisiau ar ei gruddiau,
> A gwaed,
> A phawb yn cofio Tomos Puw
> Yn dod o'i hynt
> Y noson gynt,
> A'r plant yn dianc nerth eu traed.

'Dylai peth fel hyn wneud lles i brydyddiaeth Gymraeg' oedd barn y beirniad yr ymddengys ei fod o blaid y math o onestrwydd a danseiliai ystrydeb y 'pentre gwyn' ond na fynnai weld anharddu'r Gymraeg yn y broses. Nid oedd hi i wneud gwaith caib a rhaw.[25]

Yn 1944 fe fyddai T. Gwynn Jones yn cyhoeddi *Brithgofion* mewn arddull ddifefl fel y gwnaethai W.J. Gruffydd yn *Hen Atgofion* a D.J. Williams yn *Hen Wynebau*, gan lunio pennod ar 'Yr Hen Bentref' sy'n gymar dedwydd i bryddest fuddugol ddigyffro J.M. Edwards. Nid oedd ef, mae'n amlwg, am wneud lles i lên Cymru yn null Gwyndaf pan aeth ati i 'alw nôl' ei 'bentre gwyn' ei hun, sef Llaneilian-yn-Rhos. Rhaid oedd cael ato yn ieuenctid y dydd pan oedd yn ganolbwynt 'darn bach o wlad Gymreig' diddan ei thrigolion a difyr ei harferion. Beth allai fod yn fwy priodol na bod *Brithgofion* yn ymddangos yn 1944 yn un o Lyfrau'r Dryw, wedi'i argraffu yn Llandybïe a fyddai'r flwyddyn honno yn codi baner y 'pentre gwyn' trwy gynnal Eisteddfod Genedlaethol obeithlon a welai goroni J.M. Edwards drachefn am agor cwys arall o foliant i'r bywyd gwledig yn ei bryddest ar 'Yr Aradr'.[26]

Fel gyda Rhyfel 1914–18 fe fyddai eto hwrdd o ailymserchu yn y wlad a'i phentrefi yn ystod ac ar ôl yr Ail Ryfel Byd, er mai byr ei barhad fyddai o'i gymharu â'r dwymyn flaenorol. Roedd effeithiau asid dirwasgiad yr 1920au a'r 30au, a dyfodiad Natsïaeth a'r bomiau atomig, yn mynd i ysu gwladgarwch gorddwys blynyddoedd y brwydro yn gyflym. Dôi syrffed a sictod a sinigiaeth i'r pentrefi gwyn a darfyddai am eu bröydd diberygl. Ond daliwyd ati wrth gwrs i dapio'r posibiliadau. Yn ystod yr 1940au y cyhoeddwyd trioleg boblogaidd John Moore dan faner Penguin – *Portrait of Elmbury* (1945), *Brensham Village* (1946) a *The Blue Field* (1948) – trioleg a sicrhaodd y byddai erbyn diwedd y degawd yn cael ei ystyried gyda'r mwyaf enillgar o groniclwyr cyfoes bywyd gwledig Lloegr. Ac yn 1952 y cyhoeddwyd clasur Victor Bonham-Carter, *The English Village*. Yr un adeg yng Nghymru yr oedd y BBC yn darlledu rhaglenni radio a oedd yn dathlu pentrefolrwydd mewn cyfresi o bortreadau a geisiai ddangos yr angen am gymdeithasau crwn, gwreiddiedig pan oedd cymaint o'r byd yn sarn.

Mewn sgwrs ar 'Post-war Reconstruction in Wales' (8 Medi 1941) pwysleisiodd W.J. Gruffydd mai'r Gymru wledig oedd Caersalem y diwylliant Cymraeg. I fwy graddau nag yn Lloegr,

> Welsh life is a matter of small rural communities . . . Unless Wales, the Welsh language and Welsh culture continue to live in Llanwrda and Cefn Ddwysarn, in Llannerch-y-medd and Maenclochog, in Llanddeiniolen and Tregaron, it will be tragically useless to launch grandiose schemes to deal with Welsh life in the Rhondda and Swansea and Wrexham.[27]

Pe na bai'r BBC wedi gwrthod darlledu sgwrs ganddo yn 1937 hwyrach y byddai gennym heddiw syniad clir o'r gwerth a rôi Caradoc Evans ar y Gymraeg. Fel y mae pethau ni ellir bod yn sicr o'i agwedd gan ei fod byth a beunydd yn dadlau i ladd ei elynion. Yr hyn sy'n syfrdanol yn y cyswllt hwn yw fod Evan Jenkins Ffair-rhos, un o feirdd gorau y pentref diarhebol Gymraeg hwnnw, wedi dadlau mewn trafodaeth ar 'What is a Welshman?' (22 Ionawr 1943) gyda D. Lloyd Jenkins, E.D. Jones, Aneirin Talfan Davies a Frank O'Connor mai doeth fyddai i'r Cymry ollwng y Gymraeg a nodweddion Cymreig ac ymdoddi'n Saeson. Nid oedd Caradoc wedi mynd mor bell â hynny![28]

Beth bynnag, a geiriau Gruffydd yn dal i atseinio darlledodd y BBC, rhwng Ionawr a Gorffennaf 1943, gyfres o ddramodigau ar 'Y Pentref' i blant ysgol. Os oedd pentrefolrwydd i oroesi'r rhyfel roedd eisiau denu'r to ifanc i ymddiddori ac ymserchu ynddo, ac felly gwahoddwyd nifer o Gymry amlwg i sgriptio'r gyfres. Ar sail y dystiolaeth sydd ar gael fel hyn y rhedodd:

14 Ionawr	'Y Farchnad a'r Mart' (J. Kitchener Davies)
21 Ionawr	'Y Ffordd Fawr' (S.M. Powell)
28 Ionawr	'Y Ffatri Wlân' (Irene Edwards)
4 Chwefror	'Fferm y Mynydd' (Neli Davies)
11 Chwefror	'Dŵr i'r Pentref' (Hywel D. Roberts)
18 Chwefror	'Paratoi yn y Fferm am y Gwanwyn (An.)
25 Chwefror	'Cyfarfodydd y Pentref' (R.G. Berry)
4 Mawrth	'Mudiadau Ieuenctid y Pentref' (Hywel D. Roberts)
11 Mawrth	'Pysgota yn y Pentref' (David Roberts)
18 Mawrth	'Plismon y Pentref' (Dai Williams)
25 Mawrth	'Gof y Pentref' (An.)
1 Ebrill	'Postmon y Pentref' (Myfanwy Howell)
6 Mai	'Y Ffordd Haearn' (S.M. Powell)
13 Mai	'Casglu Llysiau a Ffrwythau' (Myfanwy Howell)
20 Mai	'Pŵer Trydan i'r Pentref' (Hywel D. Roberts)
27 Mai	'Cynhyrchu Llaeth a'i Ddosbarthu' (Tom Lewis)
3 Mehefin	'Crefftwyr y Pentref' (Iorwerth C. Peate)
10 Mehefin	'Y Felin Flawd' (Irene Edwards)
17 Mehefin	'Adeg y Cynhaeaf' (Myfanwy Howell)
24 Mehefin	'Cŵn Defaid' (Neli Davies)
1 Gorffennaf	'Helpu'r Ffermwr' (David Roberts)
8 Gorffennaf	'Yr Hen a'r Newydd' (John Gwilym Jones)[29]

Nid oes modd gwybod sut yr ymatebodd plant ysgol 1943 i gyfres o'r fath pan oedd y rhyfel yn dwyn cyffroadau mor ddramatig i'w bywydau yn y pentrefi mwyaf cysgodol, fel y dangosodd R. Gerallt Jones a Rhydderch Jones ymhen blynyddoedd mewn dramâu teledu o ansawdd *Joni Jones* a *Gwenoliaid*. Ar fywyd y pentref gwledig 'traddodiadol' y canolbwyntiwyd yn 1943, ar y 'bythol bethau' yn arferion, sefydliadau, cyfleusterau a phobol wrth eu gwaith ac eithrio, er mawr syndod, y capel a'r eglwys, y gweinidog a'r offeiriad na wnaeth y Parchg. R.G. Berry a Hywel D. Roberts fwy na braidd gyffwrdd â hwy yn eu sgyrsiau. Hwyrach na ddylid darllen gormod i mewn i hynny – gallai'r plant achwyn fod chwaraeon wedi'u hesgeuluso mae'n siŵr – ond y mae'n demtasiwn i'w ystyried yn rhagargoel o'r dirywiad a fyddai erbyn diwedd yr ugeinfed ganrif wedi troi'r Sabath yng Nghymru yn ddiystyr i drwch mawr y boblogaeth.

Cyn diwedd yr 1940au byddai cyfresi radio megis 'Ein Pentref Ni' a 'Brethyn Cartref' yn gwahodd trigolion amrywiol ardaloedd i rannu â'r gynulleidfa eu balchder pentrefol a'u hymdeimlad cryf o berthyn i gymuned ddiogel ei hunaniaeth. Ar lafar ac ar gân ymroddwyd i ymhyfrydu. Ar 2 Awst 1944 siaradodd y Parchg. Gomer Roberts a T.H. Lewis yn frwd am Landybïe wrth i ryw ddeng mil ar hugain o eisteddfodwyr anelu am y pentref. Roedd eto'n fyw rai a'i cofiai yn ddim ond clwstwr o dai o gwmpas yr eglwys, tair neu bedair tafarn, a dau gapel Methodist. Yn 1939 y buasai farw William Bowen, mab ieuengaf Richard Bowen a aned yn 1805. Rhyngddynt, buont byw yn Llandybïe am 134 o flynyddoedd gan lanw swydd clerc y plwyf am dros ganrif. A chofiai T.H. Lewis yr olaf o hen ymladdwyr Ffair Llandybïe – Samuel Lloyd, Cae'r Gors, a'r olaf o hen ddawnswyr yr ardal – Dafydd Morris, Clunglas. Peth fel yna oedd sadrwydd bywyd pentref.[30]

Yng nghyfresi 'Ein Pentref Ni' aed i Dalybont, Ceredigion (21 Tachwedd 1947) ac yn 1948 i Resolfen (16 Chwefror), Ystradgynlais (8 Mawrth), Penclawdd (2 Mehefin), Nantyffyllon (21 Mehefin), Pontyberem (27 Medi) a Llandysul (18 Tachwedd). Yn 1949 ymwelwyd â Felin-foel (11 Ionawr), Tyddewi (28 Chwefror) a Phontarddulais (30 Mai). Ac yn 1950 aed i Wauncaegurwen (12 Ebrill), Cydweli (10 Mai), Aberporth (8 Mehefin) a Brynaman (16 Rhagfyr). Yn cydredeg â'r rhaglenni hyn yn 1949 darlledwyd portreadau 'Brethyn Cartref' o Landudoch (17 Ionawr, sgript T.H. Evans), Beirdd Ffair Rhos (12 Chwefror, Dai Williams), Ardal Cwmaman (24 Mawrth, John Jenkyn Morgan), Pontlliw (30 Awst, Rhydwen Williams), Maesteg (5 Hydref, Brinley Richards), Llansadwrn (12 Tachwedd, Rhys Dafys Williams) a Gwynfe, Trap a Llanddeusant (10 Rhagfyr, Ifor Rees). Er nad yw'r wybodaeth am y cyfresi hyn yn gyflawn, y mae digon wedi'i ddiogelu yn y Llyfrgell Genedlaethol i ddangos yr apêl a oedd o hyd i bentrefolrwydd yn y Gymru Gymraeg yn union wedi'r Ail Ryfel Byd. Ac o gofio gymaint yr ofnid y byddai'r rhyfel hwnnw yn chwalfa derfynol i'r Gymru honno, y mae'n dystiolaeth o bwys.[31]

I Rhydwen Williams, ei 'arafwch rhinweddol' a'r bri a rôi ar gerddoriaeth a drama a wnâi Resolfen yn bentref cyfoethog. Roedd yn fagwrfa tri cherddor o bwys cenedlaethol – D. Hopkin Evans, David Evans a David de Lloyd. Roedd ysbryd cerddoriaeth yn cyniwair trwy'r fro: 'Mae'r simffonïau ar gael yn y mynydd a'r afon a'r gwynt a'r creigiau a'r strydoedd i'r werin hoff, i unrhyw un glust-denau . . .'[32] Ym Mhenclawdd ffynnai crefydd a'r Gymraeg a chymerai'r merched ran

143

flaenllaw ym mywyd cyhoeddus egnïol y pentref.[33] Pobol 'sefydlog eu natur' a drigai yn Nantyffyllon lle gallai naw o bob deg o'r plant ysgol ddweud bod tad-cu neu fam-gu iddynt yn byw yn y pentref. Un ohonynt oedd Mrs Edith Llewelyn, 74 oed, na chawsai ond un diwrnod o ysgol erioed. Eto i gyd fe'i dysgwyd i adrodd gan ei thad, Iago Tir Iarll. Cofiai gerdded i'r Rhondda i gystadlu yn 16 oed. Yn fwy na dim cofiai adrodd gerbron y Frenhines Victoria.[34] Am Bontyberem ni allai'r Parchg. D.E. Williams ddweud digon: 'Annwyl yw yn ein golwg a phrydferth, yn gynnes ei gymdeithas a llawn o ysbryd cymdogaeth dda'.[35] Ac i Mary Lewis, 'pentrefgarwch' y bobol a wnâi Landysul gyda'r mwyaf dedwydd o lefydd, fel y canodd John Rees Jones:

> Bro llawenydd, bro lluniaeth – un dawel
> A diwyd ei hamaeth,
> Bro'n heulog heb 'run alaeth
> Aml ei llwydd, bro mêl a llaeth.[36]

Gallwn glywed Sarnicol yn cymeradwyo a Caradoc yn carthu ei lwnc.

Dai Williams Tregaron oedd cyflwynydd y rhaglen ar Landysul a'i sylw wrth iddi ddirwyn i ben oedd: 'Wel, dyma beth yw lle gogoneddus o hyfryd'. Ar hynny, clywyd llais yn dweud 'O, na, – dyw hi ddim yn fêl i gyd 'ma,' a dyma wahodd y 'beirniad' i ddweud ei gŵyn. Math o

Llandysul.

ddefod oedd gwahodd 'beirniaid' i nodi diffygion eu pentrefi a honno'n ddigon dibwys i gyfiawnhau hepgor cofnodi pob beirniadaeth. Cainc arall o'r traddodiad mawl oedd cyfresi radio fel 'Ein Pentref Ni' a 'Brethyn Cartref'. Ymgynnal trwy gydganmol oedd 'raison d'être' y rhaglenni. Rheitiach na chwilio beiau oedd ymleddfu o feddwl fod treigl cyflymach amser yn difa'r hen ddiddanwch a'r 'arafwch rhinweddol' hwnnw a lonnai Rhydwen yn Resolfen. Mynegwyd y chwithdod yn ffraeth gan y gof yn Llandysul. Deugain mlynedd yn ôl cofiai dros gant o geffylau yn y pentref. Tri yn unig oedd yno yn 1948 a gweld ceffyl arall oedd yn ddychryn i geffyl bellach. Dweud gwych.[37]

Ar 5 Ebrill 1950 daeth gŵr, a fyddai cyn ei farw ugain mlynedd yn ddiweddarach wedi hen ennill ei blwyf fel un o arch-ddathlwyr y bywyd gwledig, i ddarlledu sgwrs mewn cyfres a gadeiriwyd gan E. Morgan Humphreys – 'Pum Gŵr . . . Pum Plwy'. D.J. Williams oedd y gŵr hwnnw a'i destun oedd 'Disgyblaeth Naturiol Cymdeithas Wledig'. Rhydcymerau, yr ardal a'r pentref yn ganolbwynt iddi, oedd tiriogaeth y gymdeithas honno 'yn ucheldir bryniog gogledd Sir Gaerfyrddin, a'r bronnydd serth o'i gwmpas yn gwneud y lle yn fath o undod cymdeithasol naturiol a chryno, gyda'r capel Methodus a'r ysgoldy yn y canol fel y ddau brif sefydliad i glymu'r bobl wrth ei gilydd'.[38]

A'r trigolion yn etifeddion sefydlogrwydd oesol a olygai fod llawer o'r teuluoedd yn arddel perthynas waed, fe ddatblygodd yn yr ardal 'gymdeithas gynnes, glòs at ei gilydd' lle'r oedd 'ymdeimlad o heddwch ac o gymdogaeth dda rhwng y bobl' yn nodwedd gyffyrddadwy arni: 'Eithriad ydoedd fod yno gweryl byth gwerth sôn amdano'. Y rheswm am hynny oedd fod 'Disgyblaeth y llwyth' ar waith a honno'n ddisgyblaeth 'mor llednais a chyfrin ei naws fel na allai neb dieithr yn yr ardal ei synhwyro, na gwybod dim amdani am hir'.

Beth oedd ei chraidd? Esboniodd 'D.J.' fod yn yr ardal dri llwyth a bod yna 'un ddeddf gudd, na sonnid byth amdani mewn geiriau, yn gweithio'n ddistaw ddirgel yn is-ymwybod pob aelod o'r tri llwyth'. Sut roedd hi'n gweithio? Yn syml: 'gallai'r bobl, os mynnent, gwympo ma's â'i gilydd, yn ddistaw bach, o fewn eu tŷ a'u tylwyth hwy eu hunain, ond fe fyddai i rywun ddweud neu wneud rhywbeth a allai, rywfodd, beri tramgwydd i neb o lwyth arall, yn drosedd mor enbyd yn erbyn deddf anysgrifenedig ei lwyth ef ei hun fel nad oedd y peth mewn gwirionedd, byth yn digwydd'.

Hon, i 'D.J.', oedd yr unig ddisgyblaeth gymdeithasol y gwyddai'r ardal amdani, 'y ddisgyblaeth o gyd-fyw gydag eraill gwahanol i ni, ac a ddaethai'n rhan naturiol o fywyd y gymdeithas'. Dyna'r unig ddisgyblaeth 'ddiogel' ac arhosol ei gwerth iddo ef a hi'n unig oedd yn cyfrif am y ffaith 'fod yr ardal fach, fynyddig hon wedi bod erioed yn gwmwd mor dawel a heddychlon, a'i phlant, yn ddieithriad, yn parhau yn ddinasyddion mor deyrngar iddi'.

A 'D.J.' yn gwynfydu uwch ei phen, pa wydiau na ddaethai i ffroen lenyddol Caradoc Evans mewn cymdeithas wledig mor gaeedig â honno? Nid Daniel Morgans fyddai'r unig benweiniad ynddi i chwantu sbaddu mwy na chwrcath ac nid 'Pwll yr Onnen' fyddai'r unig fangre wallgof o fewn ei chwmpas mae'n siŵr. Fe fyddai 'hurtwch tywyll' ar daen trwy'r fro ac nid rhyddhad o gaethiwed oesol fyddai cenhedlu plentyn siawns, fel yn hanes hen lanciau crablyd 'Pwll yr Onnen', yn gymaint â ffrwydriad o drythyllwch rhwystredig, llofruddiol. Yn lle disgyblaeth ddiogel 'D.J.' fe gâi germau cynddaredd rwydd hynt i wenwyno bywyd mewn pant ac ar fryn. Fe fyddai'n rhaid i Caradoc ollwng 'napalm' ei ddirmyg ar grwyn y gwladwyr rhywiog.[39]

Ni fuasai hynny'n syn gan 'D.J.'. Er iddo dreulio blynyddoedd yn athro Saesneg yn Ysgol Ramadeg Abergwaun yr oedd ei agwedd at lenyddiaeth yr Eingl-Gymry (ac eithrio rhai cadwedig fel R.S. Thomas, Emyr Humphreys, Harri Webb, Raymond Garlick a Glyn Jones) yn stwbwrn negyddol ac y mae'n ddiamau fod 'llurguniaeth annynol' Caradoc Evans o bobol Rhydlewis, fel y syniai 'D.J.' am storïau *My People* a *Capel Sion*, wedi haearnu ei ragfarn i'w herbyn. Yn grwt pymtheg oed derbyniasai ei rifyn cyntaf o *Cymru* 'O.M.' a bu'r achubydd o Lanuwchllyn yn arwr disigl iddo am weddill ei oes.

Nid llai ei ogoniant yn ei olwg oedd y gwron o'r un filltir sgwâr ag ef a fu farw ddwy flynedd ar ôl 'O.M.' yn 1922, sef W. Llewelyn Williams, 'Llew Brown Hill', y cofiai 'D.J.' weld ei fedd 'wedi'i fwsogli'n gynnes gan ei gyd-ardalwyr i ddisgwyl eu hen arwr . . . adref o Lundain, i'w hun olaf yn nhawelwch y bryniau hyn a garodd mor fawr drwy gydol ei fywyd'. Yn ddiweddarach, ac yntau'n genedlaetholwr diwyro ar ôl sefydlu Plaid Cymru yn 1925, fe ddôi Saunders Lewis a Gwynfor Evans yn arwyr gloyw i 'D.J.' hefyd, ond penseiri'r Gymru y rhoes ei fywyd i'w chynnal oedd O.M. Edwards a W. Llewelyn Williams. Yn eu llyfrau a'u cylchgronau hwy y cafodd yr ysbrydoliaeth a'i gwnaeth yntau'n storïwr a fynnai gadw'r chwedl yn fyw.[40]

Roedd bod Cymro o allu, argyhoeddiad ac amlygrwydd Llewelyn Williams – newyddiadurwr, aelod seneddol Rhyddfrydol dros fwrdeistrefi Caerfyrddin, bargyfreithiwr a Chofiadur Abertawe a Chaerdydd, hanesydd ac awdur *Gwilym a Benni Bach* (1894), *Gŵr y Dolau* (1899) a *'Slawer Dydd* (1918) – yn hanu o'r un ardal ag ef yn ddylanwad ffurfiannol ar fywyd 'D.J.' Fe'i harwraddolai. Siaradai Llewelyn Williams yn eofn dros y Gymraeg pan nad oedd hynny'n beth cwbwl normal i'w wneud yn Eisteddfodau Cenedlaethol diwedd oes Victoria. Roedd mor sicr ag O.M. Edwards mai gwlad ddirywiedig fyddai Cymru ddi-Gymraeg ac nid ofnai ddweud hynny yn Saesneg, yn ogystal â'r Gymraeg. Wedi'r cyfan, nid oedd prinder gwatwarwyr trueni Cymru Gymraeg – 'yr hen anachubol wrach' honno.

Mae'r daliadau a oedd i danio'r 'D.J.' ifanc i'w gweld yn rhifynnau *Young Wales*, y cylchgrawn a olygwyd gan J. Hugh Edwards i yrru achos 'Cymru Fydd' yn ei flaen. Gwelai Llewelyn Williams Gymru ar drugaredd philistiaeth Lloegr a gwelai'r Gymraeg yn wrthglawdd anhepgor rhag boddi'r wlad gan fateroliaeth Saesneg. Ni phetrusai gondemnio trahauster 'John Bull' na allai oddef iaith na fedrai ef mo'i deall: 'He is not satisfied that the people should learn to speak and read his own language; they must forget their own'. Barnai fod y Gymraeg tan yn ddiweddar wedi cadw ei phlant yn ddihalog er gwaethaf temtasiynau cynyddol yr oes, ond bellach 'Wales is in danger of being demoralized through the English settlers and the Anglicized Welshmen in our midst'. Roedd hen werthoedd yn gwegian.[41]

Fel O.M. Edwards roedd ei fryd ar ddiogelu'r bywyd Cymraeg na allai'r Cymry, yn ei farn ef, oroesi'n genedl hunan-sicr a hunan-falch hebddo. Roedd yn ddigon o Brydeiniwr i edmygu rhinweddau'r Saeson ac i gredu 'that the world has never seen a civilization equal to that of England at its best'.[42] Er hynny, nid ar efelychu, chwaethach dynwared y Saeson y dylai'r Cymry roddi eu bryd, ond ar ddal gafael ar bob dim rhagorol ac arwahanol yn y bywyd Cymraeg. Ac yn y wlad, wrth gwrs, yr oedd hwnnw i'w gael yn ei gyflawnder. Gallai Llewelyn Williams draethu mor ddifäol â Caradoc Evans o'i ochor ef o'r clawdd:

> We are not fighting against English literature and English civilization; but against the corruption, the brutality, the low tone of life and manners which English industrialism has brought in its train to Wales. It is a sad and unforgettable fact that the most brutalized, the most

criminal, and the most vicious portions of Wales are the Anglicized parts. We have been in a hurry to turn Welshmen into Englishmen; we have denationalised them in many districts; but we have, too often, not made 'God's Englishmen' of them, but criminals and brutes![43]

Roedd 'Y Mudiad Ymosodol' yn ymladd i adfer y bröydd egr hynny yn enw'r Gristnogaeth. Dyletswydd 'Cymru Fydd' oedd ymladd i'w hadfer yn enw'r diwylliant Cymraeg poblogaidd 'unsurpassed, perhaps even unequalled, in any other country . . .' Pe darfyddai'r iaith, darfyddai hefyd am y diwylliant meddyginiaethol hwn. Rhaid oedd ei chadw'n fyw nid yn gymaint yn rhinwedd ei gwerth addysgol, ag am ei bod 'the most humanising influence in the land, the greatest barrier against the inrushing tide of evils which follow in the wake of English commercialism.[44]

Pa ryfedd iddi gymryd cyhyd o amser i greu rhyw fath o gymod rhwng dwy lenyddiaeth Cymru. Am yn rhy hir ni fedrent gydnabod bodolaeth ei gilydd ond yn iaith ofn. Ofn awduron y Gymraeg fod eu hiaith ar farw yn eu gyrru i'w thra-dyrchafu yn enw rhyw anhepgoredd moesol di-fudd i lenyddiaeth, ac ofn yr Eingl-Gymry nad oedd eu llên hwy yn cyfrif ar wastad cenedlaethol, heb sôn am wastad Prydeinig, yn eu gorfodi'n rhy fynych i ymgosmopolitaneiddio'n wyntog uwchraddol. Sôn am guro padelli a dwy lenyddiaeth yn y tir i'w hyrwyddo â deallusrwydd o bobtu!

Heb erioed, hyd y gwn, feddwl am y Gymru ddiwydiannol Seisnigedig mor galed gollfarnus ag y gwnâi Llewelyn Williams – cofiwn iddo ddweud mai ymhlith glowyr y de y gwelodd ddynoliaeth ar ei gorau – y mae'n gwbwl sicr y cytunai 'D.J.' gant y cant â'i arwr ynglŷn â hollbwysigrwydd ffyniant y bywyd gwledig. A diolch byth, er iddo deimlo droeon fod yn rhaid iddo 'golbo' pan fyddai rhai o'r awduron Eingl-Gymreig a'u cefnogwyr yn fwy ymhonllyd nag arfer yn eu llythyrau i'r wasg, trwy ymroi i lenydda mewn difrif dros y bywyd gwledig Cymraeg mewn ysgrif bortread, stori fer a hunangofiant y gwnaeth ei ran arbennig ef i sicrhau na pheidiai curiad y bywyd hwnnw tra byddai byw'r Gymraeg i ddenu darllenwyr. Erbyn hyn bron nad yw ei arddull ef wedi dyddio lawn cymaint ag un Caradoc Evans – onid ei arwr mawr, 'O.M.', a ddywedodd mai 'Melldith llenyddiaeth Cymru yw amleiriau'[45] – ond i ddeall gafael delfryd y Gymru wledig a'i phentrefi gwyn ar serchiadau a dychymyg rhai cenedlaethau o Gymry yn yr ugeinfed ganrif, y mae'n awdur sy'n rhaid ei ddarllen. A thra pery'r wynfa wledig yn gordial i'r galon Gymraeg fe fydd darllen arno.

Yn 1947, wrth adolygu argraffiad newydd o *Gŵr y Dolau*, dywedodd 'D.J.' mai 'Costrel o serch calon fawr, gynnes wedi ei thorri ar ben ei eilun, gwerin ddiddan, ddiwylliedig bro ei febyd' oedd llyfrau Llewelyn Williams, 'a churiad o'i waed ef ei hun ymhob un o'i gymeriadau'.[46] Gallasai'n gwbwl gymwys fod yn siarad am ei storïau ef ei hun ac am y gyfrol o hunangofiant, *Hen Dŷ Ffarm*, a gyhoeddwyd ym mis Hydref, 1953, gan ennill statws 'clasur' dros nos. Roedd 'D.J.' yn 68 oed ond pan ddaeth stori *Hen Dŷ Ffarm* i ben gyda'r teulu yn symud o Benrhiw i Abernant, nid oedd yn hŷn na chwech a chwarter.

Y mae i atgofion plentyndod, yn naturiol, eu rhan enillgar yn yr hunangofiant ond nid y byd trwy lygaid plentyn a geir yn *Hen Dŷ Ffarm*. Perspectif Cymro o genedlatholwr ymroddedig sydd i'r hunangofiant a hwnnw'n fwy na pharod i elwa ar ei gof dyfeisgar i ymgyrchu dros rinweddau'r Gymru wledig y gwelodd ef a Llewelyn Williams eu gwyn ynddi yn 'sir Gâr'. Gŵr a fuasai'n dra phleidiol i'w wlad ers blynyddoedd lawer a ysgrifennodd *Hen Dŷ Ffarm* ac ni cheir yn y Gymraeg well enghraifft o'r cof detholus ar waith yn llunio Cymru sy'n hawlio teyrngarwch oes.

Yn grwtyn byr, byr ei olwg, gallai 'D.J.' gredu wrth wrando ar siarad eraill amdanynt ei fod yn 'gweld' y ffesants a'r petris yn y caeau draw am fod byrdra'i olygon yn ddiarwybod iddo 'wedi estyn fy nychymyg, a gwneud celwyddgi bach ardderchog a chwbl onest ohonof'. Yr un fel gallai'r llenor aeddfed byr ei olwg 'weld' ei gymeriadau, eu gweld 'yn onest' cyn belled, hynny yw, ag yr oedd eu rhan yn ei stori ef yn bod. Ystyrier y portread o Nwncwl Jâms. Cydnabyddir fod iddo'i ochor gwrs, gas. Hoffai edliw i fam 'D.J.' iddi ddod i'r teulu 'yn hen borcen' a siaradai'n fras am y merched yr oedd wedi'u 'shot-tho'. Ni raid bod yn ddarllenwr-rhwng-llinellau hynod o graff i gasglu ei fod ar brydiau yn hen ddiawl croes, diffaith, brwnt ei dafod. Ond arwr gwlad a gwerin ydyw yn anad dim yn *Hen Dŷ Ffarm*, marchog crwydr y bryniau ar drywydd rhyw dragwyddol orchest, yn ymgorfforiad o ryw annifrifwch priddlyd ac yn achos chwerthin mawr i eraill. Ef yw hwyl byw yn y wlad ar duth feunyddiol. Diolched Nwncwl Jâms mai 'D.J.' a fu'n ei drin, gan ei gadw o fewn y 'ddisgyblaeth ddiogel' honno a nodweddai'r filltir sgwâr. Buasai'n gymeriad tipyn llai apelgar pe cawsai Caradoc Evans afael arno – yn genhedlwr plant siawns a gormeswr teulu o leiaf.[47]

Ond yn *Under Milk Wood* Dylan Thomas fe fyddai'n frawd i Mr Waldo ac yn rhydd i chwarae ei ran yn ddigerydd yn y gomedi ddynol anhreuliedig y mae 'Llareggub' yn llwyfan iddi. Rhoesai Dylan Thomas fersiwn terfynol ei ddrama radio yn nwylo'r BBC cyn diwedd mis Hydref, 1953, tua'r union adeg yr oedd *Hen Dŷ Ffarm* yn ychwanegu at glodydd 'D.J.' Ar 9 Tachwedd 1953 byddai'n marw yn 39 oed yn Efrog Newydd a bellach bu'n dwyn iau yr athrylith Geltaidd ddisberod am hanner canrif ac yn dioddef rhidyllu ei lwch gan leng o edmygwyr a sgwad bychan o gollfarnwyr a dibriswyr ei fywyd blêr, diotlyd a'i awen 'rodresgar'. Fel y prawf ymosodiad hwyliog Hywel Williams arno'n ddiweddar yn y *Guardian*, fe fydd yn dwyn yr iau a dioddef ei ridyllu am dipyn eto.[48]

Y mae llawer wedi'i ddweud dros y blynyddoedd am ddyled 'Llareggub' i Dalacharn a Cheinewydd, dau bentref glan môr y treuliodd Dylan gyfnodau o'i fywyd twmpathog ynddynt. Prin fod eisiau dweud mwy ar y mater na'i bod yn bur sicr fod ôl y ddau le ar 'Llareggub', dim ond i ni bwysleisio mai pentref sy'n byw ac yn bod yn hollol yn hawl gweledigaeth ei grëwr ydyw. Yn ei brydferthwch naturiol yn bentref cydgyffwrdd ysblanderau tir a môr, y mae i 'Llareggub' broffil clasurol y 'pentre gwyn' fel y'i ceir yn *Cymru* O.M. Edwards ac yn nofelau Allen Raine, ond nid yn nhermau'r hen fformiwla lle priodir tegwch dyn a harddwch natur y mae ei werthfawrogi; y mae'n bentref llawer dyfnach a dwysach ei apêl na hynny. Ac yn sicr nid yw'n bod i hyrwyddo unrhyw ddiwygiad na chynnal yr un gred mewn ffordd o fyw neu gymdeithas y bydd eu colli'n drasiedi oherwydd eu traragoriaeth.

Cyn dweud mwy am yr orchest honno, ystyrier dau waith gan ddau Gymro a ysgrifennai yn Saesneg, gweithiau a gyhoeddwyd o bobtu i *Under Milk Wood*. Gwnaeth J.O. Francis (1882–1956) ei farc â'r ddrama *Change* yn 1912 gan fynd yn ei flaen o ddrama i ddrama i geisio creu hinsawdd ffafriol i dwf rhyddfrydigrwydd, yr egwyddor a oedd iddo ef yn warant cymdeithas wâr. Boed grefydd neu wleidyddiaeth ddigymrodedd, ymgroesai Francis rhag y bobol ddisigl a wyddai beth oedd orau i eraill ac nad ofnai eu dinistrio petai rhaid profi pwynt. Fel yr esboniodd yn ei erthygl enwog, 'The Deacon and the Dramatist', aeth dramodwyr chwarter cynta'r ugeinfed ganrif ati i ddanseilio'r blaenor/diacon a fu megis deddfroddwr yn y Gymru Anghydffurfiol am yn rhy hir.[49] Cywair trasiedi sydd i'r frwydr rhwng John Lewis a'i feibion yn *Change*, pan ddifethir teulu cyfan gan sicrwydd marwol dynion egwyddorol o'u cywirdeb eu hunain. Comedi un-act yw *The Poacher* lle rhyddheir Thomas o afael y blaenor a fynnai wneud athro Ysgol Sul ohono gan ddiniweidrwydd anatebadwy Dici Bach Dwl, a fynnai wybod pam fod rhaid treisio anian Thomas y potsiar i'w wneud yr hyn na fwriadwyd iddo fod. A ffars dair-act yw *The Little Village* a berffformiwyd am y tro cyntaf gan Gwmni Drama Trecynon, 27 Rhagfyr 1928 – ffars sy'n para i ymladd brwydr Dici Bach Dwl yn erbyn Phariseaeth a pharchusrwydd.

Y mae *The Little Village*[50] yn help i werthfawrogi arwahanrwydd hanfodol *Under Milk Wood*, oherwydd y mae'r ffars wedi'i lleoli mewn pentref glan môr a oedd yn rhan o 'Portifor', bwrdeistref hynafol ar arfordir Cymru a chanddi ei siarter yn mynd yn ôl i 1215, siarter a ddeddfai mai Arglwydd y Faenol a ddewisai'r Maer. Yr ydym yn Nhalacharn wrth gwrs. Mae'r ffars wedi'i seilio ar yr atebion i ddau gwestiwn sy'n mynd i benderfynu dyfodol y pentref. Yn gyntaf, pwy gaiff briodi Suzannah Thomas, gweddw'r Druid's Arms, ai'r morwr ysgyfala Shoni Dai Dai, ai'r siopwr ariangar, capelgar Elias Watkin sy'n byw yn 'Upper Village'? Yn ail, sut mae arbed ystad Maesgwyn rhag mynd i afael syndicét pan fydd yr olaf o deulu Colby-Pugh wedi marw?

Ar lwyfan eisteddfod y pentref fe aiff Shoni ac Elias ati i brofi pwy yw'r dyn gorau mewn gornest gerddorol. Her Shoni y gallai godi côr o blith ei gyd-botwyr yn y Druid's Arms i drechu côr Elias, y 'Metropolitan Male Voice Party', yw achos yr ornest ac nid yw Shoni'n colli. Wedi'r eisteddfod darostyngir Elias yn llwyr pan brynir stad Maesgwyn gan un o blant y pentref sydd wedi gwneud ei ffortiwn yn Awstralia. Mae Silas J. Morgan yn rhoi'r stad i'w ferch, Mary, ac y mae hi, yn ôl ei hawl fel perchennog, yn dyrchafu Shoni yn faer er mwyn sicrhau parhad yr hen ffordd o fyw: 'This is a Welsh Borough. You are Welsh people. I am a Welsh woman. In my first official act, I want to show that I am in sympathy with Welsh traditions'.[51] Yna, priodir Shoni Dai Dai a Suzannah ac y mae Mary Morgan gyfoethog yn cymryd Mostyn Pryce, mab radicalaidd y Parchg. Evan Pryce, yn ŵr iddi. Gyrrir Elias Watkin chwerw adref i 'Upper Village' â'i gwt rhwng ei goesau a gadewir y pentref bach i wynebu'r dyfodol dan arweiniad y pâr ifanc goleuedig ac ysbrydoliaeth criw y Druid's Arms.

O feddwl am yr hwyl ddifalais a wnaeth J.O. Francis am ben 'Gwlad y Gân' yn ei ddisgrifiad o sgarmes y corau ac 'urddas' y beirniad John Mendelssohn Evans, heb sôn am ei ddefnydd o griw y Druid's Arms, gellid tyngu ei fod wedi rhag-weld 'Llareggub'. Buasai'r Revd. Eli Jenkins yn ei elfen yn *The Little Village*, ac onid sgamps wedi dianc yno o'r Sailor's Arms am eu bod yn cael eu cwrw'n rhatach yn rhinwedd carwriaeth Shoni a Suzannah yw Johnnie Genteel, Mog Militia, Jones the Shoes, Bevan Bobby, Large Lewis, Joe Jocky, Willie Walrus a Dic Paraffin. Maent yr un boer â chreadigaethau Dylan Thomas – ond rhoes J.O. Francis iddynt gomisiwn diwygwyr.

Ffars yw *The Little Village*, nid comedi, ac y mae a wnelo ffars â dial, ar gael y gorau ar elyn neu ddrygioni, ar roi'r byd yn ei le. Ni cheir ffars heb gystwyo a'r gelyn sy'n rhaid ei gystwyo yn *The Little Village* yw Elias Watkin, fersiwn arall o'r blaenor/diacon gormesol. Y mae'n rhaid ei ddarostwng, ei dorri o dir y rhai byw a'i yrru i anialwch 'Upper Village', cyn y ceir mwynhau pentrefolrwydd iach. Ac yn ôl cyfiawnder ffars y mae'n iawn i ni'r gwylwyr fwynhau ei ddarostyngiad. Dyna'i haeddiant. Y mae cydymdeimlad y comedïwr, ar y llaw arall, yn cwmpasu ei holl gymeriadau. Ar gynnwys pobol y mae'r pwyslais, nid ar eu diarddel.

Yn 1956, tair blynedd ar ôl marw ei gyfaill, Dylan Thomas, y cyhoeddodd Glyn Jones (1905–95) ei nofel, *The Valley, The City, The Village*. Yn sail i'w cyfeillgarwch roedd gafael hyfrydwch gorllewin 'sir Gâr' ar y ddau ac yn achos Glyn Jones ymlyniad oes wrth 'wlad ei dadau' yr oedd pentref Llansteffan megis trysordy ei gogoniant. Fel ei dad o'i flaen âi bob haf o Ferthyr i dreulio gwyliau yn y Lan, ffarm ei ewythr, John Evans, yn Llangynnog. Treuliai hafau yno pan dyrrai teuluoedd y glowyr o ben ucha'r Rhondda, nid yn gymaint i ymweld ag i ymdoddi i'r gymdeithas bentrefol, gwicsotig yr oedd bywyd ynddi ar hyd yr haf yn un sbloet o synwyriadau a charnifal o brofiadau. Yn ei farddoniaeth, ei storïau byr a'i nofelau, yn ei atgofion a'i feirniadaeth lenyddol, y mae gorllewin 'sir Gâr', a Llansteffan yn galon iddo, yn bresenoldeb feital, hyd yn oed pan yw'n bresenoldeb o bell.[52]

Yn *The Dragon Has Two Tongues* (1968) y mae Glyn Jones yn sôn amdano ef a Dylan Thomas yn pererindota i Aberystwyth i ddweud wrth Caradoc Evans gymaint yr edmygent ef. A phan ddarllenir storïau llidus fel 'The Last Will' neu 'It's Not By His Beak You Can Judge a

Woodcock', rhaid cydnabod fod iddynt naws Garadocaidd iawn. Ond heb os, pan ystyrir trwch mawr gwaith Glyn Jones fe ddaw'n glir nad oes fawr o berthynas rhwng ei Gymru ef a Chymru Caradoc. Oes, y mae ganddo yn oriel cymeriadau ei storïau a'i nofelau bobol od, grotésg hyd yn oed, pobol sy'n gorfforol gam, neu'n gloff, neu'n ddall, pobol hyll i bob golwg ond heb fod fyth yn golledig frwnt eu hanian ac yn anachubadwy o annynol. Pobol o'r un deunydd brau â phawb arall ydynt bob amser, pobol o'r un teulu â chymeriadau brith a broc yr archnofelydd a fu, yn ôl ei gyfaddefiad ef ei hun, yn gryn ddylanwad ar Glyn Jones, sef Charles Dickens. Tra'n cydnabod integriti gweledigaeth artistig anfad Caradoc Evans yn *My People*, am ei gymeriadau ni allai ond gresynu eu bod, i'w fryd ef, 'too grim even for his own artistic purpose'. Roedd Caradoc wedi creu byd o fryntni corfforol a moesol, 'almost universally joyless', ac er gwaethaf ei ddyfeisgarwch llenyddol nid digon hynny 'to dispel tedium from an extended reading of his stories . . .' Y mae'n ddweud da.[53]

Yn *The Valley, The City, The Village* i 'Lansant' yr â Trystan, gyda Gwydion a Nico, i dreulio darn o'r haf ym Môr Awelon. I fodloni ei fam-gu ysblennydd yn 'Ystrad' rhoesai gaead ar ei awydd i fod yn arlunydd a mynd i'r coleg yn 'Dinas' i raddio'n athro. Yno, syrthiodd yn ofer mewn cariad â'r Saesnes, Lisbeth, a diwedd y gân fu iddo'i cholli hi a methu yn ei arholiadau. Y mae'n mynd yn ei ddolur a'i rwystredigaeth i ryddhau'r artist ynddo eto a chodi uwchlaw sinigiaeth Gwydion. Fel bob amser yn ei lenyddiaeth Llansteffan, i Glyn Jones, yw'r lle i fynd iddo i wella. Dyna'i Afallon ef; lle i ddotio at harddwch môr a thir ac i deimlo ymchwydd yr ysfa i greu eto'n golchi drosto. I Trystan, lle oedd 'Llansant' 'where I had always found that drawing and painting came naturally to me'.[54]

Ond nid am ei fod yn lle i artist feudwyo ynddo y mae'n gweled ei wyn yno. Cael ei hunan yn gweld rhyfeddod pobol o'r newydd yw ei waredigaeth, y pentrefwyr y mae Uncle Gomer yn gyfarwydd teilwng ohonynt, yn storïwr hafal i ddewiniaid D.J. Williams, Dafydd 'r Efail Fach a Dan Pwllgwair, a throell ddiflino'i awen yn rhoi i bawb ei liw a'i lun. A'r fath dryblith o fodau dynol a lanwai'r sgwâr a'r strydoedd a'r amgylchoedd i gadw sylwebyddion Môr Awelon mewn llawn hwyl pan fyddai'n ffair a diwrnod 'codi maer'. Yn eu plith roedd ambell i grotésg i wneud i Caradoc Evans genfigennu, neb yn fwy felly na Dafis, y dyn hysbys, ac yn nwylo Glyn Jones creadigaethau ydynt i hwyluso dathlu bywyd yn ei 'Lansant' annistryw ef. Nid gwerin ddethol sydd wedi'i rhaglennu i gynnal delwedd waredigol mohoni; gwerin daear ydyw, cymysgedigion ar donnau trafferthion yn byw yn ôl greddfau sy'n braidd gyffwrdd â deddfau. Prin y gŵyr Trystan sut i fynegi ei lawenydd ynddynt, ond fe ŵyr sut i'w prisio:

> Without soaring, without plunging and capering, how can I show my exaltation at the inexpressible loveliness pouring upon my soothed heart . . . The Eternal made them . . . Let me bless, let me laugh, and let me never despise.[55]

Ni raid gofyn pa mor Gymraeg yw 'Llansant' waeth beth am Saesneg Glyn Jones. Y mae mor ddigamsyniol Gymraeg ag yr oedd Glyn Jones yn sicr mai Cymro ydoedd ef.[56] Amlinell pentrefi gwyn O.M. Edwards sydd iddo ond bod ei drigolion a'i ddychweledigion yn cael byw yn ysgyfala ac felly'n gordial i bob Trystan a ddaw atynt. Fe ddylid nodi i Glyn Jones yn ei atgofion sylwi ar dueddiadau gwasaidd yn rhai o'r brodorion a oedd fel petaent yn dal i fyw yng nghysgod yr uchelwyr gynt, ac ni welodd ddim yn Y Lan i beri credu yn niwylliant gwerin diarhebol 'Cymru lân, Cymru lonydd'. Lle di-lyfrau oedd Y Lan. Ond yr oedd ymhell o awgrymu ar sail hynny mai nythle i feddyliau pŵl oedd ei hoff bentref a'r wlad o gwmpas. I'r gwrthwyneb, pefriai'r fro o fywiogrwydd ac os yw 'Llansant' yn tystio i rywbeth, y mae'n tystio i ryfyg byw brodorion nad oes fawr o bwynt ceisio'u mesur â llathen gymwys. Nid oes dim yn daeog ym mhentrefwyr awen Glyn Jones ac y mae treulio diwrnod ffair gyda hwy fel bod yng nghroen Dafydd ap Gwilym a hi'n fis Mai.[57]

Bu Dylan Thomas gyda Glyn Jones yn Llansteffan; yn ei gwmni ef, hwyrach, y gwelodd Dalacharn yn lle i ymgartrefu ynddo. Yn fardd i'w edmygu, anwylai Glyn Jones y dyn hefyd, heb erioed amau, fel y cyfaddefodd, ei fod cymaint ar drugaredd nwydau hunanddinistriol. Tristaodd drwyddo pan ddarllenodd yn llyfr Malcolm Brinnin am ei ddadfeiliad yn America.[58] Onid Dylan Thomas, yn y bôn, yw'r Gwydion yn 'Llansant' yr oedd yn rhaid i Trystan beidio ag ildio i'w awen dywyll, sgeptig os oedd i greu dim ei hun? Onid Dylan Thomas yw'r Gwydion hwn sydd er blinder i Trystan fel pe wedi dod i'w bentref gwyn i wrthod ei iacháu?

Why does he not let himself be healed? Wales he loves, but he has brought his anguish even here. Forget, Gwydion, for this morning the offensive generations, gravebound and swarming into oblivion, forget your sadness and disenchantment, the frustrations and futility of your existence; forget the earth become for you excrementitious and the befouled waters a cloaca . . .[59]

Y mae'n rhaid mai dyna pwy ydyw.

Yn 1933, pan oedd bron yn 19 oed, gadawodd Dylan Thomas Abertawe ac aeth i Lundain yn llanc i gyd: 'The land of my fathers. My fathers can keep it'. Oni ddarllenasai 'the great Caradoc Evans'? Yn alltud, teimlodd yntau grafangau Cymru yn tynhau eu gafael ac ar ôl priodi Caitlin yn 1937 dechreuodd ymweld yn amlach â'i famwlad a threulio amser yn Nhalacharn, Llan-gain a Cheinewydd. Rhwng 1948 ac 1953 gwnaeth ei gartref yn Nhalacharn. Clywodd glychau atgof er pelled y carai feddwl ei fod o glyw Cymru O.M. Edwards, heb sôn am Gymru D.J. Williams a Saunders Lewis. Fel y dywedodd yn 1945 wrth gyfeirio at ei alltudiaeth yn ei sgwrs radio, 'Living in Wales': 'All I could do was remember, and I am good at that'. Ac yn Nhalacharn, 'in this timeless, beautiful, barmy (both spellings) town . . .', yn anad unlle arall (ond heb

Llansteffan c. 1929.

155

Carnifal Llansteffan yn yr 1930au.

amau am eiliad fod Ceinewydd hefyd yn eplesu yn ei ddychymyg), y gwasgodd *Under Milk Wood* o'i atgofion a'i ffantasïau fel gwasgu grawnwin yng nghwmni 'human, often all too human, beings'. Dan gyfarwyddyd Douglas Cleverdon fe'i darlledwyd am y tro cyntaf ar 25 Ionawr 1954 gan gwmni ysbrydoledig o actorion Cymreig, a byth er hynny y mae'r 'play for voices' wedi'i thrysori gan gynulleidfaoedd ar draws y byd – yn wrandawyr, darllenwyr a gwylwyr. Y mae'n ddrama hanfodol Gymreig heb fod i'w dynoliaeth ffiniau. Cân o fawl ydyw i'r natur ddynol.[60]

I fardd yr oedd ei feidroldeb yn pwyso arno'n gynnar fe fu byw trwy'r blits yn Llundain a gweld Abertawe'n garnedd yn gryn ysgytwad, a bu erchyllterau'r Natsïaid a gollwng y bomiau atomig megis rhagargoelion iddo o ddiwedd byd. Yr oedd *Under Milk Wood* yn ystwyrian o'i fewn yn ystod yr afagddu fawr. Bu'n meddwl am 'The Town That Was Mad' yn deitl i'r gwaith. Yn y fersiwn hwnnw dôi arolygwr lawr o Lundain i roi prawf ar gallineb 'Llareggub'. Yn ystod y prawf âi'r erlyniad ati i bennu hanfodion 'lle call' ac ar ôl gwrando penderfyniad rhai o brif gymeriadau 'Llareggub' oedd y byddai'n well ganddynt fyw mewn lle anghall. Byd i gefnu arno oedd byd dychrynfeydd 1939–45.[61]

Ond pan ollyngodd *Under Milk Wood* o'i ddwylo nid encilfa i ddiniweitiaid mo 'Llareggub'. Mynnodd iddo fod yn fangre cariad, 'a

156

place of love', a'i boblogi â thrigolion sy'n sboncio fel dalfa o amrywiol loywbysg wedi'u rhwydo gan ddewin. Gwnaed 'Llareggub' yn llwyfan i arddangos arno gawdel godidog bywyd dynol a'r egnïon anystywallt na all y rhyfeloedd enbytaf mo'u trechu. I'r trueiniaid a fu farw dan gawodydd bomiau neu a rofiwyd yn gelanedd i ffosydd ffieidd-dra, y mae *Under Milk Wood* yn llais o'u plaid ac yn floedd dros ryfeddod yr hyn oeddynt hwythau tra buont ar y ddaear. Rhoes Dylan Thomas o'i orau i ddathlu pob bywyd brau.

O weld 'Llareggub' mewn perthynas â phentrefi gwyn y Gymraeg y mae sylweddoli ei ddwyster. A 'Llansant' Glyn Jones yr un fel. Creadigaethau dethol ac iddynt swyddogaeth amddiffynnol benodol yw'r pentrefi Cymraeg, pentrefi cenhadol 'O.M.' os mynnir, cardiau post telediw i lonni'r serchogion. Arddangosant ragoriaethau ffordd o fyw na ddylai ddarfod am i rywrai ddeddfu nad oedd mewn tiwn â'r byd mawr. Rhaid eu cyfiawnhau ac ymgyrchu drostynt; fe'n gorfodir i'w hystyried yn nhermau gwell a gwaeth. Heb gytuno â daliadau D.J. Williams, er enghraifft, cymaint llai yw gafael ei lên arnom. Yn y pentrefi gwyn y mae byw yn ôl deddf yn rhagori ar fyw yn ôl greddf. Fel arall y mae pethau yn 'Llareggub' a 'Llansant'. Bwndeli o ryfyg lliwgar yw'r pentrefi hyn ac yn ganolog i fywyd 'all poor creatures born to die' Dylan Thomas y mae rhyw ddiniweidrwydd mawr, diniweidrwydd paganiaid praff o'r pridd yn iaith R. Williams Parry. Apelio at y cadwriaethwr ynom, nid y pagan, a wna pentrefi gwyn y Gymraeg.

Ond fel y dangosodd T. James Jones yn feistraidd yn *Dan y Wenallt*[62] roedd y Gymraeg, hithau, 'wedi ei gwneud' ar gyfer creu campwaith fel *Under Milk Wood*. Ei rhyddhau o afael fformiwla *Cymru* O.M. Edwards oedd eisiau. Nid dim ond clywed trigolion 'Llareggub' yn siarad Cymraeg yn afieithus rugl a wnaeth T. James Jones; sylweddolodd, hefyd, fod dau o foddau mwyaf ffrwythlon ein traddodiad llenyddol yn ymbriodi yn *Under Milk Wood* – y farwnad a'r fugeilgerdd – a gwnaeth yn fawr o hynny. O'r agoriad swyngyfareddol sy'n ein tywys trwy freuddwydion nifer o'r cymeriadau allan i ddiwrnod o fyw sy'n cyson ddal dwylo â ffantasi, ac yn ôl i noson arall o freuddwydio, y mae harddwch 'Llareggub' yn ein hawlio. Daw aroglau a synau tir a môr i'n ffroenau a'n clyw, a rhibidires o olygfeydd i lanw ein llygaid. Yn glust agored, llygadrwth a chegrwth y mae gwerthfawrogi *Under Milk Wood*. Act tra hyfryd yn y gomedi ddynol anorffen ydyw.

Ceinewydd.

Talacharn.

Fel un a ganodd droeon am rialtwch ysblennydd y cnawd mewn byd o rwystredigaethau, ac a ddatganodd mor wych mai 'Hudol enbyd yw'r byd byth', fe fyddai Dafydd ap Gwilym wedi adnabod o bell Polly Garter a Mr Waldo, Mog Edwards a Myfanwy Price, Nogood Boyo a Mae Rose-Cottage ('You just wait. I'll sin till I blow up!'), Rosie Probert, Sinbad Sailors a Gossamer Beynon. Wedi eu hangori yn eu hencilfa hallt y maent yn oesol eu hatyniad wrth iddynt strancio yng ngafael eu chwantau a chanu yn eu cadwyni hwythau. Ac o feddwl am ddiefligrwydd 'Manteg' Caradoc Evans, mor hawdd mewn cyferbyniad yw derbyn y rhaid bod i seithuctod, culni, malais a thrueni eu lle yn 'Llareggub' hefyd, gan na fu bentref erioed heb wybod amdanynt. Jôc ddiawledig yw priodas Mr a Mrs Pughe – ond y mae'n jôc gyffredin iawn. Rhewgell i'r cnawd yw Mrs Ogmore Prichard ac y mae hithau'n lleng. A beth dâl holl gynddeiriogrwydd gwrth-Anghydffurfiaeth Caradoc wrth Jack Black ffrantig, yr arch-bimp o Anghydffurfiwr sydd ar ôl rhaffu'r tarw yn ei drywsus yn mynd i'r coed i ddal y cariadon wrthi. 'Off to Gomorrah!' Dyna fyddai ei drip Ysgol Sul tragwyddol ef. Ac ymhlith y creaduriaid brith hyn y mae'r Revd. Eli Jenkins yn treulio'i ddyddiau awengar, gan ddeisyf bendith Duw arnynt oll a disgwyl yn hyderus iddo Ef weld ochor orau pob un ohonynt. Beth fyddai ganddo i'w ddweud wrth y 'Respected Davydd Bern-Davydd'?

Yn orchest o ddigrifwch a dychan y mae *Under Milk Wood* yn cymell chwerthin llawn, fel chwerthin medelwyr Waldo ar lethrau'r Preselau. Ond y mae'r ddrama yn farwnad hefyd ac ni wna'r chwerthin mawr ond dyfnhau'r sobrwydd mwy wrth i'r dydd dynnu ato. Fel y dywedodd Walford Davies yn ei lusern golau o ragymadrodd i argraffiad Penguin o'r ddrama yn 2000, y mae i gomedi *Under Milk Wood* 'a strong moral impulse (moral, not moralistic – that is a different thing).' Y 'llywydd ar y môr' yn 'Llareggub' yw Captain Cat a'r meirwon yw ei ddewis gwmni ef. Marw yw'r unig newid stad sydd i ddigwydd i drigolion 'Llareggub'; nid oes neb ohonynt yn ymddiwygio nac yn dirywio. Nid ymwrthodir â neb, ni roir lle i ddial; caniateir i bawb ei hawl i ymdopi â'i gyflwr dynol orau y gall. Y maent bob un yn ymglywed â thipian clociau Lord Cut-Glass ac wrth ymwrando yr ydym ninnau'n ymglywed â churiadau awydd diball i fyw bywyd i'r eithaf ac yn ein chwerthin yn ymwybod â'n cyfyngiadau. Y mae *Our Town* (1938) Thornton Wilder yn ddrama ddwys, afaelgar ond y mae *Under Milk Wood* yn rhinwedd sicrwydd traw ei amrywiol dannau yn waith sy'n rhagori arni.

Yn islais nad oes mo'i dewi ar hyd y dydd clywir ymbil Captain Cat, 'Come back, come back' a'i 'Oh, my dead dears!' yn lleisio hiraeth anesgor am degwch dydd y gŵyr pob meidrolyn loes ei golli. Busnes yw'r angau i Evans the Death sy'n gwasgu ei ddwylo yn eu menig du ar glawr coffin ei fron rhag i'w galon gamfihafio, gan arthio: 'Where's your dignity. Lie down'. Ond i Captain Cat nid mater o daro ystum yw gwneud busnes â'r angau. Nid oes cadw wyneb rhagddo. Y mae'n dwyn popeth, yn noethlymuno y tu mewn i fodolaeth pawb. A dweud hynny, dangos meidrolion yn straffaglio byw ynghyd yn orawenus a rhwystredig cyn diflannu sy'n peri bod *Under Milk Wood* wedi gwaelodi ym mhrofiad pobol ledled daear. Fel glos sy'n cyfoethogi ein hymateb i'r ddrama, dyfynnodd Walford Davies o lythyr anghyhoeddedig a ysgrifennodd Dylan Thomas at gariad dros-dro yn 1937, lle dywedodd '[that] the only democratic conception of human equality is that all men are tragic and comic: we die, we have noses. We are not united by our drabness and smallness, but by our heroisms; the common things are wonderful; the drab things are those that are not common'. Ac ychwanegu at werth y glos hwn a wnaeth Walford Davies wrth sylwi: 'It is a typically Chaplinesque insight: we have to invert our sense of heroism, otherwise little Hitlers come to power'.[63]

Ar ei wely angau yn Efrog Newydd bell a'i hiraeth am gartref yn dygyfor ei enaid, daeth Dylan Thomas o hyd i eiriau: 'Tonight in my home the men have their arms around one another, and they are singing'. A chofiwn Dafydd ap Gwilym yn syllu ar yr adfail lle bu gynt ym mreichiau'r gariadferch, cyn symud ymlaen ar ei hynt:

Aeth talm o waith y teulu,
Dafydd, â chroes; da foes fu.[63a]

Darllener pryddest radio J.M. Edwards ar 'Y Pentref'[64] a ddarlledwyd 3 Hydref 1951 ac fe welir fod ei ddefnydd ef o leisiau yn llai anturus o gryn dipyn. Yn ogystal â'r atgofiannwr o fardd sy'n canu mawl 'Y Lle' a'r 'Hen Fro' ar ddechrau'r bryddest, 'Y Crefftwyr' yn ei chanol a'r 'Gaer' ar ei diwedd, rhoir lleisiau i'r 'Afon', 'Y Saer', 'Y Gof', 'Yr Amaethwr', 'Y Clocsiwr' a'r 'Gweinidog'. Gwaetha'r modd, ni cheir odid ddim amrywio cywair am nad oes fawr o amrywio profiad a safbwynt. Y mae'n bryddest annramatig er fod J.M. Edwards erbyn 1951 yn gorfod cydnabod ei fod yn poeni am barhad cadernid gwâr y gymdeithas bentrefol. Gan ganolbwyntio ar wneud ei gerdd yn rhwydd i'w dilyn bodlonodd ar ailymserchu, canmol a lleisio chwithdod yn wyneb newid am ei fod yn newid er gwaeth. Pathos yw'r modd llywodraethol; rydym ym myd 'The Deserted Village', 'Ysgoldy Rhad Llanrwst' a 'Melin Trefin'. Nid yw 'Llareggub' gerllaw.

Nid bod unrhyw amheuaeth am ddiffuantrwydd J.M. Edwards. Y pwynt yw ei fod yn 1951 mor hapus ag erioed yn gwahodd ei gynulleidfa i dderbyn y 'pentre gwyn' yn ddigwestiwn, heb chwennych dim ychwaneg. Yn ôl yn 1908 roedd Arglwyddes Tyddewi wedi annerch y Cymmrodorion yn Eisteddfod Genedlaethol Llangollen ar 'Welsh Village Societies', pan wnaeth y sylw canlynol:

> Now, those who are born in villages – live the whole of their lives there – often appreciate them with quiet affection, and cling to them with pathetic devotion. Most people remember their native village as delightful; but we have to face the fact that the village, though always delightful, is often dull.[65]

Y mae 'pathetic devotion' yn ddisgrifiad cymwys o ymlyniad J.M. Edwards, a llawer iawn o Gymry eraill, wrth y 'pentre gwyn'. Os oedd yn gallu bod yn ddifywyd nid oedd eisiau dweud hynny yn Gymraeg. Ym mhryddest goronog 1937 y mae'n wir fod awydd i brofi bywyd cyffrous y ddinas yn sbarduno'r llanc i adael, ond nid yw'n hir cyn sylweddoli ymhle roedd y bywyd gwir lawn i'w gael ac fe ddychwel i'w seiet o bentref crefftgar. Ym mhryddest radio 1951 ailddatgenir hen wirioneddau gan 'Yr Amaethwr':

> Mae gwreiddyn pob bywyd yng nghelloedd y ddaear,
> Mae pob dinas a'i phwys ar ryw fryn;
> Mae hanfod ffynhonnell pob tref yn y pridd,
> A'r cae gwenith yw eich gobaith gwyn.[66]

Cydnabyddir gogoniant 'Y Crefftwyr':

> Y gwŷr a'r gwragedd difalch eu hysbryd,
> Ac undod eu bywydau yn gadwyn gron,
> Yn ymroddi beunydd yn eu cylchoedd bychain,
> Ac yn cynnal yn loyw draddodiad eu tadau
> Trwy flynyddoedd caledi a loes,

161

> A'i roddi i ninnau o'u dwylo i'w gadw
> Yn drysor yn ein dydd a'n hoes;
> Y rhain a fydd ynom a'u hysbrydoedd yn ddur
> Rhag yfory'r anwybod a dyddiau'r cur.[67]

Ymddiriedir ym mharhad 'Y Gaer':

> . . . Daeth dichell y byd a materoldeb yr oes
> I chwythu tros fy mhentre fel gwyntoedd croes;
> Mae awelon bach slei tros y ffin yn rhoi tro,
> Gan fynnu estroneiddio'r Gymreiciaf bro.
>
> Os torrir y gwrthglawdd a disgyn o'r gaer,
> A gododd y dwylo a fu unwaith mor daer, –
> Fe ruthra'r llifeiriant sy'n bygwth pob tu,
> Ac ni ddychwel drachefn y diddanwch a fu.
>
> . . .Ac os erys dy gryfdwr yn wyneb y byd
> A diogelu'r gwareiddiad a fu'n eiddot cyhyd, –
> Bydd bywyd yfory tan nodded dy Dduw
> I'r plant yn y dyffryn eto'n werth ei fyw.[68]

Nid oes dim yn sicr a gwynt y Rhyfel Oer, 'yr oerwynt deifiol ar ei daith/Tros eang feysydd Ewrop,/A hyd erwau'r cyfandiroedd . . .' ond yn unig fod yn rhaid wrth ragfuriau pentrefolrwydd i wrthsefyll ei ddrwg. Fel y dywedwyd, nid oes dim yn newydd gynhyrfus ym mhryddest radio J.M. Edwards. Y mae'n hen stori, hawdd ei mwynhau ar lefel arwynebol, heb fod i'r gwahanol gymeriadau leisiau profiadau unigolyddol. Naws marwnad delynegol sydd iddi o'r cychwyn – marwnad gyfarwydd iawn:

> O gariadus griw a hedodd,
> Dwylo aeth yn dawel iawn!
> Pan ail-alwaf arnoch heno
> Bydd ffiol f'atgo'n gryno a llawn.[69]

Parhaodd y 'pentre gwyn' i wneud ei waith fel totem llenyddol tan ganol yr ugeinfed ganrif. Yr oedd cymaint mwy y gallasai'r Gymraeg fod yn dweud am y bywyd pentrefol. Dangosodd John Davies (Pen Dar) yn 1912 mor gyfoethog oedd y posibiliadau pan ddechreuodd ysgrifennu am bentref 'Pontygwynt' yn ei golofn dan y pennawd 'Pwll y Gwynt' yn

Tarian y Gweithiwr. Pentref glofaol yng nghwm Cynon ydoedd ac mewn Cymraeg pob-dydd llawn sbonc adroddodd Pen Dar stori lamsachus na all dyn ar ôl ei darllen ond gresynu na chafwyd degau tebyg iddi ar ôl hynny. Ymhen ychydig flynyddoedd roedd Pen Dar wedi colli ei gynulleidfa a throi i gyfrannu colofn Saesneg boblogaidd iawn i'r *Aberdare Leader.*[70]

Ar ddechrau'r 1920au roedd 'John Henry' yn ysgrifennu'n ddifyr yn *Yr Eurgrawn Wesleaidd*[71] am 'Pobol y Pentref', a hwnnw'n 'bentref bychan gwyngalchog . . . yn llechu ar waelod isaf dyffryn cul yng nghesail mynydd-dir Hiraethog'. Ysgrifennai amdano fel yr oedd ddeugain mlynedd ynghynt pan oedd ef yn fachgen ysgol a 'Pant-y-Cysgod' i'r plant i gyd yn 'bentre gwyn' di-ail:

> . . . pentref tawel, prydferth a neilltuedig, heb ddim trwst trafnidiaeth, dim cyffro gwleidyddol, dim cynhyrfiadau cymdeithasol! 'The village of Sleepy Hollow where nothing ever happens' meddai rhyw Philistiad dienwaededig o Sais a fu yno am ysbaid yn ysgolfeistr. Wel, i'w lygaid cib-ddall ef, efallai mai felly yr oedd; ond i blant y pentref ni fu erioed ardal mwy byw. 'Village of Sleepy Hollow' yn wir! tra 'roedd bywyd yn dawnsio ar bob llaw, a phob llwyn a pherth yn llefaru, pob llwybr yn llwybr rhamant, a phob nant yn sisial ei chanig! I blant y pentref nid oedd lle mor bwysig yn bod a Phant-y-Cysgod! Pobl y pentref oedd ein harwyr; meddyliem ni nad oedd eu cyffelyb i'w cael yn unman.[72]

Ac fel y meddyliai'r bachgen, felly y meddyliai'r dyn pan aeth ati i bortreadu rhai o'r arwyr gynt. Er fod y parthau gwledig mor amlwg ar i lawr yn yr 1920au roedd eisiau cofio a mawrhau'r math o bobol a faged ynddynt:

> Pobol onest, pobol syml, pobol hamddenol, pobol naturiol – heb ddichell, heb falais, heb genfigen – pobol yn byw fel y bwriadodd Duw i ddyn fyw pan osodod ef ar y cyntaf mewn lle tebyg iawn i Bant-y-Cysgod, sef gardd Eden. Ac mae 'pobol y pentrefi' yn haeddu eu mawrygu. Hwynt-hwy ydyw asgwrn cefn y wlad. Darfyddai yn fuan am bobol y trefi pe na bai am y bywyd newydd a ddylifa i'r dinasoedd o bentrefi ein gwlad.[73]

Ac yntau mor amlwg ddyledus i O.M. Edwards ac Anthropos gellid disgwyl i bortreadau 'John Henry' ddwyn arnynt stamp comisiwn y 'pentre gwyn' ond chwarae teg iddo y mae ei 'bobol' yn ddigon dynol i fod yn ddiddorol. Ysgrifennodd am 'Y Clochydd Mawr' 'Y Mab Afradlon', 'Martha Jones', 'Huw Huws y Siop', 'Pinc Eis', 'Y Blaenor Wyneb-drist', 'Y Bardd', 'Ein Pregethwr Mawr', 'Gwraig y Dafarn', ac 'Y Sgŵl'. A gan nad oedd 'Ein Pregethwr Mawr' yn neb llai na'r Parchg. John Evans, Eglwys-bach ni raid dyfalu pa bentref go iawn yr oedd 'Pant-y-Cysgod' yn fwgwd iddo.

Nid yw ond i'w ddisgwyl, a chofio cyfnod yr atgofion, fod crefyddgarwch yn lliw sefydlog yn y rhan fwyaf o'r portreadau. Yn ogystal â'r 'Pregethwr Mawr' y mae 'Martha Jones', 'Huw Huws y Siop', 'Y Blaenor Wyneb-drist' a 'Gwraig y Dafarn' (sef mam 'John Henry', pwy bynnag oedd ef) i'w gwerthfawrogi yn bennaf yn rhinwedd eu crefydd – nid crefydd nad yw'n ddim mwy na 'ffyddlondeb i'r achos', ond crefydd sy'n gweithio er daioni yn y pentref. Ochor yn ochor â'r rhain y mae'r 'Clochydd Mawr', 'Y Mab Afradlon', 'Pinc Eis' a'r 'Bardd' yn bod i'n hatgoffa fod hefyd bobol yn y pentref, gwyn ai peidio, nad yw eu bywydau mor gaeth â hynny i'r Gair. Rhai y mae'r dafarn wrth eu bodd, rhai y mae'r ddiod wedi'u trechu, rhai y mae eu hodrwydd yn ymgeledd iddynt ac os yn destun siarad i eraill heb fod yn achos drwg i neb. Y mae iddynt i gyd eu rhan yn hapusrwydd 'Pant-y-Cysgod'.

I gyd ond 'Y Sgŵl', sy'n ddychryn o beth gan fod 'John Henry' yn ysgrifennu am fodau o gig a gwaed y tyfodd yn eu mysg ac, yn achos 'Y Sgŵl', y bu'n rhaid iddo am gyfnod ei wynebu'n feunyddiol am y rhan orau o'r flwyddyn. Sut na allai eu dyddiau ysgol beidio â bod yn uffern ar y ddaear i lu o blant o 1870 ymlaen wrth iddynt gael eu hunain ar drugaredd sadyddion fel 'Y Sgŵl'? A sut y gallai trigolion yr un 'pentre gwyn' ganiatáu'r driniaeth a gâi plant 'Pant-y-Cysgod' gan y 'Llipryn o ddyn main, teneu . . . llwyd ei wedd, llwyd ei wallt, a llwyd ei lygaid' a'u hambygiai yn enw addysg? Mae meddwl am ddyn mor anwar yn cyfrannu 'addysg' mewn iaith estron i blant o Gymry uniaith yn oeri'r gwaed ac yn peri synnu fod modd i unrhyw un a ddioddefodd dan ei oruchwyliaeth berlewygu, ymhen blynyddoedd, wrth alw yn ôl fwynderau'r 'pentre gwyn'. Ag ochenaid o ryddhad y mae dyn yn gorffen darllen am 'Y Sgŵl':

> Darlun lled dywyll ydyw hwn o un a ddylasai fod yn un o brif bobl y pentref, ond credwn ei fod yn ddarlun cywir ohono ef a llawer o'i

gyffelyb yn y dyddiau hynny. Y mae pethau yn dra gwahanol erbyn hyn. Y mae'r ysgolfeistr bellach wedi dod i sylweddoli na ellir pwnio dysg i ben plentyn â phastwn, ac mae 'oes euraidd' wedi gwawrio ar blant Cymru o'i chymharu â'r hyn oedd ddeugain mlynedd yn ôl.[74]

Y mae'n hawdd gweld cymaint mwy y gallasai 'John Henry' wneud o 'Bant-y-Cysgod' pe na bai cysyniad y 'pentre gwyn' yn ei arwain. Roedd posibiliadau dramatig o ddwyn y gwahanol gymeriadau ynghyd mewn sefyllfaoedd yn yr eglwys, y capel, y dafarn a'r ysgol. Ond chwarae teg iddo, roedd yn gwneud y gorau y gallai o'i ddefnyddiau yn ôl y dalent a roed iddo a'r ffasiwn lenyddol yr oedd ganddo i'w dilyn. Yr oedd mor rhwydd iddo fodloni ar atgofioni'n ddifyr ddiolchgar.

Ni allaf lai na chredu mai un o anffodion tristaf llenyddiaeth Gymraeg yr ugeinfed ganrif oedd i Idwal Jones farw yn 42 oed yn 1937, ychydig cyn i Dylan Thomas a Caitlin ddod i dreulio cyfnod ym Mhlas y Gelli ger Talsarn rhwng 1941 ac 1943. Yn ôl David Thomas,[75] roedd dyffryn Aeron i Dylan megis paradwys a'r Red Lion yn Nhalsarn a'r Vale of Aeron yn Felin-fach yn dafarnau wrth ei fodd, lle câi sgwrsio â'r brodorion a chanu emynau mewn llawn hwyl. Yn wir, y mae David Thomas yn bendant mai yn nyffryn Aeron y mae 'Milk Wood' Dylan. Ac i feddwl na chafodd gwrdd ag Idwal Jones, dramodydd *Pobol yr Ymylon* (1927), cyfansoddwr caneuon digrif a dwys, porthwr nosweithiau llawen

Felin-fach ar droad yr ugeinfed ganrif.

165

a dychanwr i wylio rhagddo. Pan oedd ei gyd-Gymry yn ewynnu poer wrth feddwl am *My People*, ateb Idwal iddo oedd sgit ddwyieithog 'My Piffle'. Fe fuasai Dylan yn fawr ar ei ennill o glywed y 'Cardi' disglair yn siarad am gyfoeth gwerin dyffryn Aeron a rhyfeddod Felin-fach yn anad unlle.[76]

Ar gyfer cyfres 'Pentrefi Cymru' *Y Ford Gron*, 'Cymeriadau'r Felin-fach' a gafodd sylw Idwal Jones.[77] Yn eu cartref yn Llanbedr gwrandawsai ar ei fam yn llanw'r lle 'ag ysbrydion Dyffryn Aeron', yn adrodd hanesion o ddydd i ddydd a'r cyfan 'yn myned ymlaen fel math o chwedl para-byth'. Fel y dengys ei ysgrif roedd yn ei fryd ac yn ei allu i droi'r gwrando hwnnw yn fath o ddrama i ddathlu bywyd 'Cardis' y dyffryn, gwaith a fyddai'n gam arall ar ffordd rhyddhau'r Cymry o'r gefynnau am eu menter lenyddol a'r cyffion am eu hafiaith: 'Ni fedraf ei gweled ond trwy ei chymeriadau' meddai am fro Felin-fach, a'n gadael i alaru na chafodd mo'r cyfle i roi Daniel y Cwm, Dinah, Mari'r Eify, Mari'r Cwm, John y Clociau, Cerngoch, Doctor Tynant, Doctor Gringrôf, Doctor Evans Aeron Villa a phlant yr ysgol ar lwyfan awr anfarwol.

Y mae'n hysbys ei fod yn edmygu dramâu J.M. Synge ac ni phetruswn i ddweud y byddai doniau comedi a dychan Dylan Thomas wedi ei foddio'n fawr hefyd. Pwy ŵyr na ddaethai o'u cyfeillach waith a wnaethai Felin-fach yn gymaint cyrchfan i'w edmygwyr ef ag yw Talacharn i edmygwyr Dylan. Gwenallt a ddywedodd am farw Idwal Jones: 'Byrlymai ei hiwmor ar wely marw. Yr oedd Angau ei hun yn jôc. Chwarddai ar lan Iorddonen. Ac aeth hiwmor Cymru i'r nefoedd'.[78] Yr oedd cymaint mwy o'i angen ar yr hen wlad.

1 Sir Henry Jones, *Old Memories* (New edition, Conwy Borough Council, 2002); David Davies, *Reminiscences of My Country and People* (Cardiff, 1925), 54, 64.

1a *The Welsh Outlook*, 1929, 251.

2 *Y Brython*, 31 Awst 1922, 2.

3 *The Welsh Outlook*, 1922, 6.

4 ibid., 70.

5 ibid., 146.

6 Sir Alfred T. Davies, *Evicting a Community. The Case for the Preservation of the Historical and Beautiful Valley of the Ceiriog in North Wales* (Honourable Society of Cymmrodorion, London, 1923), 8–10.

7 *Cymru,* III (1892), 211–2.

8 ibid., V (1893), 19–-24.

9 ibid., 85–8.

10 Sir Alfred T. Davies, *Evicting a Community* . . .

11 ibid., 19–21; *The Welsh Outlook,* 1922, 249–50.

12 Sir Alfred T. Davies, *Evicting a Community,* 15, 27–8.

13 ibid., 11,14.

14 ibid., 16-18, 21–4.

15 ibid., 24–6.

15a *Yr Herald Cymraeg,* 29 Mai 1923, 4; *Y Faner,* 3 Awst 1922, 7.

16 John Harris, 'Caradoc Evans: My People Right or Wrong', *Transactions of the Honourable Society of Cymmrodorion, 1995,* Vol. 2 (1996), 141–55.

17 Gwelir y gyfres 'Pentrefi Cymru' yn *Y Ford Gron,* cyfrolau 2 (1931–2), 3 (1932–3) a 4 (1933–4).

18 S.M. Powell, 'Pobl Hamddenol Rhydlewis', *Y Ford Gron,* 2 (1931–2), 8,17.

19 E. Myfyr Evans, 'Bro a'r Efail yn Senedd iddi', *Y Ford Gron,* 3 (1932–3), 234, 238; J. Trefor Lloyd, 'Pentref â Dyffryn yn ei Guddio', *Y Ford Gron,* 4 (1933–4), 44.

20 *Y Ford Gron,* 4 (1933–4), 141-2.

21 *Cymdeithas yr Eisteddfod Genedlaethol. Yr Unfed Adroddiad ar Bymtheg a Deugain ynghyda Rhestr o Swyddogion, Beirniaid, y Cystadlaethau a'r Buddugwyr yn Eisteddfod Genedlaethol Abergwaun 1936 a'r Beirniadaethau Cyflawn ar y Prif Destunau yn Abergwaun, 1936 a Machynlleth, 1937* (Caerdydd, d.d.), 222.

22 ibid., 226.

23 *Eisteddfod Genedlaethol Frenhinol Cymru, 1937 Machynlleth. Yr Awdl a'r Bryddest a darnau buddugol eraill* (Wrecsam, d.d.), 27–8, 30, 34.

24 *Cymdeithas yr Eisteddfod Genedlaethol . . . a Machynlleth, 1937,* 217.

25 ibid., 221.

26 T. Gwynn Jones, *Brithgofion* (Llandybïe, 1944). Gw. pennod 3, 'Hen Bentref' a phennod 10, 'Un o'r Rhai Fu'.

27 Canolfan Archifau Cymreig y BBC, Llyfrgell Genedlaethol Cymru (Bocs 72). Carwn ddiolch i Gyfarwyddwr BBC Cymru am ganiatâd i ddefnyddio'r archif.

28 ibid (Bocs 92).

29 ibid (Bocs 167).

30 ibid (Bocs 92).

31 ibid (Bocs 98, 105, 101).

32 ibid (Bocs 98).

33 ibid.

34 ibid.

35 ibid.

36 ibid.

37 ibid.

38 ibid (Bocs 105).

39 D.J. Williams, 'Pwll yr Onnen' ac 'Yr Eunuch' yn idem, *Storïau'r Tir* (Llandysul, 1966), 40–8, 153–64.

40 J. Gwyn Griffiths, gol., *Y Gaseg Ddu a Gweithiau Eraill gan D.J. Williams, Abergwaun* (Llandysul, 1970), 95; 'Canmlwyddiant W. Llewelyn Williams: gair o deyrnged', *Seren Cymru*, 8 Rhag. 1967, 5, 8.

41 *Young Wales*, I (1895), 195–6, 198.

42 ibid., 2 (1896), 59.

43 ibid., 51–60.

44 ibid., 60.

45 *Cymru*, XVII (1899), 83.

46 *Y Fflam*, Mai 1947, 64.

47 D.J. Williams, *Hen Dŷ Ffarm* (Llandysul, 1953), 140, 160, 181–9.

48 Hywel Williams, 'The cut-price Dionysiac', *The Guardian*, 27 Oct. 2003. Prin y gallasai Thomas ei hun ragori ar hwyl Williams wrth iddo ddifenwi 'the literary agent of the colonial condition' a greodd *Under Milk Wood*: 'The Welsh of the play are irresponsible charmers – impossible but oh-so-loveable. They talk Welsh flannel through their pointed hats while dancing through the Celtic mist. And, having been poetically privileged as artful beauties, there's a convenient consequence. These people – and what they are supposed to represent – can be twilighted out of existence as they disappear into the mystic west . . . Rarely has the national talent for genial submissiveness wound its way quite so stupidly and self-destructively up its own backside'. Chwedl Jack Black, 'Ach y fi! Ach y fi!'

49 Gw. Hywel Teifi Edwards, *Codi'r Hen Wlad . . .*, 285-315; M. Wynn Thomas, *Internal Difference. Twentieth-century writing in Wales* (Cardiff, University of Wales Press, 1992). Gw. pennod I, 'All Change: the new Welsh drama before the Great War', 1–24.

50 J.O. Francis, *The Little Village. A Welsh farce in Three Acts*. Welsh Drama Series, No. 97. Perfformiwyd am y tro cyntaf gan Gwmni Drama Trecynon, 27 Rhag. 1928.

51 ibid., 125.

52 D. Tudor Bevan, *Glyn Jones: The Background to his Writing*. MA thesis (unpublished) University of Wales, Swansea, 1989; Alun Oldfield-Davies, gol., *Y Llwybrau Gynt I*, (Llandysul, 1971), 'Glyn Jones', 61–93; Glyn Jones, *The Dragon Has Two Tongues*, 172–203 ar Dylan Thomas; M. Wynn Thomas, *Corresponding Cultures. The Two Literatures of Wales* (Cardiff, University of Wales Press, 1999), 100–10.

53 Glyn Jones, *The Dragon Has Two Tongues*, 64–6, 77.

54 idem., *The Valley, The City, The Village* (London, 1956), 233; Leslie Norris, *Glyn Jones*, 'Writers of Wales' Series (Cardiff, University of Wales Press, 1973), 38–44.

55 *The Valley, The City, The Village*, 247–8.

56 *Y Llwybrau Gynt*, I, 66.

57 ibid., 71–2.

58 Glyn Jones, *The Dragon Has Two Tongues*, 201.

59 idem, *The Valley, The City, The Village*, 251.

60 Ralph Maud, *Dylan Thomas. The Broadcasts* (London, 1991), 204, 280.

61 Dylan Thomas, *Under Milk Wood. A Play for Voices* (London, 1954). Gw. 'Preface' (v-viii) gan Daniel Jones.

62 T. James Jones, *Dan y Wenallt*, (Llandysul, 1968).

63 Dylan Thomas, *Under Milk Wood. A Play for Voices.* Edited with an Introduction and Notes by Walford Davies (Penguin Classics, 2000), xv.

63a John Ackerman, *Welsh Dylan* (Cardiff, 1979), 34, 120; Thomas Parry, gol., *Gwaith Dafydd ap Gwilym* (Caerdydd, Gwasg Prifysgol Cymru, 1952), 381 Cywydd 'Yr Adfail'.

64 J.M. Edwards, *Cerddi Hamdden* (Llandybïe, 1962), 42–58.

65 *Transactions of the Honourable Society of Cymmrodorion, 1907-1908,* 155. Cymharer â sylwadau David Lloyd George mewn cyngerdd yn Llanystumdwy yn Awst, 1913, pan fu'n sôn am ei fachgendod yno: 'Yr ydym yn cwyno fod pobl y pentrefi yn myned i'r trefi ac i Canada. Faint o honoch a wyr sut beth ydyw bywyd pentref? Yr oedd yn fywyd anifyr y tuhwnt i ddesgrifiad, yn enwedig yn ystod misoedd y gauaf.' (*Y Genedl Gymreig*, 2 Medi 1913).

66 J.M. Edwards, *Cerddi Hamdden,* 52.

67 ibid., 53. Y mae eisiau pwysleisio fod J.M. Edwards, wrth fawrhau'r crefftwyr pentrefol traddodiadol, mewn cwmni nodedig. Yng Nghymru, roedd ganddo holl awdurdod Iorwerth Cyfeiliog Peate wrth ei gefn a thraddodiad Ewropeaidd a allai ymffrostio yn enwau Carlyle, George Eliot, Thomas Hardy, Tolstoy, Simone Weil, Albert Camus, Solzhenitsyn ac Arnold Wesker. Yn gyffredin iddynt i gyd roedd cred yng ngwerth y crefftwr fel gweithiwr yr oedd ei waith iddo yn bŵer cymdeithasol sadiol a chreadigol. Fe ddylid diogelu ei barhad. Gw. David Meakin, *Man and Work: literature and culture in industrial society* (London, 1976) yn arbennig pennod 4 'The nostalgia for permanence', 59–79.

68 ibid., 57.

69 ibid., 44.

70 Ceri Treharne, 'John Davies (Pen Dar)' yn Hywel Teifi Edwards, gol., *Cwm Cynon.* 'Cyfres y Cymoedd' (Llandysul, 1997), 212–37.

71 'John Henry', 'Pobol y Pentref', *Yr Eurgrawn Wesleaid,* CXIII (1921), 248–53, 293–6, 332–6, 377–80, 415–9, 451–4; CXIV (1922), 23–7, 60–5, 148–52,186–90; CXVIII (1926), 145–9.

72 ibid., CXIII (1921), 249, 252.

73 ibid., CXIV (1922), 189–90.

74 ibid., CXVIII (1926), 149.

75 David Thomas, *Dylan Thomas. A Farm, Two Mansions and a Bungalow* (Seren Books, Bridgend, 2000). Gw. yr ail bennod 'Two Mansions', 40–77.

76 D. Gwenallt Jones, *Cofiant Idwal Jones* (Gwasg Aberystwyth, 1958)

77 Idwal Jones, 'Cymeriadau'r Felin-fach', *Y Ford Gron,* II (1931–2), 235–6.

78 D. Gwenallt Jones, 'Idwal Jones a'i Waith', *Yr Efrydydd,* III (1938), 35.

WEDI MYND AC YNO O HYD

Prin wedi'u cydnabod yn gampweithiau oedd *Under Milk Wood* a *Hen Dŷ Ffarm* pan ddechreuodd brwydr ddeng mlynedd cwm Tryweryn. O 1955 tan 1965 ymladdodd dyrnaid o amddiffynwyr i arbed y cwm a phentref Capel Celyn rhag eu boddi gan Gorfforaeth Lerpwl. Collwyd y dydd am i'r 'genedl', eto fyth, ddeffro'n llawer rhy hwyr ac ers hynny mae 'gwarth Tryweryn' wedi'i ogoneddu'n drobwynt yn hanes twf gwladgarwch a chenedlaetholdeb Cymreig. Daeth 'Cofiwch Dryweryn' yn fantra parod ei ddefnydd ymhob tymor ac y mae'n ddiamau fod boddi'r cwm wedi agor llygaid llu o Gymry i ddiymadferthedd eu cenedl. Gwnaeth senedd Prydain hi'n gwbwl glir iddynt fod eu gwlad yn brae i anghyfiawnder a dirmyg, ac ymgorfforwyd bryntni'r realiti hwnnw gan lwyth y Bradociaid yn Lerpwl.[1]

Fel petai pwyllgor llên Eisteddfod Genedlaethol Ystalyfera, 1954, wedi cael achlust o'r storom a oedd ar dorri, dewiswyd 'Yr Argae' yn destun cystadleuaeth y Gadair, a dyfarnwyd awdl 'Maesafallen', sef John Evans, Llanegryn yn orau gan Gwenallt, Meuryn ac Edgar Phillips (Trefin). Boddi pentref Llanwddyn a chreu Llyn Efyrnwy yn yr 1880au oedd mater awdl John Evans, a mater un arall o'r 16 cystadleuydd, sef 'Euog', ac y mae'n syn meddwl, o gofio am apêl y 'pentre gwyn', i'r brifwyl fod mor hir yn gweld posibiliadau testun 1954. O ran ei gysylltiadau a'i gynodiadau roedd ganddo gymaint i'w gynnig. Y gwir, fodd bynnag, yw na fu boddi Llanwddyn yn ysgogiad i lenyddiaeth gofiadwy, boed eisteddfodol neu aneisteddfodol, yn ystod yr hanner canrif a ddilynodd y digwyddiad.[2]

Cyn Prifwyl 1954, mewn ffilm Saesneg a sgriptiwyd ac a gyfarwyddwyd gan Gymro Cymraeg alltud y gwnaed y defnydd mwyaf diddorol o ddigon o dynged Llanwddyn. Yn ystod 1948–9 fe fu Emlyn Williams (1905–87) yn ffilmio *The Last Days of Dolwyn* ym mhentref Rhyd-y-main ger Dolgellau ac y mae'n glir fod y sgript a luniodd wedi tynnu ar hanes boddi Llanwddyn. Melodrama o'r un rhyw â'r ffilm (1945) o'i ddrama *The Corn is Green* (1938) yw *The Last Days of*

Dolwyn ac y mae'r ddau bentref sy'n ganolog i'r ddwy ffilm – 'Glansarno' a 'Dolwyn' – wedi'u lliwio gan atgofion Emlyn Williams am bentref Glanrafon lle y'i magwyd ar ôl ei eni yn Rhewl, sir Fflint. Pentrefi diwedd oes Victoria ydynt yn ddigwestiwn ac o'u gweld yn nrych y 'pentre gwyn' y mae deall y defnydd melodramatig a wnaeth Emlyn Williams ohonynt.[3]

Gadawodd ef Gymru pan oedd yn ddeunaw oed a Lloegr fu ei ddewis drigle o hynny ymlaen. Ffaith gyfarwydd iawn yw'r modd y'i hysbrydolwyd gan ei athrawes Ffrangeg yn Ysgol Sir Treffynnon, y Saesnes o Leeds, Miss Sarah Grace Cooke, i geisio'n llwyddiannus yn 1925 am ysgoloriaeth i astudio yng Ngholeg Iesu, Rhydychen, a'r modd y talodd ei ddyled iddi yn ei ddrama, *The Corn is Green*, lle mae Miss Moffat yn galluogi Morgan Evans, y colier cwrs ond tra dawnus, i edrych dros furiau ei gaethiwed yn 'Glansarno' a gweld ei ryddid yn nysg Rhydychen a diwylliant dinesig Lloegr. Y pwynt i'w bwysleisio yma yw mai lle i ddianc ohono oedd 'Glansarno' i Morgan Evans unwaith y cafodd gip ar y byd y tu hwnt iddo. Go brin y bu'r pentref erioed yn gaer wen iddo ond fe'i trowyd gan addysg Miss Moffat yn garchar lle na allai lai na delwi yng nghwmni ei gyd-lowyr garw ac anwybodus. Cymraeg oedd iaith eu bodlonrwydd delff hwy; Saesneg a Ffrangeg fyddai ieithoedd ei oleuedigaeth ef. Rhaid oedd cael Saesnes i weld trwy fwrllwch 'pentre gwyn' Morgan Evans.

Y mae *The Last Days of Dolwyn* yn adlewyrchu edmygedd Emlyn Williams o Caradoc Evans ac Allen Raine. Daw Rob Davies yn ôl i 'Dolwyn' i helpu ei gyflogwr, Arglwydd Lancashire, i godi argae ar gyfer creu cronfa ddŵr i ddiwallu anghenion cymunedau yng ngogledd Lloegr. Mae'n dychwelyd i ddial am iddo gael ei erlid o'r pentref pan oedd yn fachgen am ddwyn arian o gasgliad y capel. Ni fyddai dim yn well ganddo na boddi pentref ei sarhad. Y mae'n llwyddo i argyhoeddi'r pentrefwyr y caent lawer gwell hwyl ar fyw yn Lerpwl ac fe gaiff y Foneddiges Dolwyn o'i blaid, hefyd, gan ei bod hithau'n gweld cyfle i wella'i stad.

Ond y mae Merri, gofalreg y capel, a Gareth, un o'i meibion maeth, yn gwrthod mudo. Daw Gareth o hyd i ddogfen sy'n profi mai Merri yw perchennog prydles ei bwthyn ac felly ni ellir ei gorfodi i symud. Daw'r Arglwydd Lancashire ei hun i'w pherswadio ond ni all wrthsefyll cariad, traserch yn wir, Merri at 'Dolwyn'. Y mae'n addo na wna ei foddi. Yn ei ddicter y mae Rob Davies yn ceisio boddi'r pentref trwy agor llifddorau'r argae ac y mae pawb yn ffoi i'r mynydd. Dychwel Gareth i chwilio am Merri, sydd wedi gwrthod gadael ei bwthyn, a daw ar draws Rob Davies yn ceisio llosgi'r pentref ar ôl methu ei foddi. Yn y sgarmes sy'n dilyn lleddir yr adyn ac er mwyn arbed Gareth rhag cosb y mae Merri yn agor y llifddorau ac yn boddi celain Rob Davies ynghyd â'i phentref gwynfydedig.

Wel, os melodrama, melodrama! Buasai Caradoc Evans yn llawen fod y dialydd yn llwyddo yn y diwedd am fod ei ddrygioni yn galw ar ddrygioni yr un mor ddwfn yn natur pentrefwyr 'Dolwyn'. Beth allai fod yn well i Caradoc na bod twyll hen ofalreg capel yn boddi ei 'phentre gwyn' rhag i'r gyfraith ddwyn cosb gyfiawn ar lofrudd o fab maeth iddi hi. Ar y llaw arall, fe fyddai Merri yng ngolwg Allen Raine yn ymgorfforiad o bentregaredd cywir a hunanaberthol. Boddi 'Dolwyn' fyddai'r prawf eithaf ohono, oherwydd trwy hynny câi fod yn 'bentre gwyn' tra byddai cof amdano. Gwnâi aberth cariad Merri fwy na digon o iawn am ansadrwydd ei chyd-bentrefwyr wyneb yn wyneb â drwg y byd ym mherson Rob Davies – un ohonynt hwy a aethai ar gyfeiliorn wedi gwadu'r fagwraeth a gawsai ar aelwyd ei fam dduwiol.

Da y sylwodd Gwenno Ffrancon ar amharodrwydd Emlyn Williams i ddangos ei liw ar bwnc gwleidyddol mor gignoeth â boddi cymoedd yng Nghymru i ddiwallu anghenion parthau o Loegr. Os oedd ganddo farn ar foddi Llanwddyn, a bygwth boddi dyffryn Ceiriog yn yr 1920au, fe'i celodd. Bu'r un mor ddistaw yn yr 1940au pan gipiodd y Weinyddiaeth Ryfel fynydd Epynt a cheisio'i gorau glas i gipio'r Preselau. Fel y cyffesodd, roedd arno ddyled i'r wlad a'r bobol lle gwnaethai ei enw ar ôl gadael Cymru yn ddeunaw oed, ac nid oedd fyth i anghofio mai Saesnes a'i dug ef i'r golau. Yn *The Last Days of Dolwyn* y mae Arglwydd Lancashire, fel Sais gwâr, yn ymateb i ddaioni syml Merri wrth iddi drin ei wynegon ac yn penderfynu peidio â boddi 'Dolwyn' ar ôl clywed angerdd ei phle dros y pentref. Adyn o Gymro dialgar sy'n fyddar a dall i ddidwylledd ei phentregaredd hi sy'n benderfynol o gyflawni'r anfadwaith. Nid oes ddwywaith am awydd Emlyn Williams i greu cymod rhwng Lloegr a Chymru, ac i'r pwrpas hwnnw roedd sentiment yn felysach moddion ganddo na barn. Sentimenta a wnaeth pan siaradodd ar lwyfan Eisteddfod Genedlaethol Y Rhyl yn 1953, a phan wrthwynebodd gollfarn Arglwydd Raglan ar y Gymraeg yn 1958.

Ac yr oedd gosod pentrefi 'Glansarno' a 'Dolwyn' nôl yn yr 1890au pan oedd delweddu'r 'pentre gwyn' mewn bri, yn ffordd o sicrhau na fyddai eisiau iddo geisio gwneud dim amgenach. Byddai swyn 'yr hen amser gynt' yn siŵr o wneud ei waith.

Yn naturiol, fe dyrrodd y Cymry i weld Bette Davies yn rhan Miss Moffat yn fersiwn ffilm Warner Brothers o *The Corn is Green*, ac i weld Edith Evans (Merri), Richard Burton (Gareth), Huw Griffith (y gweinidog) ac Emlyn Williams ei hun (Rob Davies) yn *The Last Days of Dolwyn*. Wedi'r cyfan, yn anaml y câi'r Cymry gyfle i weld eu hunain ar y sgrîn – yn enwedig Cymry Rhyd-y-main. Roedd y profiad yn ddigon anarferol i beri syndod ac i ennyn gwerthfawrogiad. Ond nid gan bawb. I rai beirniaid, roedd pentrefi 'Glansarno' a 'Dolwyn' yn peri meddwl am Gymru fel gwlad ddigynnydd a diuchelgais yr oedd trwch mawr ei thrigolion cyffredin wedi'u tynghedu i fyw ynddi o hyd 'dan yr hatsus', oni ddôi ymwared iddi o'r tu allan. Yn *The Corn is Green* fe ddaw ym mherson Miss Moffat ac wele nef newydd a daear newydd i Morgan Evans. Yn *The Last Days of Dolwyn* ni ddaw ac ni all rhinwedd cartrefol Merri, nod amgen ei 'phentre gwyn' hi, wrthsefyll drygioni cosmopolitan Rob Davies. Nid yw Cymru Emlyn Williams nac yn fawr nac yn ddigon ynddi ei hunan.[4]

Sylwodd Gwenno Ffrancon, yn bwrpasol iawn, mor gyfeiliornus yw'r darlun a geir o gyflwr addysgol Cymru yn *The Corn is Green*, fel petai Emlyn Williams heb wybod dim am y datblygiadau a fu o 1870 ymlaen. Ac er fod John Goronwy Jones yn *The Corn is Green* a'r gweinidog yn *The Last Days of Dolwyn* yn ddau dafodog parod dros y Gymraeg, amddiffynnol oddefol yw'r agwedd at Gymreictod yn y ddwy ffilm mewn gwirionedd. Wedi gweld actio *The Corn is Green* ar lwyfan, barnai Ap Cadwgan nad oedd ynddi'r un wers na chenadwri am nad oedd gan Emlyn Williams, hyd y gellid gweld, 'unrhyw argyhoeddiad parthed bywyd Cymreig a barnu yn ôl ei ddramau'. Yr un fel, ar ôl gweld *The Last Days of Dolwyn*, barnai adolygwyr *Y Cymro* a'r *Ddraig Goch* fod Emlyn Williams wedi colli cyswllt ystyrlon â'i famwlad. Roedd yn gas gan M. Gwyn Jenkins yn *Y Ddraig Goch* fod cynifer o bentrefwyr 'Dolwyn', fel glowyr 'Glansarno', mor anneallus, ond ei gyhuddiad llymaf yn erbyn y ffilm oedd ei bod yn hanfodol lwfwr am na fynnai Emlyn Williams ddweud y caswir wrth y Saeson am eu dirmyg o'r Cymry. Am nad oedd ganddo 'ddewrder moesol' George Bernard Shaw, gwrthododd gyfle i gynhyrchu drama hafal i *John Bull's Other Island*. Yng ngeiriau M. Gwyn Jenkins, 'Ofnai fod yn artist o genedlaetholwr a methodd â bod yn artist o gwbl'. Dyna safbwynt aelod o Blaid Cymru ac mewn tegwch ag Emlyn Williams ni themtiwyd mohono erioed i weld ei famwlad trwy lygaid y blaid wleidyddol honno.[5]

'Pentrefi gwyn' dirywiedig yw 'Glansarno' a 'Dolwyn'; y mae'r byd Saesneg estron wedi bylchu'r ceyrydd ac mae eu dinistr wrth law. Ni allai D.J. Williams lai na galarnadu wrth eu hystyried. Pan fu'n beirniadu traethodau yn rhoi hanes hen gymeriadau cefn gwlad unrhyw ardal yng Nghymru, traethodau a ysgrifennwyd ar gyfer Eisteddfod Genedlaethol Bae Colwyn, 1947, cawsai fodd i fyw. Enillwyd y wobr gan y Parchg. T. Davies, Horeb, Llandysul a gawsai hwyl arbennig ar ysgrifennu am Frynaman, ond cawsai pob ymgeisydd hwyl ar y gwaith. Bron nad aeth 'D.J.' ar ei liniau i ddiolch amdanynt:

> Y mae darllen y cynhyrchion hyn sy'n gyforiog o egni bywyd gwledig yng Nghymru, ei hiwmor a'i ddwyster, ei grefydd a gloywder ei ddiwylliant gwerin, yn llonni calon dyn yn y dyddiau tywyll yma, ac yn peri iddo ymfalchïo'n onest ei eni'n Gymro. Duw a'n gwaredo ni rhag ei golli.[6]

Ymhen pedair blynedd fe fyddai'n beirniadu cystadleuaeth a ofynnai am feirniadaeth ddychmygol gan Gymro neu Gymraes o'r gorffennol ar y darlun o Gymru a geid yn y ffilmiau cyfoes. Aflawen iawn oedd ei dôn bryd hynny. Creadigaethau 'meddal a thwyllodrus' oedd *How Green Was My Valley* a *The Last Days of Dolwyn*:

> Yn ôl y math yma o ddarluniau o Gymru fe werth y genedl benwan hon ei henaid, yn llythrennol, am gân, unrhyw ddydd o'r flwyddyn. . . Cyffelyb Cymro'r ffilm ein dyddiau ni, a'i ganu a'i ffwtbol, i Wyddel y llwyfan, a'i ffraethineb a'i daten yn y dyddiau gynt. Druain ohonom, druain ohonom! Paham y'n ganed ni'n Geltiaid?[7]

Chwedl Ann Robinson yn ddiweddar, 'What are they for?'

Does ryfedd fod cenedlaetholwr mor ddigyfaddawd â D.J. Williams yn ddig a digalon yn 1951. Yn Awst, 1949, pan oedd *The Last Days of Dolwyn* yn dal yn destun siarad a pheth rhyfeddod, dangoswyd ffilm ddogfen John Roberts Williams a Geoff Charles, *Yr Etifeddiaeth*, yn ystod wythnos cynnal Eisteddfod Genedlaethol Dolgellau. Marwnad i ddiwylliant gwerin gwlad Llŷn ac Eifionydd oedd y ffilm honno mewn gwirionedd, ac yn ganolog iddi roedd y frwydr ofer i rwystro Billy Butlin rhag troi gwersyll hyfforddi milwrol *HMS Glendower* yn wersyll gwyliau erbyn 1947. O'u hystyried ochr yn ochr â'i gilydd ni allai'r ddwy ffilm lai na thrywanu'r Cymry, *a oedd am weld*, â sylweddoliad o'u digefnedd wyneb yn wyneb â'u dibriswyr. Mwy chwerw na dim oedd gorfod derbyn mai dihidrwydd y Cymry eu hunain oedd i gyfrif fod eu hetifeddiaeth bellach mewn perygl ledled eu gwlad, a'r chwerwder hwnnw, mae'n siŵr, a barai i 'D.J.' ddamio *The Last Days of Dolwyn* fel peth 'meddal a thwyllodrus'.[8]

Er i'r tri beirniad yn Eisteddfod Genedlaethol 1954 gael 'Maesafallen' yn deilwng o'r Gadair, y mae'n ddigon clir nad ysgogodd y testun gystadleuaeth drawiadol. Y drwg, yn ôl Gwenallt, oedd i fwyafrif y beirdd ganu'n uniongyrchol ar y testun – canu'n draddodiadol a disgrifiadol gan wrthgyferbynnu'r tir cyn, ac ar ôl, ei foddi. Yn syml, nid oedd ganddynt weledigaeth, a heb weledigaeth, heb afael bersonol ar arwyddocâd 'Yr Argae', ni ellid disgwyl barddoniaeth argyhoeddiadol.[9]

Roedd ymgais 'Euog' i fynegi ei euogrwydd yn sgil ymweld â Llyn Efyrnwy, euogrwydd gwladgarwr dihyder, wedi'i ddirymu gan ganu natur ystrydebol a barai amau dilysrwydd ei brofiad. Ar y llaw arall, roedd 'Maesafallen' nid yn unig wedi sylweddoli'r gwrthdaro rhwng hawliau Llanwddyn ac angen Lerpwl, yr oedd hefyd wedi gweld yr argae fel campwaith celfyddydol y gellid ei edmygu er gwaetha'r golled y teyrnasai drosti. Er mor amlwg ei gydymdeimlad â Llanwddyn, nid golwg simplistig a gafodd 'Maesafallen' ar ei destun, ac eithrio, yn ôl Gwenallt, pan ildiodd i ramantu wrth ddisgrifio'r pentref: 'Ai "oriau cain," "hud", "hen ias" a "dyddiau diboen" yn unig a geid yno cyn ei foddi?' Ac ai '"wylo, ac wylo eilwaith" yn unig' a wnaeth y pentrefwyr wrth orfod gadael? Os oedd boddi Llanwddyn yn gamwedd, ni ellir darllen beirniadaeth Gwenallt heb gasglu ei fod ef yn ddigon parod i weld cysyniad y 'pentre gwyn' yn diflannu dan y dŵr.[10]

Nodau pruddglwyf a chwithdod sy'n pennu naws awdl fuddugol John Evans, Llanegryn yn 1954. Mae'r 'Arafaidd waraidd werin' yn colli tir, yn gweld pellhau 'Hen ddiddan ddiboen ddyddiau' ac yn wynebu dyfodol o gofio dolurus:

> Hen fro dda a gofia gwŷr –
> O hir go' y daw gwewyr.[11]

175

Cwm Tryweryn.

Ymgedwir rhag melltithio Lerpwl, serch hynny, er gwaethaf ei rhaib, ond ni fyddai'r beirdd a ganai i ddinistr Capel Celyn mor ymatalgar fel y prawf y cerddi i Dryweryn a gasglodd Elwyn Edwards i'r antholeg *Cadwn y Mur* (1990). Dicter a chywilydd yw cyweirnodau'r cerddi hyn, dicter yn erbyn dirmyg treisgar Lerpwl a chywilydd o berthyn i genedl ddi-gownt. Chwedl Alan Llwyd, 'Cronfa ein llwfrdra yw'r llyn'.[12]

Y mae i'r cerddi i Dryweryn yn *Cadwn y Mur* chwerwder ac awch sy'n adlewyrchu'r ymlidio rhwng 1955 ac 1965 pan, er enghraifft, y penderfynodd Ymgyrch Diogelu Cymru Wledig (y CPRW), ac eithrio cangen Meirionnydd, fod gwrthwynebu'r cenedlaetholwyr yn bwysicach nag amddiffyn Capel Celyn. Fel y dangosodd Owen Roberts, mater o estheteg oedd boddi cwm Tryweryn iddynt hwy, a chan nad ystyrient fod dim yn arbennig o hardd ynddo – yn wir credai rhai y byddai'n harddach o'i foddi – gellid gadael y pentrefwyr i'w tynged. Y mae'n wir i'r cenedlaetholwyr a wrthwynebai fwriadau Lerpwl roi lle yn eu dadleuon hwy i haeddiant y pentref organig, y 'pentre gwyn' hwnnw yr oedd ei wir harddwch i'w weld yng nghydymdreiddiad y trigolion a'r tirwedd, ond nid iaith pamffled ymgyrchol Syr Alfred Davies pan oedd dyffryn Ceiriog dan fygythiad fyddai priod iaith amddiffyn cwm Tryweryn. Roedd mwy o lawer nag estheteg yn y fantol rhwng 1955 ac 1965. Gallai Syr Alfred ymgroesi rhag ymladd brwydr wleidyddol. Honno oedd yr union frwydr y teimlai'r amddiffynwyr fod yn rhaid ei hennill yn Nhryweryn, a mesur o'r rhwystredigaeth a'r chwerwedd pan gollwyd hi oedd gwrthdystiad ffrwydrol y Cymry ifanc a garcharwyd am eu rhyfyg.[13]

Hawliau Cymru, a dibristod y Cymry eu hunain o'r hawliau hynny, yw prif fater cerddi Tryweryn yn *Cadwn y Mur*. Er cwyno colli pentref Capel Celyn a'r 'bywyd brwd heb bris', nid oedd gofyn ei wynfydu i gyfiawnhau ei hawl i fyw, serch na allai Mathonwy Hughes ymatal rhag gwneud:

> Aeth am byth mwy obeithion
> Gwerinol lu'r gornel hon,
> Goludog feibion gwladaidd,
> Eneidiau prin ffald y praidd.
> Cymdogion ffyddlon eu ffordd,
> Diorffwys mewn diarffordd
> Gwm â'r Gymraeg yma 'rioed
> Yn fyw obaith o faboed.

Diddan iaith i dyddyn oedd,
Iaith Eden i'r llwyth ydoedd,
Iaith yr hwyl, iaith yr aelwyd,
Ac iaith y cwrdd a'r bwrdd bwyd.[14]

Loes calon i Gwilym Rhys Roberts, yntau, oedd pondro

Torri bedd i'r pentre' bach
A'i Afallon gyfeillach.[15]

Yn iaith cenedlaetholdeb, fodd bynnag, y gwir safadwy oedd y gallai Capel Celyn fod mor ddiolwg a digynnig ag unrhyw un o'r pentrefi drygsawr a dramgwyddai O.M. Edwards gynt, ac ni fyddai hawl dinas Lerpwl i'w foddi ronyn mwy, na chyfrifoldeb y Cymry i'w ddiogelu ronyn llai.

Cyn diwedd yr 1950au, tra oedd brwydr Tryweryn yn dal i godi i'r berw, fe gyhoeddwyd dwy nofel a ganolbwyntiodd sylw ar ragoriaeth honedig y wlad a'i phobol ar y ddinas flin a mwll. Ni ellir eu darllen heb sylweddoli mai peth pur broblematig oedd y rhagoriaeth honno bellach. Cyhoeddodd Bobi Jones *Nid yw Dŵr yn Plygu* yn 1958, a'r un flwyddyn cyhoeddodd Islwyn Ffowc Elis *Blas y Cynfyd* – nofel a oedd yn addasiad o'i ddrama-gyfres radio ac y disgwylid iddi ateb y gofyn am ddeunydd darllen poblogaidd. Prin fod rhaid ychwanegu fod Islwyn Ffowc Elis megis Gwydion i ddarllenwyr Cymraeg erbyn 1958, a charreg sylfaen go fawr i'r statws hwnnw oedd ei gyflead o ysblanderau'r wlad yn *Cysgod y Cryman* (1953) ac *Yn Ôl i Leifior* (1956). Gellid dibynnu arno i gonsurio harddwch yn ei nofelau.

Ond stori yw *Blas y Cynfyd* am Elwyn Prydderch, ysig ei nerfau, yn penderfynu cefnu ar Lundain wedi ugain mlynedd o alltudiaeth a dychwelyd i 'Lanfihangel Eryddon' yng 'Nghwm Bedw' gan ddisgwyl cael yno adferiad, gorff ac enaid. Fe wêl yn fuan fod pethau'n newid – wedi newid – er gwaeth o ran ei ddisgwyliadau ef; mae'r Saeson dŵad yn y tir, yr ifanc yn ddibris o'u hetifeddiaeth, y capel yn gwegian. Serch hynny, fe fynn weld yng 'Nghwm Bedw' o hyd, yn nhegwch y brodorion gwreiddiedig lawn cymaint ag yn harddwch eu hamgylchfyd, obaith am fywyd gwell. Caiff yn Richard ac Ann Owen, ac yn Nel Tŷ'n Ffridd, sicrwydd parhad y rhinweddau gwerinol diledryw – caredigrwydd croesawgar, cymwynasgaredd, unplygrwydd syml. Ac ar aelwyd Tomos Gruffydd y saer, a'i wraig Elin, yng Nglanrafon yr oedd iddo seintwar:

Yma, yng Nglanrafon, yr oedd croeso'r wlad yn bopeth y breuddwydiodd ei fod. Y pantri tragywydd lawn, y drws tragywydd agored i bob ymwelwr, y tecell yn tragywydd ferwi ar y tân. Nid oedd swbwrbia'n rhoi'r fath groeso nac yn ei ddisgwyl, dim ond yn gwahodd a pharatoi, gwahodd a pharatoi, ac yna'n hesbio. Yr oedd Glanrafon yn amhosibl mewn bywyd modern.[16]

Fel y dywedodd wrth Tomos, roedd Elwyn yn ffyddiog y câi wellhad yng 'Nghwm Bedw':

Wyddoch chi . . . mae bywyd yma mor bur, mor loyw rywsut . . . mae'n anodd imi egluro ichi. Lle'r ydw i wedi byw am ugien mlynedd, ym mherfedd y ddinas, dydi pobol yn gweld fawr ddim ond palmentydd a waliau a mwg a moduron a niwl . . . Mae'n anodd iddyn'hw fod yn ddim ond difater a dienaid. Ond yma, y bobol yn cerdded bob dydd ar bridd coch, glân, a'r glaw'n golchi'u hwynebe nhw a'r gwynt yn chwythu drwy'u heneidie nhw, mae'n rhaid 'u bod nhw'n well pobol, Tomos Gruffydd.[17]

Ateb Tomos i'w rapsodi yw, 'O, ie?' A phan â Elwyn yn ei flaen i ddweud y gallai'n hawdd gredu fod 'blas y cynfyd' yn y cwm, ymateb Tomos yw holi beth oedd yn y cynfyd. Ac meddai Elwyn:

Wel, roedd 'no dawelwch, a diniweidrwydd, a dechreuad pob dim. 'Roedd 'no anghenfilod, wrth gwrs – [18]

Ateb Tomos i hynny yw, 'Oedd, siŵr'. Gwyddai ef iddynt fod yno erioed ar wedd pobol. Rhan dadfythwr anhepgor sydd i Tomos yn *Blas y Cynfyd*. Nid trwy dwyllo'i hunan fod 'Cwm Bedw' yn Arcadia y caiff Elwyn ei iacháu. Trwy agor ei lygaid i'r caswir am y cwm a'i gael i'w goledd er gwaethaf ei ddrygioni y digwydd hynny. Roedd ei dad wedi codi'i deulu o'r cwm a mynd i fyw yn Llundain am iddo ddarn ladd Wil Bowen, ffermwr deugain oed a chymydog iddo a genhedlodd blentyn siawns ar Nest, chwaer Elwyn, pan nad oedd hi ond merch ysgol un ar bymtheg oed. Fe fu'r trais cuddiedig hwnnw yn wenwyn yng 'Nghwm Bedw' ar hyd y blynyddoedd nes i Elwyn fynd yn ôl yno, ei gael ei hun mewn cariad â Llinos, merch yr 'anghenfil' Wil Bowen, a rhoi cychwyn i gyfres o ddatguddiadau sy'n arwain yn y diwedd at gymodi hen elynion a dechrau pennod newydd yn hanes y gymdeithas wledig. Fe fydd Elwyn a Llinos yn

179

rhan ohoni, fel y bydd Gwyn, plentyn siawns Nest a faged gan Tomos ac Elin Gruffydd, a Nel, ei gariad yntau. Fe fyddant yn priodi a magu plant yng 'Nghwm Bedw', diolch i effeithiau iachusol proses o ddadrithio yr oedd yn rhaid i Elwyn fynd trwyddi, fel y dysgodd gan Llinos:

> Fe ddaru chi beintio darlun bach tlws ohono' ni . . . rhyw gerdyn Nadolig o ddarlun . . . pobol syml, ddiniwed, yn byw mewn paradwys fach ym mhen draw'r byd . . .
>
> Nid pobol tre yde'ni, Elwyn. Dydi'n nwydau a'n tymherau ni ddim yn hesbio ac yn blino fel ych rhai chi. Mae'n cnawd ni'n gynnes, ydech chi'n deall? Ac mae'n co ni'n hir. Ac ni'n caru ac yn casáu yn fwy tanbaid nag yr ydech chi. Feder gwareiddiad ddim diffodd y tanau peryglus sydd yno'ni. Achos ryde ni'n dal i fyw bywyd hyna'r byd.
>
> . . . Rydech chithe rŵan yn gwbod y gwaetha am Gwm Bedw. Rydech chi'n teimlo'n gas tuag at Gwm Bedw am 'i fod o wedi'ch siomi chi. Ond fedrwch chi mo'ch torri'ch hun oddi wrtho mwy nag y medrwch chi dorri'ch pen oddi wrth ych corff a byw. Cwm Bedw roes fod ichi, ac os na fedrwch chi'i garu o yn 'i waetha dydech chi ddim wedi'i garu o erioed.[19]

A dyna ffarwél Islwyn Ffowc Elis i'r cymoedd gwledig golau a'u pentrefi gwyn. A dyna, yn ogystal, fwrw ymaith 'Manteg' y sictodau. Roedd hawl gan ddynoliaeth frau i ddisgwyl gwell gan lenyddiaeth aeddfed.

Os yw'n iawn dal fod seiniau'r dinistr a oedd eisoes ar gerdded yng nhwm Tryweryn i'w clywed yn agosáu yng 'Nghwm Bedw', ac rwy'n barnu ei bod, y maent yn fyddarol ym mhentref 'Llanlecwydd' yng 'Nghwm Dywelan' yn nofel Bobi Jones, *Nid yw Dŵr yn Plygu*. O'r brifysgol yn ninas 'Grandfield' lle mae'n fyfyriwr meddygaeth, fe â Siôn Preece, sydd wedi'i fagu yn fab i weinidog o fri yn Llundain, adref gyda'i gyd-fyfyriwr, David Jones, i dreulio'i wyliau haf yng 'Nghwm Dywelan'. Yno, y mae'n ymserchu yn chwaer David, Mary, sydd wedi'i chloffi gan bolio, a than ddylanwad ei hymlyniad angerddol hi wrth 'Lanlecwydd', a phrydferthwch anwrthwynebadwy'r wlad, y mae Siôn ddinesig, 'blasé', yn profi pyliau o ecstasi proto-grefyddol:

> Wedi ymadael â'r tŷ a throi gorifyny ar y llwybr mynydd tua fferm Pen-yr-orsedd gwelodd goeden o'i flaen. Rhedodd ati a thaflu ei freichiau amdani gan symud ei fysedd ar hyd ei rhisglen, a'i hanwylo

yn ei ddwylo i fyny ac i lawr y boncyff. Suddodd yn ei sêl i'r llawr, a rholiodd ar ei gefn. Ac yr oedd yn chwerthin, chwerthin, ac yn ebychu un gair drosodd a throsodd: 'Llanlecwydd, Llanlecwydd'.[20]

Fel y mae Mary yn teimlo'n addolgar ar lan afon Dywelan, y mae Siôn yntau'n synhwyro mai goleuni dwyfolaidd yw'r goleuni sy'n gordoi a threiddio drwy bob golygfa sy'n ei lorio:

> Ni welwyd erioed y fath hwyrnos. Yr oedd goleuni ym mhob cyfeiriad. Goleuni yn y gegin, ar y grisiau, yn yr ystafelloedd gwely. Llechai goleuni ym mhob cwpwrdd ac ymgronni ym mhob sosban. Tochwyd Llanlecwydd a'r mynyddoedd o gwmpas mewn afon ddofn o oleuni llawn. Llifai dros y rhosydd a'r caeau, ac yn nant Dywelan ei hunan yr oedd ar ben ei ddigon yn tasgu ac yn chwarae fel tylwyth teg wedi dechrau cael gwyliau. Goleuni yng ngwallt yr hen wragedd ac yn llygaid yr hen ddynion: goleuni ar freichiau ac ar ddwylo ac ar benliniau'r plant. O Ystrad Bedw hyd Ben-yr-orsedd, o Waun Ffynnon hyd Ffridd-yr-ebol tynnodd goleuni bob edefyn byw i'w gynhesu yn ei fynwes agored.[21]

Dyma fersiwn Siôn Preece (os nad Bobi Jones) o 'fôr goleuni' Waldo Williams. Mewn stad mor eneiniedig, gwaith hawdd i Mary yw ei gael ef i weld 'Llanlecwydd' fel y gwêl hi'r pentref:

> O! Siôn. 'Does dim lle tebyg i Lanlecwydd. Mae hi'n syml mae'n wir, ydi ac yn gymharol dlawd ei golwg allanol efallai. Ond yn ei symlder, yn ei henaint, ac O! Siôn yng nghymdeithas ei phobl-hi, mae 'na gyfaredd. 'Alla' i ddim deall pam y bûm i mor lwcus i gael fy rhoi yma, i gael byw yma mewn dyffryn mor berffaith.[22]

Mewn gair, y mae'r ddau fel pe wedi'u geni i fyw yn dragwyddol ddedwydd mewn 'pentre gwyn' nad oedd amau fod llewyrch dwyfolaidd arno. Am Siôn, ''Roedd yn siŵr nad dyn yn unig a greodd Lanlecwydd, yn siŵr fod rhagluniaeth Duw yn trawsffurfio holl draddodiadau Cymru. Nid mater o ddeall oedd hyn'.[23] Ond er gwaethaf eu sicrwydd, roedd y ddau i ddysgu'n fuan nad oedd gwynfydedd 'Llanlecwydd' o gyrraedd gwanc y byd. Penderfyna 'Grandfield' fod yn rhaid boddi'r cwm a'r pentref i greu cronfa ddŵr i ddiwallu anghenion ei ddinasyddion, a daw Siôn a Mary wyneb yn wyneb â'r caswir nad yw pawb yn gweld nac yn prisio harddwch dyn a daear fel y gwnânt hwy.

Ni wêl David, brawd Mary, fod dim yn arbennig yn 'Llanlecwydd'. Nid yw ond pentref cyffredin ymhob ystyr na thâl i neb gynhyrfu ynglŷn â'i dynged. Y mae gan David fwy o olwg ar dref 'Dyffryn' ac y mae'n barod ei gydymdeimlad ag angen 'Grandfield'. Ei gariad at ei chwaer a'i awydd i'w chadw rhag mwy o loes sy'n ei wneud ef yn un o'r amddiffynwyr, nid unrhyw argyhoeddiad fod yn 'rhaid' achub 'Llanlecwydd' deued a ddelo. Dau debyg iawn i'w gilydd yw David, a Gwyn yn *Blas y Cynfyd*; er eu gwaethaf, ac am resymau personol, y maent yn ymuno â'r amddiffynwyr. Gall David gydnabod ei fod yn cael ymroddiad achubedig Siôn a'i ymserchu orgasmig ym mhrydferthwch 'Cwm Dywelan' yn ddigon annifyr i wneud iddo ddifaru iddo'i wahodd i'w gartref o gwbl.

A dyna Eos Dywelan sy'n byw yn Ffridd-yr-ebol mewn hen ffermdy tywyll heb fod 'braidd llecyn yn unman i oleuni gael hwyl ar ddisgleirio arno'. Dibwys, os nad di-gownt, yw harddwch gwlad yn ei olwg ef:

> Yn yr haf mae 'gwlad' Llanlecwydd ar ei gorau, wrth gwrs; ond yn y gaeaf y mae ei 'phobl' ar eu gorau. Mae bro yn hardd, ond nid hanner cymaint â harddwch cymdeithas. Gall awyr agored fod yn iach ac yn felys, ond y mae melyster anghyffelyb ym melyster y bobl sy'n ymgynnull yn gymuned y tu fewn iddi.[24]

Pan sefydlir 'Pwyllgor Amddiffyn Llanlecwydd' rhaid ei gael ef yn gadeirydd a Mary yn ysgrifennydd, a phan benderfyna Cyngor Gwledig y Dyffryn gefnogi cynllun 'Grandfield' (fel y cefnogodd Cyngor y Bala gynllun Lerpwl) y mae'r Eos yng ngrym ei weledigaeth apocalyptig o ystyr brwydr 'Llanlecwydd' yn llefaru megis proffwyd. Am rym ewyllys y bobol i oroesi y mae'n ymboeni:

> 'Ymlaen â'r frwydr,' meddai'r Eos. 'Ie. A da chi, gwyliwch y gelyn. Y gelyn o'r tu allan a'r gelyn o'r tu mewn. Rhaid bod mor gyfrwys â'r sarff. A'r gelyn o'r tu mewn yw'r gwaethaf o'r ddau hyn . . . Gwyliwch ef: y llwfr, y bradwr, y difater, y gwrth-Gymreig. Maen-nhw ar bob llaw'.[25]

Nid ystyriaethau esthetig sy'n cynhyrfu'r Eos. Gweld difetha cymuned oherwydd dirmyg at hawliau brodorion, a dallineb cynifer o'r brodorion hynny yn wyneb yr hyn sy'n digwydd iddynt, sy'n cyfrif am ei fod yn arfer iaith gwleidyddiaeth ffrom.

Caiff ddylanwad rhyfedd ar Siôn Preece. Try'n gondemniwr hysterig o lwfrdra ei gyd-Gymry. Lle gynt y gwelai brydferthwch anghymharol yn tyfu mewn tir tra dymunol, ni wêl ond cywilydd yn bygwth tagu pob tegwch. Gyda'r Eos y mae'n ymddiofrydu i wneud beth bynnag y tybiant y bydd amgylchiadau yn eu gorfodi i'w wneud er mwyn rhwystro'r gelyn. Y mae'n mynd i sefyll.

Ac yna'n ddirybudd fe ddaw awr ei brofi. Wedi mynd i 'Grandfield' i brotestio, wynebir ef gan Rhiannon, ysgrifenyddes yn y brifysgol yno y buasai am gyfnod yn ymgyfathrachu â hi. Yn blentyn, fel yntau, a dyfodd i wrthryfela yn erbyn magwraeth barchus, daethai i ddweud wrtho ei bod hi'n disgwyl ei blentyn. Aethai i Lundain i chwilio amdano ac felly fe wyddai rhieni Siôn am y picil yr oedd ynddo. Y mae'n gwrthod ei phriodi, y mae ei dad, gan gymaint yw ei gywilydd, yn taflu ei hunan i'r afon Tafwys i foddi, ac y mae Siôn yn cefnu ar frwydr 'Llanlecwydd'. Yn stesion Caer, yn lle dal y trên i Lundain i wynebu ei fam, y mae'n gadael iddo fynd a diflanna o'r golwg ar ddiwedd y nofel ar daith trên ddihangol i ogledd Lloegr. Dyna'i ffordd ef o gyflawni hunanladdiad.

Y mae Bobi/R.M. Jones ers hanner canrif bellach wedi utganu o'i flaen ei ddirmyg at yr olygwedd ramantaidd ar fywyd, a ffanffer gynnar, afreolus ar ei utgorn yw *Nid yw Dŵr yn Plygu*.[26] Yr oedd Siôn Preece, mor gynnar ag 1958, yn gymeriad diffaith, diolch, y mae'n siŵr, i grefydd wag ei dad – y gweinidog telediw, 'Preece Llundain', nad oes yn llên y Gymraeg hunanladdiad mor rhamantaidd ddwl â'i un ef. Ond o safbwynt ymddatodiad cysyniad y 'pentre gwyn' y mae Siôn yn ffigur arwyddocaol gan nad oes i 'Lanlecwydd' ei ramantu ef ddim gafael, wedi'r cyfan, ar deyrngarwch. Fel gyda Rhiannon, nid yw'n anodd ei droi ymaith pan mae'r hunan eisiau ei draed yn rhydd. Fe gaiff 'Llanlecwydd', a'r cwm lle cafodd Siôn ar ffarm Pen-yr-orsedd brofi'n llawn o groeso gwledig bendithiol gan Wncwl Mos a Modryb Mai, fynd i'w boddi, ac ar daith fympwyol gydag ef ei hun, megis rhyw 'fab y ffoedigaeth' ar drywydd rhyw gwm arall tu draw i'r cymoedd, yr â Siôn o'n golwg. Nid oes balm yn nhegwch 'Llanlecwydd', na'r un 'pentre gwyn' arall, i wella clwyf pechadur.

Go brin y rhôi J.M. Edwards le i 'Lanfihangel Eryddon' a 'Llanlecwydd' ymhlith y pentrefi caerog a gynhaliai ei ysbryd yn nyddiau'r Ail Ryfel Byd. Nid cadarnleoedd mohonynt yn gymaint â mannau neilltuedig sy'n simsanu am mai ansadrwydd y natur ddynol,

Bethesda.

nid tymhorau harddwch eu hamgylchfyd, sy'n rheoli rhythmau bywyd ynddynt. Ac os gwir hynny am 'Lanfihangel Eryddon' a 'Llanlecwydd', cymaint mwy gwir ydyw am y 'Pentra' yn nofel ysgytiol Caradog Prichard, *Un Nos Ola Leuad*, a gyhoeddwyd yn 1961. Fel pe bai'n pwyntio at dynged ddiosgoi Capel Celyn, fe suddodd y 'pentre gwyn' i lyn du ei ddyfnder yn *Un Nos Ola Leuad*, a rhyw ganu'n wannaidd atgofus ac ysbeidiol dan y dŵr a fu ei ran yn llên y Gymraeg ers hynny.

Mae digon eisoes wedi'i ysgrifennu am yr elfennau hunangofiannol yn y nofel hon ac yr wyf i, fel eraill, yn ddyledus i waith ymchwil Menna Baines am fynegbyst sicr. Gwyddom fod y 'Pentra' wedi'i wreiddio ym Methesda, yn ystod degawdau cynnar yr ugeinfed ganrif, fod y chwareli a'r mynydd-dir amgylchynol wedi llunio teithi bywyd ynddo, ac mai trasiedi deuluol ac ingol bersonol o safbwynt yr awdur a'i hysgogodd i ysgrifennu ei nofel. Ar 1 Mai 1954 buasai ei fam farw yn ysbyty'r meddwl yn Ninbych ar ôl dros ddeng mlynedd ar hugain o ddihoeni. Fe'i llethwyd hi gan dlodi ar ôl tranc ei chwarelwr o ŵr mewn damwain yn y gwaith, cydiodd mania crefyddol ynddi, a gafaelodd euogrwydd a fu bron â'i ladd yn y mab a aeth â hi i Ddinbych. At hynny, fe fu'n rhaid iddo fyw gyda'r ffaith fod ei dad yn un o'r 'bradwyr' adeg Streic Fawr y Penrhyn, ffaith enbyd ei thraul seicolegol ym Methesda a'r fro, fel nad yw'n syn i Caradog Prichard dyfu'n ddyn clwyfus a'i hystyriai ei hun 'yn fethiant', er gwaethaf ei lwyddiant fel newyddiadurwr yn Stryd y Fflyd yn Llundain. Yr oedd treialon ei fywyd ei hun, a thrueni ei fam yn ganolbwynt iddynt, eisoes wedi esgor ar dair pryddest goronog yn Eisteddfodau Cenedlaethol 1927, 1928 ac 1929, ond *Un Nos Ola Leuad* yw'r mynegiant mwyaf dirdynnol a llenyddol lwyddiannus o'r gwewyr a oedd wedi'i feddiannu gyhyd. Gwaith cathartig, heb os, yw ei nofel nodedig.

Rhaid pwysleisio mai nofel sy'n defnyddio elfennau hunangofiannol i bwrpas arbennig a ysgrifennodd Caradog Prichard. Nid hunangofiant uniongred na dim mor elfennol â chronicl a luniodd; darn o lenyddiaeth ddychmygus ydyw a'i wirionedd am y cyflwr dynol mewn pentref chwarelyddol yng nghanol aruthredd creigiog Gwynedd heb ddibynnu ar ddim mor syml â chywirdeb ffeithiau. Roedd am i'r darllenydd ddeall, cyn iddo ddechrau darllen, mai ffuglen oedd yn ei aros:

> Er bod brith-gofion bore oes yn sail i ambell ddigwyddiad yma, ystumiwyd cymaint arnynt gan amser a dychymyg fel nad oes unrhyw

gysylltiad uniongyrchol ag unrhyw berson yn yr un o'r cymeriadau, ac y mae 'eu dydd yn gelwydd i gyd'.[27]

Y mae ei ddewis o'r gair 'ystumio', gair ac iddo flas cas, i gyfleu grym y dychymyg creadigol nad yw'n parchu na ffiniau na disgwyliadau, megis rhagrybudd o'r math o le fydd y 'Pentra', ac yr oedd i'w ddefnyddio drachefn yn ei hunangofiant go iawn, *Afal Drwg Adda* (1973) wrth geisio disgrifio yr hyn a luniodd yn *Un Nos Ola Leuad*:

> Darlun aneglur, wedi ei ystumio gan amser a dychymyg, fel darlun a welir mewn crychni dŵr, oedd y cronicl hwn. Darlun afreal, wedi ei weled yn y cyfnos ac yng ngolau'r lloer.[28]

Wele arfer 'distortion' ym mhlaid dweud y gwir, a dyma'r ddyfais sy'n peri fod darllen nofel Caradog Prichard yn brofiad cymaint mwy pwerus na darllen *Chwalfa* (1948) T. Rowland Hughes, nofel y mae ei harddull 'safonol' yn gweddu i olygwedd y mae da a drwg, teg ac annheg yn gategorïau hanfodol simplistig iddi. Nid porthi parodrwydd i fwrw bai a wna Caradog Prichard yn gymaint â llorio'r darllenydd â'i gyflead o'r natur ddynol yng ngrym ei nwydau, ac o feidrolion ar drugaredd amgylchiadau sy'n drech na hwy. Fe ddaw dicter a dolur streic, amwyll diwygiad crefyddol ac erchylltra rhyfel, ynghyd i greu'r 'frisson' o arswyd a deimlir wrth ddarllen *Un Nos Ola Leuad*.

Yn y nofel rydym ar daith loergan trwy'r 'Pentra' gyda llofrudd sydd ar ei ffordd i'r Llyn Du i'w foddi ei hun. Roedd wedi'i garcharu am lofruddio Jini Bach Pen Cae ar ôl iddo golli ymgeledd ei fam ac y mae naill ai wedi'i ryddhau ar ôl cyfnod yng ngharchar neu y mae wedi dianc. Y mae bellach yn ŵr canol-oed. Wrth fynd yn ei flaen trwy'r 'Pentra' y mae'n cofio pethau a ddigwyddodd pan oedd yn blentyn ac erbyn diwedd y bennod gyntaf y mae Huw a Moi ac yntau wedi gweld a chlywed mwy o bethau sioclyd nag a welodd ac a glywodd plant yr un pentref yn llên y Gymraeg cyn hynny. Mam Huw sy'n gofyn, 'Lle buoch chi ddoe'n gwneud dryga a gyrru pobol y pentra o'u coua?' A'r llofrudd sy'n ymateb: 'Pa bobol pentra o'u coua? Nid ni sy'n u gyrru nhw o'u coua, nhw sy'n mynd o'u coua.' A phwy all ei feio am feddwl felly?[29]

Mae'r cnawd yn rhemp yn y 'Pentra'. Preis Sgŵl sy'n ymhél â Jini Bach Pen Cae yn yr ysgol; Nel Fair View a Cêt Rhesi Gwynion sy'n 'gofyn amdani' wrth ddilyn y bechgyn; Harri Bach Clocsia sy'n dangos ei bidlan; Ffranc Bee Hive a Gres Elin Siop Sgidia ynghlwm yn ei gilydd yn y coed – mae'r bechgyn yn llygaid a chlustiau i bopeth. Nododd Huw nad oedd Ffranc a Gres wedi priodi: 'Na, does gennyn nhw ddim hawl i chwara felna gydag iawn, medda Moi, ond mae lot o bobol yn gneud run fath'.[30] Caiff Wil Elis Portar ffit o'u blaen gan 'rolio'n y llwch ar ganol y lôn, efo'i dafod allan a'i lygaid o run fath â dwy gwsberan fawr';[31] cânt weld 'Em, brawd mawr Now Bach Glo' yn gorwedd yn ei arch a'i chael yn anodd i beidio â chwerthin am fod top ei geg yn y golwg 'a honno wedi crychu i gyd run fath â tasa fo wedi bod eisio diod am yn hir'.[32] Clywant Catrin Jên Lôn Isa yn 'sgrechian gweiddi' yn y cwt glo am ei bod yn gorfod gadael ei thŷ am na all dalu'r rhent, a'r tu allan i'r Blw Bel mae Bob Ceunant yn dyrnu Now Llan nes ei fod yn llonydd ar lawr fel pe wedi'i ladd.[33] Ac o bob dychryn, Yncl Now Moi a Mam Moi yn ymrafael ar yr aelwyd, hi â chyllell frechdan yn ei dwrn ac yntau â thwca wrth ei gwddf, yn bygwth lladd ei gilydd, a'r bechgyn yn ffoi am eu bywydau:

> A dyna ichi'r cwbwl ddaru ddigwydd. Fuon ni yn unlla ond cerdded o gwmpas a doeddwn i ddim yn gwybod tan bora ma, ar ôl i mi fynd i Cwt Ned Crydd i gael hoelan yn fy nghlem, fod Yncl Now Moi wedi crogi'i hun yn y tŷ bach, a bod nhw wedi mynd â Jini Bach Pen Cae a Catrin Jên Lôn Isa i'r Seilam. Mae na leuad llawn heno. Pam na newch chi adael i Huw ddwad allan i chwara, O Frenhines y Llyn Du?[34]

Chwythwm o bennod sy'n ein gyrru i mewn i stori sy'n dirgrynu trwyddi gan emosiynau sy'n dynn at dorri, a honno'n stori y mae plant y 'Pentra' yn ganolog iddi a seice trwblus un ohonynt yn ei llywodraethu. Diniwed iawn yw morladron *Peter Pan* o'u cymharu â phentrefwyr 'cyffredin' *Un Nos Ola Leuad*, a thylwyth teg yw plant Anthropos. Nid lle caeedig ddiogel mo'r 'Pentra'; lle clawstroffobig o gaeedig ydyw a phobol o'i fewn fel pe'n crymu dan bwysau'r mynyddoedd o'u cwmpas. Nid oes cymorth o ddyrchafu llygaid i'r mynyddoedd ac nid oes noddfa wledig i ddianc iddi. Yn ofer yr aeth adroddwr truan y stori, pan oedd yn fachgen, at ei fodryb a'i theulu ar ffarm y Bwlch i geisio ymnerthu, a chyn y daw ei stori ef i ben y mae'r rhyfel ac angau 'naturiol' wedi difa teulu'r Bwlch i gyd.

Ni pherthyn y 'pentre gwyn' i fyd y 'Pentra'. Digyfnewid ffaeledig yw 'pobol y pentra', nid gwyrthiol gytûn a hygar. Ansadio a wna crefydd yno, nid gwaredu. Y mae cymdogion yn ffeind ond nid ydynt yn gysurwyr hawdd eu cael. Ni allant ddirnad, heb sôn am iacháu, dolur y mab a fagwyd ar aelwyd anghyfan. Ond waeth beth am eu ffaeleddau a'u troseddau, y maent yn bobol o gig a gwaed a chanddynt gyflawn hawl ar ein cydymdeimlad. Y maent yn fodau dynol i'w cymryd o ddifrif. Nid ein pellhau oddi wrthynt a wna eu trafael, chwaethach ein cymell i'w dirmygu, eithr ein cydio wrthynt â gewynnau ein dynoliaeth gyffredin. Fe'n bwrir i lawr gan ddiymadferthedd llwyr y mab pan gaiff weddillion bywyd ei fam yn barselyn o beth i'w ddwylo yn ysbyty'r meddwl yn Ninbych. Teimlwn loes ei amddifadrwydd pan ymfuda teulu Huw, ei gyfaill gorau, i'r de. Mae doluriau'r truan o storïwr yn *Un Nos Ola Leuad* yn disgyn fel cerrig i bwll y galon am ein bod yn un ag ef yn ei heldrin.

Gofal am bobol yn eu heisiau ac yn eu tipyn hoen, yn eu da ac yn eu drwg – hynny, ynghyd ag arddull lafar gwbwl sicr ei hamcan llenyddol, sy'n peri fod y daith loergan trwy'r 'Pentra' gyda'r pennaf o gampau ffuglen Gymraeg. Fel darn o ysgrifennu atmosfferig y mae mor rymus â dim sydd i'w gael yn yr iaith Gymraeg ac wrth nesáu at y Llyn Du gyda'r llofrudd o adroddwr, nid ffansïol yw meddwl amdano'n cerdded yn ôl traed cymeriadau o ansawdd Tess, a Jude, Thomas Hardy. Y mae'n fwy o lawer nag un o anffodusion Bethesda; y mae'n druan o arwyddocâd cyffredinol ac yn greadigaeth o faintioli na allai'r un 'pentre gwyn' mo'i gynnwys. Nid yw'n ddim syndod fod *Un Nos Ola Leuad* wedi'i chyfieithu i sawl iaith. Prawf yw hynny o gwmpas eang ei dynoliaeth.

Edrychodd Caradog Prichard heb gilio ar fywyd y 'Pentra' a heb osio edrych lawr ar yr hyn a welodd, ac ar ôl hynny fe aeth y 'pentre gwyn' gwledig yn gysyniad na ellid mwyach fforddio'i faldota'n llenyddol. Daethai awr datguddiad 'pobol y pentre' fel bodau dynol yn gymysg oll i gyd o faw a thegwch eu natur gynhenid. Y mae *Un Nos Ola Leuad* yn enghraifft nodedig yn y Gymraeg o wirionedd y gosodiad mai llenyddiaeth yw un o ganlyniadau dyrchafol pechod. Pechod sy'n gwneud cymeriadau llên yn rhyfedd, ofnadwy a thra diddorol, ac os yw awdur yn ddigon aeddfed ymwybodol ei fod ar waith ynddo ef pan yw'n ei ddangos ar waith mewn eraill, y mae gobaith iddo wedyn ysgrifennu llenyddiaeth sy'n fawrfrydig o ddi-dderbyn-wyneb. Heb weithiau o'r fath, gweithiau sy'n iach o feddyginiaethau fformiwlaig i drallodion pobol, ofer sôn am lenyddiaeth o bwys, llenyddiaeth a chanddi ofal difrifol am y cyflwr dynol. Ni fyddai 'pobol y pentre' fyth yr un fath yn y Gymraeg ar ôl cyhoeddi *Un Nos Ola Leuad.*

Yn fuan ar ei ôl, yn 1974, fe ddaeth 'Pobol y Cwm' i ddawnsio ar fedd y 'pentre gwyn' yng 'Nghwmderi'. Am bentref dedwydd! Cofiaf Dafydd Rowlands yn dweud ar ôl sbel yn sgriptio i'r ddrama gyfres deledu fod yna bethau'n digwydd yng 'Nghwmderi' na fyddai'n digwydd yn Chicago! Fe fydd pawb sy'n dilyn ein hopera sebon genedlaethol ni yn deall yn iawn beth oedd ganddo mewn golwg. O'r cychwyn, fel y mae'r gyfrol a luniodd William Gwyn i ddathlu pen-blwydd 'Pobol y Cwm' yn 21 oed yn ein hatgoffa, fe fu trigolion 'Cwmderi' yng ngyddfau'i gilydd, yn ddigri sbeitlyd ym Mrynawelon a siop Magi Post, gan dyfu mewn dicllonedd a diawlineb wrth i'r ddrama gyfres geisio adlewyrchu bywyd Cymru bentrefol chwarter ola'r ugeinfed ganrif. Yng ngeiriau John Hefin, a'i lansiodd: 'Ddoe'n ddigri, heddiw'n dywyllach'.[35]

Dros y blynyddoedd fe aeth nifer o drigolion 'Cwmderi' i garchar, a pha ryfedd gan amled eu pechodau. Clonc gelwyddog, meddwdod, anonestrwydd, lladrata, fandaliaeth, llofruddiaeth, anffyddlondeb, trais, cyffuriau, torpriodas, ambygio rhywiol, dynladdiad ac ati. Meddylier am

Cwmderi. *(Trwy garedigrwydd S4C)*

strach bywydau Carol a Dic Deryn, Doreen a Stan Bevan a Barry John, Megan a Reg Harries, Kath a Dyff a Mark a Stacey, Hywel Llewelyn, y teulu McGurk, Lisa Morgan, Gina ac ati. Y mae meddwl am y cyfan sydd wedi digwydd ac sy'n dal i ddigwydd mewn pentref Cymraeg yn 'sir Gâr' yn gadael dyn braidd yn llipa ei grediniaeth. Ond chwarae teg, rhaid derbyn confensiynau opera sebon mor barod ag y derbyniwn gonfensiynau opera glasurol, onid oes? Os gellir derbyn fod soprano o fewn munudau i farw o'r ddarfodedigaeth yn gallu canu 'nes clywo pawb' o bell, rhaid derbyn na all dydd na nos basio mewn opera sebon heb fod rhyw ddiflastod neu ddiawlineb neu drallod ar ddigwydd. Dyna y mae'r gynulleidfa yn awchu amdano. Gallwn resynu, hwyrach, fod trigolion 'Cwmderi' wedi cael cyn lleied o achos chwerthin y blynyddoedd diwethaf hyn ond y mae'n sicr petai'r gynulleidfa'n gorfod dewis rhwng llai o chwerthin, a mwy o ddiawlineb, mai diawlineb a fyddai'n mynd â hi.

Ym myd celfyddyd fe fu'r natur ddynol erioed yn drwm ei dyled i'w baw. Anlwc Caradoc Evans oedd iddo greu 'Manteg' pan oedd y Gymru Gymraeg 'swyddogol' ynghanol canrif o ymdrwsio'n niwrotig ar ôl i Lyfrau Gleision 1847 geisio perswadio'r byd nad oedd Cymru fawr mwy na thomen o faw. Dyfeisiwyd 'Cymru lân, Cymru lonydd' a chodwyd pentrefi gwyn ar ei daear na châi'r un 'Manteg', yn 1915 nac am flynyddoedd wedi hynny, ddifa eu mwynhad. Ar ôl yr Ail Ryfel Byd dadfeiliodd 'Cymru lân, Cymru lonydd' yn gyflym ac y mae'r Gymraeg wedi bod wrthi fel lladd nadroedd ers hynny yn ymfaweiddio er mwyn profi ei hawl i'w hystyried yn cŵl. Y mae'r pentre cŵl wedi hen ddisodli'r 'pentre gwyn' ac y mae i 'Gwmderi' yn ei remp a'i rysedd le canolog yn y stori honno. Petai Caradoc Evans ar gael o 1974 ymlaen fe fyddai'n fuan wedi gwneud ei ffortiwn wrth ddweud ei wirioneddau proffidiol ddrewllyd am 'Bobol y Cwm' mewn Cymraeg gwneuthuredig. Druan ohono; y mae meddwl amdano a'i wanc am arian yn temtio dyn i'w gyfarch yn Wordsworthaidd – 'Caradoc, ti ddylit fod yn byw yr awron!'

Ni fynnwn roi'r argraff ar ddiwedd y gyfrol hon fod y 'pentre gwyn' gwledig, yn llenyddol, yn farw gelain. Y mae'n sicr nad oes iddo le bellach mewn llenyddiaeth sy'n ddifrifol ei hymwneud â Chymru oni bai, efallai, y gallai fod angen ei atgyfodi'n ddyfais ar gyfer glosio'n ddychanol sylwebaeth ar y Gymru sydd ohoni. Ond a derbyn mai dyna yw'r gwir erbyn hyn, nid mor hawdd, serch hynny, y'i dadwreiddir yn y dychymyg Cymraeg. Y mae gormod o ddyheu ynghlwm wrtho, gormod o awydd ailymweld ag ef yn nyddiau chwalfa i adael iddo ddiflannu'n llwyr yn niwloedd 'rhyw ddoe di-hiraeth'. Pan oedd arch-arloeswr astudiaethau hanes llafar, y Cymro ysbrydoledig George Ewart Evans (1909–88), yn diberfeddu portread 'ffals' Ronald Blythe o bentref yn nwyrain Suffolk, *Akenside: Portrait of an English Village* (1969), 'shot through with fantasy and fiction' yng ngeiriau Evans, [36] roedd carfan o werinwyr teyrngar yng Nghymru yn cyndyn ddal gafael yn y wlad a'r pentrefi a'u moldiodd hwy, gan ysgrifennu'n gynnes amdanynt dan anogaeth Alun R. Edwards fel y dangosodd Rhian Haf Evans mewn traethawd ymchwil buddiol.[37]

'Cardi' o Gymro twymgalon, llafurfawr a pherswadiol oedd Alun R. Edwards (1919–86), llyfrgellydd arloesol ac arch-hyrwyddwr y fasnach lyfrau Cymraeg yn ei ddydd. Yn ystod ei dymor yn Llyfrgellydd Sir Ceredigion o 1950 tan 1974, ac yna'n Llyfrgellydd Sir Dyfed o 1974 tan ei ymddeoliad yn 1980, cyflawnodd gampau. Efe a greodd rwydwaith o lyfrgelloedd teithiol o 1949 ymlaen i wasanaethu'r cymunedau gwledig yng Ngheredigion, gan wneud darpariaeth ei sir enedigol yn batrwm i weddill Cymru. Efe, ynghyd â Phwyllgor Addysg y sir, oedd prif ysgogydd Cymdeithas Lyfrau Ceredigion a sefydlwyd yn 1954 i gyhoeddi gweithiau awduron lleol. Perswadiodd siroedd eraill i'w

Alun R. Edwards (1919–86)

191

hefelychu ac o Undeb y cymdeithasau a ffurfiwyd y tarddodd Cyngor Llyfrau Cymru yn 1961. Roedd ganddo bob math o syniadau am estyn ffiniau'r farchnad lyfrau a sicrhaodd fod nifer ohonynt yn dwyn ffrwyth, ond fel carwr llenyddiaeth, yn enwedig llenyddiaeth Gymraeg, nid oedd yn gatholig ei chwaeth. I'r gwrthwyneb, roedd yn sensor wrth reddf ac ewyllys.[38]

Cofiaf yn ystod fy nhymor yn aelod o Gyngor Sir Dyfed imi gael mwy nag un cyfle yn y siambr i edliw iddo ei fod yn cadw *Lady Chatterley's Lover*, *Ulysses* a hyd yn oed *Ienctid yw 'Mhechod* iddo ef ei hun a staff ei lyfrgelloedd, ac y byddwn yn cadw llygad barcud o'r herwydd ar gyfradd genedigaethau ymhlith y cyfryw rai. Ni fwynhâi neb yr hwyl yn fwy nag ef ac yn wên i gyd y byddai'n dal yn ddisyfl at ei safbwynt. A safbwynt O.M. Edwards ydoedd yn ei hanfod lle'r oedd llyfrau Cymraeg yn y cwestiwn. Roedd 'Alun R.' yn 'Gardi' o frid ac roedd gan Fethodistiaeth ran yr un mor arweiniol yn ei fywyd ef ag yr oedd ganddi ym mywyd 'O.M.' Gyda'r un awch adeiladol ag yr aeth 'O.M.' ati i wneud *Cymru* yn gylchgrawn i greu balchderau yr aeth Alun R. Edwards ati i wneud Cymdeithas Lyfrau Ceredigion yn foddion cynhyrchu gweithiau a rôi achos i'w ddarllenwyr ymfalchïo o'r newydd yn yr etifeddiaeth Gymraeg werinol. I ddyfynnu barn Rhian Haf Evans:

> Nid cyhoeddi llyfrau newydd yn unswydd er mwyn cynyddu'r nifer o lyfrau Cymraeg ar y farchnad oedd unig nod Alun R. Edwards. Yr oedd i'r llyfr Cymraeg bwrpas ehangach a phwysig wrth warchod diwylliant y Cymry Cymraeg. Roedd y math o lyfrau a gyhoeddid yr un mor bwysig . . . Credai fod darllenwyr Cymraeg Ceredigion yn ymgorffori delfrydau mwyaf uchelfrydig y Cymro Cymraeg gwaraidd, a gwnaeth bob dim yn ystod ei yrfa i warchod a hybu hyn. Megis nifer o Gymry amlwg ei genhedlaeth roedd yn uniaethu'r Gymraeg â'r bywyd gwledig ac, yn naturiol, disgwyliai weld rhyddiaith Gymraeg yn ymdrin yn ganolog â'r bywyd gwledig.[39]

A dyna, wrth gwrs, a wnaeth awduron Cymdeithas Lyfrau Ceredigion.

Y mae teitlau'r cyfrolau a gyhoeddwyd dan nawdd y Gymdeithas rhwng 1958 ac 1971 yn ddangoseg teg o'u cynnwys:

J. Islan Jones, *Yr Hen Amser Gynt* (1958)
John Williams ac Eben A. Davies, *Fferm a Ffair a Phentre* (1958)
Ben A. Jones, *Y Byd o Ben Trichrug* (1959)

Thomas Richards,	*Atgofion Cardi* (1960)
a	*Rhagor o Atgofion Cardi* (1963)
D. Emrys Rees,	*Cymdogion* (1962)
Dan Davies a William T. Hughes,	*Atgofion Dau Grefftwr* (1963)
W. Jones-Edwards,	*Ar Lethrau Ffair Rhos* (1963)
J.M. Davies,	*O Gwmpas Pumlumon* (1966)
Evan Jones,	*Ar Ymylon Cors Caron* (1967)
Myra Evans,	*Atgofion Ceinewydd* (1967)
Richard Phillips,	*Ar Gefn ei Geffyl* (1969)
a	*Pob Un â'i Gwys* (1970)

Yn ystod yr un cyfnod cyhoeddodd Gwasg Gomer lyfrau

David Jones (Isfoel),	*Hen Ŷd y Wlad* (1966)
S. Gwilly Davies,	*Wedi Croesi'r Pedwar Ugain* (1967)
Kate Davies,	*Hafau fy Mhlentyndod.* (1970)

a chafwyd gan Wasg Gee ddwy gyfrol boblogaidd iawn

| Ifan Gruffydd, | *Gŵr o Baradwys* (1963) |
| a | *Tân yn y Siambr* (1965) [40] |

Roedd y cyfan ynghyd (ac y mae cyfrolau eraill y gellid eu hychwanegu) yn ffurfio corff o lenyddiaeth a oedd yn ddigon arwyddocaol i haeddu sylw beirniadol gan Bedwyr Lewis Jones[41] a Dafydd Glyn Jones,[42] a gellir cytuno â Rhian Haf Evans pan ddywed fod y cyfrolau hyn i'w hystyried fel 'genre' sy'n enghreifftio llenyddiaeth ddihangfa Gymraeg.[43] Y maent yn encilfa funud awr rhag bygythiadau dwthwn heb ddim i'w ddweud wrth y ffordd a fu. Y mae'n ffaith mai caled a garw oedd y ffordd honno'n fynych, eto yr oedd bri ar gymdogaeth dda, ar gymdeithasu a chydlafurio cyn i'r wlad ei chael ei hun yn gaeth i rythmau'r peiriant, cyn i Gynddylan ar ei dractor sgathru'r ieir ar y clos a marchogaeth yn ei flaen ar ei gadfarch stwrllyd yn fyddarfalch i gân adar.[44] Ydyw, y mae'n deg dweud fod deunydd o'r fath, oni bai fod rhywun yn wladgasäwr dirwymedi, 'yn sicr o dynnu ar linynnau'r galon. Mae dyn yn reddfol yn dyheu ac yn hiraethu am yr hyn na ellir ei gael; er bod y gymuned yn y llyfrau hyn gan amlaf wedi hen ddiflannu dan y gro, mae ei rhin yn fythol wyrdd'.[45]

Arafodd llif yr atgofio a'r hunangofianna ryw gymaint bellach, er y gellid dadlau fod cyfrolau 'Cyfres y Cewri', cyfres anorffen hyd yn hyn, yn profi nad yw'r pentref yn y wlad wedi llwyr chwythu ei blwc eto. Erbyn hyn, fodd bynnag, diflaniad y pentref Cymraeg waeth beth fo'i liw sy'n achos pryder beunyddiol, wrth i fagad o noddfageiswyr goludog (goludog, o leiaf, o'u cymharu â llawer o'r brodorion) ddod i'r wlad i fynnu eu hawliau. Fe ddaeth dihangwyr o frid tra gwahanol i feddiannu'r pentrefi ac nid dim mor ansylweddol â dychymyg, chwaethach empathi, sy'n eu cymell. Wedi gwneud eu ceiniog y maent am 'lonydd gan holl derfysgiadau'r llawr'. I ddiawl â phentrefi gwyn y brodorion; y maent hwy wedi prynu eu man gwyn man draw.

Ond pwyllwn. Onid yw'r byd a'r bywyd sydd ohoni yn dra chymhleth? Yn nheyrnas symudoledd pwy bellach sydd frodor? Derbyniwn nad yw pethau fel yr oeddent a diolchwn am oleuni erthyglau *Contemporary Wales*.[46] Y mae gennym yn ddiau lawer i'w ddysgu gan gymdeithaseg ac economeg, ond y mae gennym fwy i'w ddysgu, mi gredaf, gan sylwedydd o ansawdd Noragh Jones, merch o Belfast yn wreiddiol, academydd a symudodd i fyw yng Nghwmrheidol yn 1986. Y mae ei llyfr, *Living in Rural Wales* (1993)[47] yn gyfoethog ei ymateb i'r diwylliant Cymraeg gwledig y cafodd ei hun yn rhan ohono, ac yn onest ei gyflead o'i hanawsterau deallusol a seicolegol wrth geisio ymdoddi iddo. At hynny, y mae ei 'Village Voices' yn y casgliad o ysgrifau dan y teitl *Homeland* (1996), yn llwyddo i grynhoi i gwmpas bychan yr amryfal groesterau sy'n peri bod bywyd yn y wlad heddiw yn bopeth ond llonydd. 'The clash of lifestyles in the countryside these days is epic', meddai, gan ychwanegu paragraff i hoelio'n union beth a olyga hynny:

> Is there still neighbourly community in rural Wales? It is alive and well, but only if you are lucky enough to have a friendly guide, good neighbours, to lead you through the cultural labyrinth. Because there is a baffling variety of folks living in the countryside these days – farmers and townees, locals and incomers, Welsh speakers and English speakers, New Age and straight, Christians and pagans. And the division is not always predictable. You come across Welsh speaking incomers, indigenous white witches, shepherd poets, Welsh language and English language surfers on the Internet. Enchantment happens where two worlds meet, says ancient Welsh myth, and the point of enrichment is still the empathic meeting of different cultures, and not the trench warfare mentality.[48]

Mae'n demtasiwn fawr i ddechrau amau fod rhyw allu blin wedi taro cis o'r newydd ar y Gymru wledig achlân ar ôl darllen y fath baragraff, a hyd yn oed i weiddi'n ffrantig, 'Dere 'nôl, "Gymru lân, Cymru lonydd", maddeuwyd iti dy ddofdra a'th guddgaredd!' Yn sicr, ni ddylid darllen stori fer Mihangel Morgan, 'Y Pentref', yn sgil darllen tystiolaeth Noragh Jones – oni bai, wrth gwrs, ei bod yn dda gennym gredu nad yw'n annichon fod yng Ngheredigion heddiw bentrefwyr brych wedi'u meddiannu gan ddiafoliaid sy'n mynnu dienyddio'r diniwed-wahanol, megis Mr Morris. Fel y dywedai Caradoc, 'Does dim yn sicrach. Ffantastig!'[49]

Ar sail gwireb T.S. Eliot na fedr y natur ddynol oddef gormod o realiti, y mae'n dda fod rhai o'n hawduron cyfoes yn dal i fynnu cadw'n agored y llwybrau ar yn ôl i'w pentrefi a'u bröydd gwyn hwy. Y mae'n dda i'n Cymreictod wrth ambell chwa o'r 'dyddiau gwell' pan chwythai'r deheuwynt drwy'n llên. Yng nghwrs ysgrifennu'r llyfr hwn cefais fy hunan yn ailddarllen teyrnged lawn Robin Gwyndaf i gymdogaeth, diwylliant a chapel yn Llangwm, Uwchaled, sef *Y Ffynnon Arian* (1996), a theimlo erbyn cyrraedd y diwedd fy mod wedi profi trydaniad o egni Cymraeg dihysbydd. Dysgais lawer ganddo; roeddwn yn disgwyl hynny. Y mesur dros ben oedd cael ymgolli mewn diwylliant mor gynhwysol a digonol ei foddau i'r rhai a'i cynhaliai ac a'i mwynhâi, nes credu y byddai dim ond gwybod am beth mor fywiol yn rhwym o'i gadw rhag darfod byth. Beth na roesai O.M. Edwards am gael Robin Gwyndaf ar restr cyfranwyr *Cymru*? Beth na roesai Alun R. Edwards am ei gael yn un o awduron Cymdeithas Lyfrau Ceredigion? Fe af i'r *Ffynnon Arian* drachefn, nid am fy mod yn mynd yn hen ond am nad wyf eto'n barod i fynd yn hen. Ynddi, chwedl y bardd, clywaf arial i'm calon.[50]

Ac os bûm yn Uwchaled gyda Robin Gwyndaf, fe fûm, hefyd, gyda'r prifardd Donald Evans ar Fanc Siôn Cwilt, yr hen Fanc sydd wedi'i ennill ef mor llwyr ag yr enillodd Sarnicol o'i flaen. Fe'i dilynais, diolch i'w gerddi a'i destament yn *Asgwrn Cefen* (1997), heb orfod symud cam o Langennech ac ar y daith fe ddaeth yr hen Geredigion i gau amdanaf innau yn ddedwyddwch nad wyf am ei golli fyth.[51] Ni all fod Arcadia, wrth gwrs, heb hepgor llawer peth ac ymwrthod ag amryw rai, ac y mae ei hawyr yn rhy denau i feidrolion broc allu anadlu ynddi'n rhydd a rhwydd. Fe dalodd y Gymraeg yn yr ugeinfed ganrif bris hallt am ymdroi'n rhy hir yn ei harcadïau. Ond byddai gorfod byw heb fodd na

chyfle i ymweld ag ambell un ohonynt o bryd i'w gilydd yn druan o
dynged, a byddai gorfod ymostwng i'r 'ffaith' nad yw fy 'mhentre gwyn'
i yn Llanddewi Aber-arth yn ddim ond celwydd i gyd, yn annioddefol. Y
mae hunaniaeth dyn yn gymhleth o sawl hunan ac o eisiau'r dyfnaf
ohonynt, ond odid, y tardd y 'pentre gwyn'. Y mae arnom angen lle i
feddwl yn dda amdano tra byddwn ar y ddaear hon, lle i gilio iddo ar dro
i adfer ffydd ynom ein hunain, a lle i ragori arnom ein hunain trwy ras y
dychymyg. Mewn gair, lle fel 'Talgarreg' Donald Evans:

> Fy hoff hendref o ffeindrwydd, – a hen le
> A'i lond o serchowgrwydd;
> Pentref cu'r cyd-rannu rhwydd,
> A phentref diffuantrwydd.[52]

1 Ar frwydr Tryweryn gw. Watcyn L. Jones, *Cofio Tryweryn* (Llandysul,
adargraffiad 1997); Einion Thomas, *Capel Celyn: Deng mlynedd o chwalu:
1955–1965* (Cyhoeddiadau Barddas, adargraffiad 1997).

2 *Cyfansoddiadau a Beirniadaethau Eisteddfod Genedlaethol Cymru Ystradgynlais,
1954*, 63–89.

3 Gw. Gwenno Ffrancon, *Cyfaredd y Cysgodion. Delweddu Cymru a'i Phobl ar
Ffilm, 1935–51* (Caerdydd, Gwasg Prifysgol Cymru, 2003), pennod 5, 138–61.

4 ibid.

5 ibid., 141, 158–61.

6 *Cyfansoddiadau a Beirniadaethau Eisteddfod Genedlaethol Bae Colwyn, 1947*,
129.

7 *Cyfansoddiadau a Beirniadaethau Eisteddfod Genedlaethol 1951 (Llanrwst)*, 183.

8 Gwenno Ffrancon, *Cyfaredd y Cysgodion*, pennod I, 23–33; Pyrs Gruffudd,
'Brwydr Butlin's: Tirlun, Iaith a Moesoldeb ym Mhen Llŷn, 1938–47', yn Geraint
H. Jenkins, gol., *Cof Cenedl XVI* (Llandysul, 2001), 123–54.

9 *Cyfansoddiadau a Beirniadaethau Eisteddfod Genedlaethol Cymru, Ystradgynlais,
1954*, 63.

10 ibid., 66–9.

11 ibid., 5.

12 Elwyn Edwards, gol., *Cadwn y Mur. Blodeugerdd Barddas o Ganu Gwladgarol*
(Cyhoeddiadau Barddas, 1990), 493.

13 Owen Roberts, '"A Very Ordinary, Rather Barren Valley": Argyfwng Tryweryn a
Gwleidyddiaeth yr Amgylchedd yng Nghymru', yn Geraint H. Jenkins, gol., *Cof
Cenedl XVI* (Llandysul, 2001), 155–90.

14 Elwyn Edwards, gol., *Cadwn y Mur*, 496.

15 ibid., 455.

16 Islwyn Ffowc Elis, *Blas y Cynfyd* (Gwasg Aberystwyth, 1958), 72.

17 ibid., 78.

18 ibid.

19 ibid., 269–70.

20 Bobi Jones, *Nid yw Dŵr yn Plygu* (Llandybïe, 1958), 71.

21 ibid., 66.

22 ibid., 70.

23 ibid., 79.

24 ibid., 55.

25 ibid., 112.

26 Bobi Jones, 'Tua'r Eldorado?' yn *Fy Nghymru i*, gol. John Jenkins (Llandybïe, 1978), 27–34.

27 Caradog Prichard, *Un Nos Ola Leuad* (Dinbych, adargraffiad 1973), 'Nodyn yr Awdur'.

28 idem., *Afal Drwg Adda. Hunangofiant Methiant* (Dinbych, 1973), 16.

29 idem., *Un Nos Ola Leuad*, 7.

30 ibid., 15–16.

31 ibid., 10–11.

32 ibid., 13.

33 ibid., 8, 14.

34 ibid., 18.

35 William Gwyn, *Pobol y Cwm (1974–1995)* (Caerdydd, 1996). 'Rhagair' John Hefin.

36 Gw. Gareth Williams, *George Ewart Evans* 'Writers of Wales' Series (Cardiff, University of Wales Press, 1991), 52–6.

37 Rhian Haf Evans, *Llyfrau Atgofion a Hunangofiannau o Geredigion (1958–1971)*. Traethawd M.Phil. Prifysgol Cymru, Bangor, 2001.

38 ibid., 'Cefndir', 5–31.

39 ibid., 17.

40 ibid., gw. Llyfryddiaeth, 138–40.

41 Bedwyr Lewis Jones, 'Cofiannau ac Atgofianna' yn Geraint Bowen, gol., *Y Traddodiad Rhyddiaith yn yr Ugeinfed Ganrif* (Caerdydd, Gwasg Prifysgol Cymru, 1976), 150–66.

42 Dafydd Glyn Jones, 'Llyfrau a Llenyddiaeth 1964-65' yn D. Ben Rees, gol., *Arolwg 1965*, 5–15 a 'Llyfrau a Llenyddiaeth 1965-66' yn D. Ben Rees, gol., *Arolwg 1966*, 26-36; idem., 'Rhai Storïau am Blentyndod' yn J.E. Caerwyn Williams, gol., *Ysgrifau Beirniadol, IX* (Dinbych, 1976), 255–73.

43 Rhian Haf Evans, op.cit., 19.

44 R.S. Thomas, *Collected Poems 1945–1990* (Phoenix Giants, 1993), 30.

45 Rhian Haf Evans, op.cit., 19–20.

46 Gw. e.e., Paul Cloke, Mark Goodwin, Paul Milbourne, '"There's so many strangers in the village now": Marginalization and Change in 1990s Welsh Rural Life-styles', yn Graham Day and Dennis Thomas, eds., *Contemporary Wales, Vol.8* (Cardiff, University of Wales Press, 1995), 47–74.

47 Noragh Jones, *Living in Rural Wales* (Llandysul, 1993).

48 John Gower, ed., *Homeland* (Llandysul, 1996), 85–99.

49 Mihangel Morgan, *Cathod a Chŵn* (Talybont, 2000), 168–71.

50 Robin Gwyndaf, *Y Ffynnon Arian. Cymdogaeth, Diwylliant a Chapel yn Llangwm, Uwchaled. Cyf I* (Caernarfon, 1996).

51 Donald Evans, *Asgwrn Cefen* (Llandysul, 1997).

52 Alan Llwyd, gol., *Y Flodeugerdd Englynion* (Llandybïe, 1978), 70 (422).